Рынок

Автовокзал

■ *Лавочка, на которой Саша и Брукс пили пиво*

Дом Климовой на холме

Дом Марьи Петровны

Редакция газеты

иблиотека

Мэрия

● *Пивная, где часто встречаются полковник Татев и Зоркий*

Центральный парк

Соборная площадь

Собор

УВД

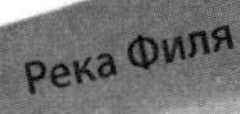

Река Филя

Парадная набережная

УФСБ

Дом майора из УВД

Частный сектор

Магазин «Алмаз»

Гостиница «Престиж»

Хлебозавод

Кафе AMOR FATI

Краеведческий музей

Малая площадь

Фигль-Мигль

ЭТА СТРАНА

ФИГЛЬ-МИГЛЬ

ЭТА СТРАНА

ЛИМБУС ПРЕСС
Санкт-Петербург

УДК 821.161.1-31
ББК 84 (2Рос-Рус)6
КТК 610
Ф 49

Фигль-Мигль

Ф 49 Эта страна. Роман. – СПб.: Лимбус Пресс, ООО «Издательство К. Тублина», 2017 – 377 с.

В новом романе лауреата премии «Национальный бестселлер» Президент Российской Федерации подписывает указ о реализации нового Национального проекта, основанного на небезызвестной «Философии общего дела» Николая Федорова. Проект предусматривает воскрешение граждан, репрессированных в двадцатые-тридцатые годы прошлого века. Смогут ли воскресшие найти себе место в новой жизни? Не возьмутся ли за старое? А если возьмутся, что тогда? И что делать молодому столичному ученому, неожиданно для себя оказавшемуся в самом центре грозных роковых событий?

«Эта страна» – с одной стороны, лихо закрученный, захватывающий детектив, а с другой – серьезное размышление о природе власти, вирусе революционности и природе русской истории.

ISBN 978-5-8370-0812-2

www.limbuspress.ru

Список сокращений

БО	Боевая организация
ВКП (б)	Всесоюзная коммунистическая партия (большевиков)
ВМН	Высшая мера наказания
ВЦИК	Всероссийский центральный исполнительный комитет
ВЧК	Всероссийская чрезвычайная комиссия
ГБ	Государственная безопасность
ГПУ	Государственное политическое управление
губзо	Губернский земельный отдел
ГУЛАГ	Главное управление исправительно-трудовых лагерей
ДП	Департамент полиции
ЗБ	Заграничное бюро ЦК РСДРП
ЗД	Заграничная делегация ЦК ПСР
ИКП	Институт красной профессуры
КРТТД	Контрреволюционная террористическая троцкистская деятельность
МФАГ	Московская федерация анархистских групп
НКВД	Народный комиссариат внутренних дел

ОГПУ	Объединённое государственное политическое управление
ПЛСР	Партия левых социалистов-революционеров
ПСР	Партия социалистов-революционеров
РАПП	Российская ассоциация пролетарских писателей
РНП	Российская национальная партия
РНСМА	Русский народный союз Михаила Архангела
РОПКП	Российская организация пролетарско-колхозных писателей
РСДРП	Российская социал-демократическая рабочая партия
РФО	Русское философское общество
СОО	Секретно-оперативный отдел
СПО	Секретно-политический отдел
ССРМ	Союз социалистов-революционеров максималистов
ФАК	Федерация анархистов-коммунистов
ЦК	Центральный комитет
ЦЧО	Центрально-Чернозёмная область

Начнём, благословясь.

В мутный, мглистый февральский день секретного года президент Российской Федерации сидел в одном из своих кабинетов и обречённо изучал документы, собранные в трёх папках: в серой – отчёт о демографической ситуации в России (результаты переписи, графики, прогноз), в чёрной – служебная записка о положении дел на границе с Китаем, в гнетуще-красной – строго научный и при этом чудовищный доклад некоего Фёдорова «Философия общего дела». От всех трёх веяло апокалипсисом, но президент никак не мог решить, перевешивает в этом отношении красная папка остальные или наоборот. Он перевёл взгляд на главу президентской администрации, сосредоточенно обрывавшего герань в горшке на подоконнике.

– Расскажи мне об этом Фёдорове.

– Таких называют «одинокий мыслитель», – сказал глава, собравшись с мыслями. – Не замечен вообще ни в чём. Чтобы там по митингам бегать, о властях высказываться... Да у него даже аккаунта в «Твиттере» нет. Работает библиотекарем. Живёт на зарплату.

– Не доверяю я этим аскетам.

– Он никогда не носит шубу.

– Не носит шубу? – переспросил президент. – То есть она у него есть?

– Он считает, что человек должен восстановить свою власть над собственным телом... во всей его, гм, космической мощи.

– Подожди, – сказал президент, – ты меня совсем запутал. Если он не носит шубы, потому что у него её нет, так в этом нет ничего особенного. А если есть и не носит – –

– То это уже принцип.

– Высокомерие это, а не принцип. Герань не трогай.

– Фёдорова интересует не столько полнота лиц, сколько полнота поколений. Только нация в её полном... гм, объёме... сможет ответить на вызовы истории.

– Я тоже не ношу шубу.

– У тебя-то шуба есть?

– Не знаю. Если положено, то, наверное, есть... А что значит «полнота лиц»? В смысле поперёк себя шире?

– Никогда не понимал этого выражения.

– Так говорят, когда будка шире плеч. Вот эта, полнота лица.

– То есть «будка» как часть в целое «себя» уже не входит? Плечи отдельно, будка отдельно?

– Поперёк себя всего остального. Давай дальше.

– Фёдоров говорит, что пассивное отношение к жизни нужно заменить проективным. Ты знаешь, что такое трудовой проект?

– Нанотехнологии?

– Нанотехнологии. Философ Фёдоров изобрёл способ воскрешать мёртвых.

– Ну да, я так и прочёл. Подумал, типа метафора.

– Это не метафора. Это активное преодоление неправды смерти.

– ...

– ...

– И это можно?.. Преодолеть?

– Можно, можно.

– И мёртвые воскреснут?

– Воскреснут.

– И вот он философией возьмёт и воскресит?

– Не только философией. Но да, главным образом.

– Я не понимаю, как это работает.

– Тебе и не нужно понимать. Ты будешь иметь дело с результатом.

– Ты сам-то понимаешь?

– ...

– Что такое «активное преодоление неправды смерти»?

– А что тут непонятного?

– Ну, слова-то понятные. Но я не понимаю. Оставь в покое мои цветы.

– ...

– Почему смерть – это неправда? Очень даже правда. Самое правдивое, что есть.

– Он под неправдой имеет в виду не ложь, а неправоту. – Глава президентской администрации исподтишка потянулся к герани, но передумал. – Впрочем, и ложь тоже.

– Но смерть не лжёт.

– Лжёт, лжёт. Смерти вообще нет.

– Ах, ну если ты в этом смысле…

– Для начала это будут жертвы репрессий в советское время. Расстрелянные и умершие в заключении. Так сказать, генофонд.

– А военные потери?

– Только те, что от своих рук.

– То есть власовцы?

– Почему сразу власовцы. От заградотрядов много людей погибло.

Какое-то время оба молчали.

– Что, – сказал президент, – всех-превсех? И Сталина?

– Нет, – сказал глава президентской администрации. – Если воскрешать Сталина, то какой тогда смысл воскрешать остальных? Я составляю список неподлежащих.

– А Троцкий-то!

– Не беспокойся. Списки тщательно проработают. Никаких пассионарных вождей.

– Тухачевского тоже не хочу.

– Хорошо.

– А самоубийц?

– Самоубийц воскресим. Мало ли по каким причинам им жить разонравилось. А если не понравится и теперь, они всегда смогут покончить с собой заново.

– Да… Тут уж какая судьба у человека. Никакой Фёдоров не поможет.

– Он так не думает.

– ?

– Фёдоров ненавидит судьбу. А amor fati считает вершиной безнравственности.

– Что так?

– Поставь себя на его место.

– Куда?

– Куда, куда. В библиотеку.

– Не сходится. Именно библиотекари своей судьбой должны быть довольны. Зачем иначе выбирать такую профессию?

– Он её выбрал ещё до смены эпох.

– При чём тут смена эпох? Библиотека – в любую эпоху библиотека. В углу за печкой. И вообще как-то странно... от цветов отойди!.. странно, что вот такой... и хочет вот такого...

– Это называется «одинокая мечта об общем деле». Сам сидит в углу, но хочет соборности.

– Вот-вот, с чего бы?

– Мы сейчас все её хотим.

– Все, кроме библиотекарей.

– ...

– И почему он так упёрся в эту шубу?

– Извини, но в эту шубу упёрся как раз ты.

– Мне интересно.

Президент взял и просмотрел протянутый главой предварительный список неподлежащих воскрешению.

– А Кирова за что?

– Это личное.

– А царскую семью?

– А вот это – в интересах государства.

– Ладно, ладно. Сталина точно не будет?

– Исключено. И в конце-то концов, Сталин умер своей смертью.

– Гм, – сказал президент, – темна вода во облацех... А что Церковь?

– Церковь на словах сейчас против. А по факту куда ей будет деваться? Сто тысяч священников помимо прочего.

– Сто тысяч? Послушай, а у нас вообще-то есть какие-нибудь достоверные цифры?

– Ну что ты как маленький, какие достоверные цифры? Воскресим и посчитаем.

– А предварительно посчитать никак нельзя? Ведь существуют расстрельные списки.

– Существуют. По некоторым годам даже сводные данные есть. В 1930-м к высшей мере наказания приговорены 20 201 человек, из них тройками ОГПУ, за участие в крестьянских волнениях, почти 19 тысяч. В 1936-м – 1118. В 1937-м и 38-м – 353 074 и 328 618 соответственно. Если предположить, сопоставить и округлить, за все годы советской власти выйдет около миллиона.

– Вот видишь.

– Не вижу. Это только ВМН. А те, кто в процессе умер? Это троцкистов можно посчитать или писателей, а крестьян когда кто считал? Возьми хоть спецпереселенцев: с 1932-го по 1940-й через спецпоселения прошло 2 миллиона 176 тысяч человек. Умерло 390 тысяч, бежало и не найдено – до 600 000. А почему я сказал «с 1932-го», если ссылать начали в тридцатом? Потому что отсутствует за тридцатый и тридцать первый точная статистика. Раз уж учёт не был налажен, то что там было налажено вообще? Полюбуйся, что мне пишут: «Можно предположить, что число бежавших и умерших доходило до 50% от общего числа выселенных». А это, между прочим, миллион человек за два года.

– ...

– А смертность в ГУЛАГе? А голод? Как голод считать? Пожалуйста: голод 1921–22 гг. Советская статистика даёт миллион погибших, самые радикальные современные историки – до восьми миллионов. Голод 1932–33: суммарно по СССР шесть миллионов. Из них Поволжье – один миллион человек, Казахстан – до двух миллионов, Украина – –

– Стоп-стоп-стоп! Давай-ка в существующих границах.

– Как угодно. Усвой одно: ты просишь цифр, а тебе дают и будут давать только расхождения в цифрах. Это не злой умысел. Такова природа всех подсчётов. Чем больше считаешь, тем сильнее запутываешься.

– Не злой умысел, как же. Почему со мной никто не хочет по-человечески? Считают, как хотят, а я получаю по вопросу все бумажки, кроме какой-нибудь окончательной. Сотни, тысячи и до фига. И всем подпиши... Сколько это примерно в миллионах?

– В миллионах примерно не меньше трёх, не больше десяти.

– К нам таджиков больше приезжает.

– Вот и вопрос с таджиками наконец закроем.

– ...

– ...

– А почему мы не берём погибших на войне?

– Потому что тех цифр не осилим точно.

– А если только Гражданскую?

– 7–12 млн. Плюс вероятность, что эта война немедленно возобновится.

– Я, вообще говоря, сомневаюсь, что троцкисты были таким уж генофондом.

– ...

– И вот ещё что... Воскрешайте трудоспособное население. Ну и детей, конечно. Дополнительных пенсионеров бюджет просто не потянет.

– Да те-то, наверное, и не слышали, что бывают пенсии.

– А теперь по сторонам посмотрят и услышат. Не надо.

– Боишься, что возьмут судьбу в руки?

– Я про это смешную пословицу знаю.

– Я её тоже знаю.

– А Фёдоров не знает?

– Фёдоров философ. Его, если не хочет, знать не заставишь.

– То есть он знает, но игнорирует?

– Игнорировать – это когда знаешь, но делаешь вид, что не знаешь. Это простому человеку приходится игнорировать: тебе, мне... А философы плевать хотели на всё, что не входит в их картину мира.

– Но чтобы на что-то плюнуть, нужно знать, куда плюёшь.

– Ну да... Но это чтобы плюнуть и попасть. Они плюют так, в пространство. В котором нет ничего, ими не предусмотренного.

– Тогда и плевка нет?

– Плевок как раз единственное, что есть. Ты подписал?

– Некромантия какая-то, – сказал президент, опасливо разглядывая красную папку. – Не могу я. Давай пошлём запрос в Академию наук.

– А то мы не знаем, что Академия наук ответит.

Президент РФ не был трусом. Он не был даже тем лукавым и слабым властителем, каким любили его рисовать политические оппоненты.

– Может, всё-таки шарлатан? – спросил президент с надеждой.

– Он не шарлатан, – сказал глава президентской администрации сурово. – К сожалению. Ты вот это, про Китай, внимательно читал? Давай, подписывай.

И на докладе «Философия общего дела» появилась виза «к исполнению».

Где-то через полгода, уже осенью, Саша Энгельгардт, доцент Санкт-Петербургского полигуманитарного университета, поехал в город Филькин на междисциплинарную конференцию «Смерть здравого смысла», послушать и доложить о заколдованных герменевтических кругах, по которым мучительно бегут друг за другом имплицитный читатель и авторская интенция.

Филькин был маленький город, зато на холмах. Как Рим.

Там были улицы с каменными домами, улицы с деревянными домами. И центральная площадь – со всем, что положено, собором и памятником Ленину. Лестницы и лесенки. Парк. Улицы карабкались и петляли по холмам, а между холмами петляла речка – робкий и мутный приток притока Волги. Над почерневшими и кривыми деревянными заборами вздымались прекрасные старые яблони, над яблонями – ободранные стены полуразрушенных церквей, их чёрные купола, над куполами – многоцветное небо. Куда деться уездному городу из-под копыт истории? И чьи копыта не вязли в этих суглинках? Саша смотрел на неспешных прохожих в среднерусской одежде типа «и в мир, и в сортир», смотрел по сторонам на всё замученное и родное – и чувствовал, как его отпускает. Спасибо осенней гари в воздухе, осеннему счастью сознавать, что всё закончилось; сил уже нет, но они уже не нужны. Всё закончилось, прошло; наконец-то можно опустить руки, не стыдно умереть. Упасть вместе с листьями. Не удивительно, что наши лучшие писатели любили осень. И, подумав про лучших писателей, доцент Энгельгардт поджал губы.

Каким он был человеком? Он жил (и подозревал, что так и умрёт) в кругу передовых интеллигентных людей и их представлений о благоустроенном обществе: мраморная говядина, евроремонт, культурка по ТВ и вежливый полицейский на улице. Когда эти люди и представления требовали, он осуждал либо выступал в поддержку, не сознавая, что и те, кого он осуждает, и те, кого поддерживает, держиморды и демократы, давно слиплись для него в один неприятный ком. Он делал, что положено: писал докторскую, купил машину. В глубине души Саша не понимал, зачем ему машина вообще, но все вокруг по умолчанию считали этот предмет важной жизненной целью. Как купить; что покупать; тонкости эксплуатации; энергичное обсуждение дорог и всего, что на дорогах, – теперь, по крайней мере, он мог поддержать разговор в преподавательском буфете. В этой машине, уже по собственной инициативе, Саша слушал радиостанцию, на которой немалое внимание уделялось новостям рынков, биржевой хронике, акциям, корпорациям и финэкспертизе. Он жалостливо полюбил прогнозы экспертов и привык к загадочному словосочетанию «высокотехнологичный наздак». (Пленял не идущий к делу отголосок наждака, пиджака и школьных дней вопля «херак! херак!». И так жее вышло с рекламой каких-то фильтров: «Внешне вода может быть мягкой, а вы знаете, какая она на самом деле?», – та звучала как стихи, бессмысленные и властные. Саша порою гадал, что означает для воды быть мягкой «внешне» – на ощупь, наверное? – но быстро отступался.) Главное, здесь не было рубрики «разговор с психологом». На остальных радиостанциях сидело по психологу (энергичные тётки и всёпонимающие парни), каждого из которых хотелось убить. Точнее так: убивать, садистски изощрённо и долго. Энергичные тётки! всёпонимающие парни! Их задушевные интонации усиливались, когда речь заходила о сексуальных отклонениях, и начисто пропадали, едва на арене появлялись депрессии. Депрессиям (диким зверям), в отличие от отклонений (милых зверушек), психологи не оставляли шанса: душить их, рубить, травить медикаментозно. Потому что (по ряду причин Саша это понимал, и не один он был такой) фетишизация белых носочков во всяком случае способствует продажам трикотажа, а усталость и тоска от жизни каким-либо продажам, кроме разве что продаж алкоголя и наркотиков, наносит урон... так что пусть покупают антидепрессанты и воскрешают в себе потребность покупать всё остальное – носочки так носочки. Бизнес самих антидепрессантов тоже, кстати сказать, не последний. Может, и попервее наркотиков. Ах, тошно, тошно.

Но никогда, ни разу, не поглядел он в зеркало и не сказал: ты сам во всём виноват, скотина.

Каким он был филологом? Он не краснея говорил и писал по сто раз на дню «иллокутивный акт, осуществляемый актом высказывания». От постоянного повторения слова «акт» Сашина умственная жизнь текла в каком-то квазиэротическом, квазисудебном мареве, когда к половым и подзаконным актам добавляется кое-что и понемногу из классиков, а от акта дефекации мысль ассоциативно, естественным образом, переходит к современному искусству. А ещё в его сознании «точка бифуркации» нераздельно и неслиянно соединялась с «точкой джи», и обе казались пунктуацией в надписи на воротах ада.

Собственно в своём предмете он понимал отдельные слова, но не смысл, образуемый их сочетанием, и по наитию вставлял «контрдискурс», «пресуппозицию» и «имплицитно» *(«Когда не знаешь, что сказать, говори: "имплицитно"»)* везде, где чувствовалось интонационное зияние. К счастью, те, кто его читал, были такие же, как он.

Что они все умели по-настоящему, так это правильно позиционировать себя и свои труды на научном рынке. Слово «креативность» в ходу не только у сутенёров: подавать и продавать продукт научились все, кто чает достойной жизни. Презентации – публикации – престижные гранты – скромные, но со вкусом пальто и авто на выходе. Да почему именно пальто и авто, разве ради них дело затевалось? В XXI веке никто не может войти в интеллектуальную элиту просто по факту интеллектуального превосходства. За удостоверение принадлежности к интеллектуальной элите, как и любое другое удостоверение, нужно платить. Душой или нервами – что найдётся. Потом покупаешь антидепрессанты. Если ничто не мешает, идти в ногу со временем легко и необременительно.

Как-то приятель, в прошлом однокашник, а теперь тоже доцент примерно того же качества, предложил ему написать в соавторстве роман. (В последние годы писать романы вновь стало социально выгодно). Вот только о чём?

– Ну, нужно писать о том, что знаешь.

– Ты спятил, Саша, – сердито сказал однокашник. – Кому нужно то, что знаем мы?

– А кому нужно, если такие, как мы, напишут о высокотехнологичном наздаке?

– А это что такое?

– Первое, что в голову пришло. Поток сознания.

– А что, попробуй поток сознания. Только подробненько, подробненько.

Вечером Саша сел и написал:

«Я не могу писать подробно. У меня камень на душе. Я не знаю, что о себе рассказать».

– А что, неплохо, – сказал однокашник. – Определённая энергия есть. Ну, знаешь, вся эта тема с потерянными поколениями. Теперь рассказывай по порядку и с трупами. Хотя нет, трупы я обеспечу сам. Ты будешь отвечать за стиль и чувства.

«Какие чувства, – подумал Саша, – какой стиль». И сказал: «Ладно». Он говорил «ладно» в ответ на любое предложение подзаработать. Один раз откажешься – во второй не предложат.

Вывернув на одну из двух центральных улиц Филькина, чистенькую и даже нарядную, сплошь в приземистых особнячках (свежие пастельные цвета и новые рамы удостоверяли, что особнячки перешли наконец в надёжные руки), Саша чудом не налетел на рыжеватого такого блондина, с коротким прямым носом, совершенно эсэсовского типа. Тот стоял посреди тротуара, опираясь на трость с серебряной ручкой, и говорил по мобильному телефону: нездешний человек в пиджаке, джинсах и высоких сапогах. Из незастёгнутой сумки с ремнём через плечо выглядывал край ноутбука. Помимо сапог, Сашу особенно поразил шоколадно-коричневый шарф, без узла замотанный на шее поверх явно хорошего твидового пиджака, и то, что блондин держал телефон, не сняв перчатки – и само наличие перчаток. Чёрные очки, не столь уж необходимые по погоде, идеально довершали облик.

– Иду как вода, на ощупь, – терпеливо и насмешливо говорил блондин. – Что? Ещё нет, осмотреться хотел... Хорошо, схожу. Сыграю зайчика.

«Тебе б офицеров СС играть», – подумал Саша, проходя.

А блондин посмотрел ему вслед, оценил, каталогизировал, на всякий случай запомнил и пошёл своей дорогой. Через пару минут, останавливаясь на перекрёстке, он мягко и ловко уцепил за локоть мимоидущую девушку.

– Как пройти в библиотеку?

– Да никак. Не надо тебе туда идти.

Девушка смотрела в упор, погрузив руки в карманы широченных штанов.

– Мне бы вообще-то Wi-Fi. Может, здесь есть интернет-кафе?

– У нас всё есть. Даже медведи.

– Какие медведи?

– Которые по улицам ходят. Вы, московские, совсем оборзели. В Россию приезжаете как из-за границы.

– Да, – сказал блондин. – Что, так заметно, что с Масквы?

– Ты сам-то как думаешь?

– Думаю, что идёт ассимиляция. Я здесь уже целых два дня.

Пока девушка думает, стоит ли комментировать наглую шутку – шутка ли это вообще, кто знает московских, – из-за поворота без помпы выруливает убитая «копейка». Из «копейки» выскочили и метнулись под вывеску «Алмаз. Ювелирный салон». Резкие парни с их кожаными куртками, тёплыми трениками и ржавым отечественным автопромом были неотличимы от мелкой шпаны, провинциальных налётчиков.

– Опять экс.

– Так, – сказал блондин. – 90-е всегда с нами.

– Ну какие ещё 90-е, говорю тебе, экспроприация. Это не бандиты, а межпартийная БО. Боевая организация.

– Из каких же партий?

– Эсеры, анархисты, максималисты… Я в них не разбираюсь.

«И не одна ты», следовало сказать. При составлении чёрных списков на бумагу полезли не только тайные личные страхи составителей, но и их невежество, подкреплённое непрофессионализмом и ленью недобровольных помощников. Даже референту из президентской администрации достанет смекалки поставить звёздочку рядом с именами Троцкого, Ежова и Л. П. Берии, но сотни и тысячи других имён, безобидная, беспомощная типографская краска – кто ж знал! А как было проверить? – встали людьми, в багаже у которых, помимо наркомовской пули, лежали царские тюрьмы и каторга, подполье, опыт войн и разведработы, умение рисковать и приходить друг другу на помощь. Референты не думали, что это важно: не путать левую оппозицию с правой, Зиновьева с Бухариным или вникать в расцветку эсеров. Слово тем более привычное... ну и получилось, как с пушкой и единорогом: только опыты доказали, что «Справедливая Россия» – это одно, а Партия социалистов-революционеров – совсем другое.

(Но как, вообще говоря, жить референтам? У каждого референта есть своё горе: невыплаченный кредит, неудачные грудь и зубы, старушка-мама. Они не хотят дурного. Они не знают, например, что Агранов до ВКП(б) состоял в ПСР, что Ягода был анархистом-коммунистом и поддерживал контакты с эсерами, что ВЧК на треть состояла из левых эсеров, и даже в 1934-м в высшем руководстве НКВД насчитывалось тридцать человек (31%) лиц с некоммунистическим прошлым: ПСР, анархисты, левые эсеры, меньшевики. (Ежов и Берия это исправят.) Референты не знают, а если б вдруг и знали, то не умели бы пристроить это знание к жизни... но, возможно, каким-то боком виноват и тот, кто пять или десять лет назад читал им лекции и ставил зачёты? Да. Нет. Тот, кто ставит зачёты, никогда ни в чём не виноват.) Додумались внести в список Савинкова – ну и слава Богу, Бориса Савинкова Россия

XXI века не потянула бы, – но проморгали десятки рядовых боевиков: от самых известных, храбрых, удачливых отшатнулась в страхе даже постсоветская реабилитация. Да нужно ли было быть семи пядей во лбу, чтобы предсказать, что они сделают, оказавшись в стране, которую вновь очевидно и отвратительно подмял под себя настоящий, невыдуманный, общий для всех классовый враг.

– Да. Насилие – вещь позитивная.

– Как у тебя всё просто.

– Я и сам простой.

– Это мэра нашего магазин. Деньги с наркотиков через него отмывает. Если повезло ребятам, сейчас на выходе будут в воздух стрелять.

– А если не повезло, то по зевакам.

С этими словами он схватил её за руку и поволок... невесело бежать на хромой ноге, в одной руке палка, в другой – красотка в среднем весе... поволок за угол и прочь, и за их спинами вскоре действительно раздались выстрелы.

Остановились отдышаться.

– Как тебя зовут?

– Марья Петровна.

Блондин, который был чуть не вдвое старше нахальной девчонки, улыбнулся.

– Ты не похожа на Марью Петровну. Ты похожа на Машу. Извини.

– Может быть, назовёшь своё имя?

– Олег Георгиевич.

Он перехватил её смутно озадаченный взгляд и снял перчатку. На левой руке не хватало двух пальцев: мизинца и безымянного.

– И нога повреждена, – сказала Марья Петровна.
– И нога.
– Это был взрыв?
– Нет. Что-то не слышу сирен родной милиции.
– Приедут. Попозже.
– Неужели в доле?
– Не в этом смысле. Много сочувствующих.
– Чему?
– Ну как это «чему»? Делу революции. Ты что же, решил, что эти деньги на водку и яхты пойдут? На сапоги от...
– От Prada. А на что ещё можно потратиться?
– На оружие, типографию, организационную работу.
– На выбора́...
– Не нужны таким выбора́. Это нелегальные, непарламентские партии.
– Наконец-то.
– ...Ладно, Олег Георгиевич. Бывай.
– А телефончик?
– Моей сестре парень назначил свидание на вечер, – сказала Марья Петровна. – А за день они то там, то здесь раз пять столкнулись, знаешь, как бывает: в магазине, на площади... Так что вечером она ни на какое свидание не пошла. Её уже от этого парня реально тошнило. Мораль: здесь Филькин. Хочешь не хочешь, теперь сто раз увидимся.

Филькинское управление ФСБ... ловко, надо сказать, запрятали полторы свои комнатки и вывеску... Филькинское УФСБ по-братски делило с прокуратурой и налоговой трёхэтажный (если мезонин считать за этаж) особняк на набережной (если считать набережной двести метров облицованного берега). Противоположный берег свободно скакал к серой узкой воде природными обрывами, а этот был с газоном по склону, оградкой, фонарями и цивилизованной лесенкой. Светлые палевые и желтоватые присутственные дома смотрели через реку на зады центрального парка, на виднеющийся слева от парка собор, чёрный узкий мост, сплошь тёмную церковь и, вдали, монастырь, в прежнее время бывший тюремным распределителем (всё левее и левее, за пределами рамы, так что из окна увидишь, только высунувшись).

Блондин Олег Георгиевич без спешки поднялся по лестнице, отыскал нужный кабинет и привычно, как пистолетом, махнул удостоверением перед носом развлекавшегося с айфоном толстого майора.

– Управление собственной безопасности.

– А! пресловутый полковник Татев!

– Звучит как титул, – сказал блондин. – Пресловутый... высокородный... досточтимый... Начальство на месте?

– Убыло начальство, – сказал майор. – У нас здесь проблемы покрупнее московского особиста.

– У мэра проблемы?

– У мэра? Тебе не по хер ли, есть проблемы у мэра Филькина или нет? По хер. И мне по хер.

Полковник Татев одобрительно кивнул и подошёл к окну. В окне, как в раме, проступила бесконечная мягкость пейзажа, неяркий свет над водой и землёй.

– Хорошо у вас.

– Ага. Вижу, что сразу с поезда.

– Что, так заметно?

– Ты сам-то как думаешь?

Толстый майор с нескрываемым любопытством... он простодушный, провинциальный, или ему удобнее казаться простодушным, провинциальным; эти толстые майоры такие шутники... с нескрываемым любопытством рассмотрел сапоги, сумку, пиджак и часы столичного гостя. Что-то уяснил. Сказал так:

– С нашим генералом можно порешать.

Можно предположить, что начальник управления ФСБ по Филькину, городку с далеко не миллионным населением, – не генеральская должность; если подумать, хватило бы и майора. Но генералы летят густо, и всё засыпано генералами, как снегом, надо же их куда-то распределять – как молодых специалистов распределяла советская власть на заводы и школы, разве что в случае с генералами совсем с другим размахом приходится давать жилплощадь и ставить на довольствие. Генерал Климов, Виктор Петрович, попал, куда попал. Он и здесь не растерялся – ну, судя по тому, что собственной безопасности пришлось аж из Москвы ехать, – однако Филькин положил свою тень на его гордые погоны.

Жители столиц и миллионников узнают из новостей о вопиющих случаях в Торжке или Елабуге и думают, что в маленьких городках мэру, прокурору или главному бандиту легко быть самодуром и куражиться – в глухой провинции, в толще глухого смирения и страха, вдали от гражданского общества и не всё видящих глаз высокого начальства; но они не учитывают, что вдали-то вдали, но когда надо, эти расстояния исчезают со скоростью звука или света, что это вдали до тех пор, пока высокому начальству не бухнется в ноги удачливый гонец от униженных и оскорблённых, или по другой какой причине отверзнутся вещие зеницы, и если московского мэра никакими гонцами не спалишь, московский мэр должен спалить себя самолично, то провинциальный сатрап ходит и озирается, все его шаги – над бездной, все его пути, в воде и воздухе, – среди акул и стервятников, и в конце всех путей неизбежно ждёт полковник, обученный прессовать генералов. Никто и ничего не будет с тобой решать. Тебя уже решили.

– Это к тебе?

Из-за неслышно приотворившейся двери просовывалась не столько даже рожа, сколько харя: жёсткая щетинка на голове, круглые, криво сидящие очки, нос пятачком и усики, как на изображающих Гитлера карикатурах. На лацкане простого пиджачка светился значок «Почётный работник ВЧК-ГПУ (ХУ)».

Майор не стал подскакивать или меняться в лице, ограничился взмахом руки – и рукой-то махнул не так чтобы энергично, устало махнул и без отвращения.

– Брысь.

– Нечасто я таких вижу, – с интересом сказал полковник.

– Ещё бы. У них у всех «минус два». Хорошо в Москве и Питере устроились: подняли людей и выперли на просторы.

– Чего он сюда-то ходит?

– А куда ему ходить? Всю жизнь в органах.

– Используете?

– Установка была не использовать. От министра... Ну того, знаешь, родственника.

– Он уже «экс».

– Экс-родственник?

– Экс-министр.

– Об этом я не в курсе.

– Но установку не поменяют.

– А я б и в штат взял, – зло сказал майор. – Они, по крайней мере, хотят работать.

– Это и пугает.

– ...

– Ладно, пойду. Скажешь, что приходил.

– Зачем приходил-то? – запоздало крикнул вслед майор.

– Сам не знаю, – рассеянно, не оборачиваясь, сказал полковник. – Как собака на свою блевотину.

А потом он шёл по коридору, напевая «а я иду такая вся в Дольче-Габана», а майор поприслушивался к уходящему постукиванию трости по паркету и снова взялся за айфон. И он, конечно, не мог видеть, как на лестнице полковник Татев поманил за собой неприглядного понурого человечка, подпиравшего перила, и как этот человечек, не веря своему счастью, вскинулся.

Саша тем временем пришёл.

Конференцию принимала Центральная городская библиотека, с 1918 года помещавшаяся в особняке рядом с соборной площадью. Жёлтый ампирный особняк: портик, колонны, фронтон, атланты с неожиданно юными и круглыми рязанскими лицами, – не приглянулся никакому новому крепкому хозяйственнику, и теперь в нём осуществился мирный пакт разрухи и жизни. Трава росла даже на крыше. Являя что-то уже окончательное, времён полного римского упадка, трава росла по всему портику, и чисты были только большие удобные чаши (кратеры? килики?) по краям – их наполняла дождевая вода. Саша родился и безвыездно жил в городе, который последние пятнадцать лет остервенело и прямо с какой-то ненавистью ремонтировали, реставрировали и норовили приукрасить, и вид пегого фасада наполнил его жалостью и ностальгией.

На скошенном углу мостился круглый каменный балкон с толстенькими балясинами, и лепнина под ним («алебастровые украсы», как пишет Даль) сидела плотно, основательно, сделанная плотными, основательными людьми, сумевшими творчески осмыслить проектные лёгкость и строгость. Балкон был пуст.

Поднимаясь на второй этаж, Саша столкнулся с красивой, но очень сердитой девушкой. Та с явным отвращением несла вниз стопку свежих книг.

– Маша! – воззвало невидимое контральто, чудесной акустикой превращённое в глас божий. – Звонили от депутата?

– Не знаю, я только что пришла. – И зашипела сквозь зубы: «Марья Петровна меня зовут, Марья Петровна, неужели так трудно запомнить».

– Машунь, а куда Ольга чайник дела?

– На абонементе чайник, Вера Фёдоровна! Эй, осторожнее!

Саша, педантски державшийся правой стороны, принёс извинения (извинился, но с пометкой «не знаю за что») и прянул к перилам. Миллион терзаний поджидал его на этой лестнице, такой широкой, красивой и барской, все его мучения. Он видимо поспел к перерыву, участники конференции отправились покурить, причём не все разом, когда можно спастись общим «здравствуйте» и поклоном в никуда, но поочерёдно. Каждый раз Саша давал зарок поставить себя с коллегами на холодную ногу, и каждый раз не успевал это сделать, из масонского рукопожатия Славы попадая в двусмысленные объятия Вадика – ах, славы и вадики, разменявшие шестой десяток, когда уже наконец.

Поджимая пальцы на ногах, Саша пожимал и обнимался. Он думал о себе как о кротком человеке, и когда в соцсетях ему писали: «сдохни», отвечал: «я над этим работаю». Никогда не считал себя необычным, крупным, к чему-то предназначенным. Сын профессора, внук профессора, в обозримом будущем сам профессор – и это всё, точка, даже на могиле написать будет нечего. Гносеология и ужас. Везде, где требовались сильные чувства, его только мутило.

Секциями, заседаниями конференция расползлась по всему этажу, упорной водой подтачивала последнюю цитадель. Доклады плюхались в уши размеренно, как волны в стену. Докладчики сменялись, а голос был один, бубнящий.

– Товарищи, вы больны формализмом!

Саша захлопал глазами и проснулся.

Мозглявый, но даже со спины целеустремлённый человек широко шагал из задних рядов. Когда он повернулся лицом к залу, Саша увидел не то, что ожидал: простое нестрашное лицо, брови домиком, высоко зачёсанные волосы. Одежду составляли камуфляжные штаны, берцы и похожая на френч лёгкая куртка.

– Через содержание обретают новые формы, а не наоборот!

Оратор собирался развить свою мысль, но его перебили.

– Всё ваше содержание – политику партии угадать и метнуться! Людей из квартир выкидывали по итогам ваших проработок! Свет отключали! Вы, рапповцы, гангстеры в литературе! Душители!

– Сами просрали! Нечего теперь жопу сжимать!

Кто-то из распорядителей, взывая: «Молодой человек! соблюдайте регламент!», – топтался рядом – как-нибудь этак удалить, не прикоснувшись, – а легальные участники конференции сконфуженно ёжились и помалкивали: и стыдно, и весело, и хорошо, что лично ты ни при чём.

– Господа!

– Всех господ в семнадцатом году под зад коленом!

– Да, но иногда они возвращаются, – сказали за спиной у Саши.

– Это не те, – сказал Саша, не оборачиваясь.

Уж сколько раз ему предъявили, и панорамно, и крупным планом, эти залы и пространства, наполненные блестящей, как люрекс, публикой – яркие, выигрышные кадры, – и ведущий... нет, не обязательно шутник-конферансье, это были и церемонии, торжественные, официальные, светские мероприятия, такие мероприятия, на которые не купит билет в кассе ценитель телевизионного юмора... похожий на кусок мыла ведущий обращался «дамы и господа» к людям, на которых самые доподлинные бриллианты выглядели дешёвкой. *Они говорят: «дамы и господа», а нужно бы – «жлобы и хабалки».*

– ...не иное что, как троцкистская контрабанда!

– Брукс, иуда, ты же сам троцкист!

– Клевета!

– В РАППе все троцкисты!

Саша попытался вспомнить, что он знает про РАПП. Чего-то там пролетарских писателей, так, кажется? Травили Маяковского и формалистов. И попутчиков. Мейерхольда? Мейерхольд сам всех травил. «Под камнем сим лежит РАПП божий... Чего ж ты пятишься, прохожий». Всемогущество, за одно утро разлетевшееся в пыль.

Стиль дискуссии... бедная, бедная междисциплинарная конференция... о стиле дискуссии придётся сказать, что он был излишне выразителен. Может быть, тогда, в собственное время, заседания и проработки тоже протекали в ритме «бу-бу-бу», и другие равно бессмысленные слова – не контрдискурс и пресуппозиция, а «оголтелая групповщина», «беспринципный флюгер» и «формалистические нотки в голосе» – так же сливались в отупляющий бубнёж. Здесь и сейчас они стали яркими, как реплики в кабацкой ссоре. И такими же неуместными вне кабака.

– ...А с вами, клоунами, споры по теоретическим вопросам невозможны. Потому что это каждый раз переходит в драку!

– Товарищи!

– Господа!

Ошеломлённый, Саша вышел покурить на задворки.

Старенький асфальт кончался за неизбежными мусорными баками. В ещё не пожухшую траву навалило ярких листьев с двух клёнов.

За клёнами лепились гаражи и сараи. Чуть дальше виднелась пожарная каланча, а чуть выше – прояснившееся бледное небо. За спиной у него была стена. Прочнейшая в мире: в пятнах исчезающей краски, в пятнах осыпающейся штукатурки. Там, где обнажилась тёмная кладка, можно было вешать табличку ad saecula saeculorum.

– В такие дни большевики ужасно некстати.

Саша обернулся, и говоривший лёгкой улыбкой – мимолётно, кротко, и почему столько смирения, столько сочувствия, – дал понять, что не навязывается, что говорил, очень может быть, сам с собою. Не вступить после такого в беседу нет никакой возможности.

– Их тоже можно понять.

– В этом и была ошибка тех, кто так думал.

Определяя возраст, Саша обнёсся на десять лет: Иван Кириллович Посошков был не многим старше его самого. Да, седой, и с сильной проседью в аккуратных усах и бородке. (Внешность: волосы острижены так коротко, что стоят ёжиком, не скрывая идеальной формы череп и плотно прижатые к черепу уши. Глаза, рот, нос – всё крупное, но необыкновенно, непривычно правильное. Взгляд прямой, открытый, при этом без угрозы или вызова. Глаза серые. Одежда тщательно застёгнута – рубашка, скверный пиджак. И очень красивые, хорошей лепки, руки.) Он выглядел как старорежимный старик с фотографии. Как старорежимный старик из произведений искусства.

– Вы здесь..?

– Нет, что вы, это так, для души. Хочется чего-то культурного. Я экономист. Учился во Фрайбурге, у Шульце-Геверница.

Саша тотчас проникся жалостью к человеку, который в поисках чего-то культурного пришел на доклады о постструктуралистских теориях текста. Про Шульце-Геверница, о котором доцент Энгельгардт слышал впервые в жизни (Фрайбург показался знакомым, но только потому, что Саша перепутал его с Марбургом), сказано было с твёрдой гордостью. Разве они не приучились скрывать связи за границей? Или профессор Посошков погиб достаточно рано, чтобы не пропитаться унижениями и страхом? Каким макаром спросить человека, в каком году того поставили к стенке? Сомнений в том, что Посошков «из этих», у Саши не было.

Большую часть рассказа он пропустил, по привычке занятый в разгар беседы собственными мыслями.

– ... он состоял ещё в РФО...

– Это то, откуда Розанова выгнали?

– Так вот что запомнилось... Да, там. Потом в Вольфиле...

– Это та, где Андрей Белый?

– Борис Николаевич неприятный человек, не могу спорить. Но реальное философствование... само по себе неприятно и делается неприятными людьми.

«Белый пьянел с первой рюмки, – всплыло в Сашиной памяти. – *Пить с ним было так же тяжело, как разговаривать».*

– Но зачем столько болтовни?

– То, что делал Сократ со своими учениками, тоже ведь болтовня, – с извиняющейся улыбкой сказал Посошков. – Наша жизнь... способствовала.

«Страшную школу прошёл Андрей Белый: он вырос в профессорской среде».

– Да, – сказал Саша, – Серебряный век.

– Серебряный век? Не такой уж я старый, чтобы быть современником Фета и Полонского.

– Мы так называем философское и художественное возрождение в начале XX века. Знаете, символизм, Блок...

– Любопытно. Кто же нас так назвал?

А действительно, кто? Блок-то, похоже, и не подозревал, что живёт и творит в Серебряном веке. Просто вот так укоренилось: Пушкин – золотой, Блок – серебряный.

– А Фет тогда какой?

– И Фет золотой.

– ...Это как-то обесценивает золото.

Саша тем временем обнаружил, что ни о чём не хочет спрашивать. На лицо ему попала летящая паутина, и он её без раздражения смахнул. Прямо на глазах медленные листья пустились в путь; потом они долго шевелились в траве, укладывались поудобнее, как зверьки или мысли. Пожарная каланча стояла незыблемо.

– ...Товарищи из ИКП тоже, вероятно, считали себя учёными.

– Простите?

– Институт красной профессуры. Семинаристы в марксистских намордниках.

Знаток эпохи тут же бы смекнул, что имеет дело с народником. Ретрограды мало интересовались теорией Маркса, да и вязли в ней, как в болоте, – ретроградам вообще не полагается знать такие вещи и обижать семинаристов, – а вот социалисты и все сочувствующие реагировали исступлённо.

Нетерпимость, взаимная боязнь оскоромиться, драки анархистов и членов РСДРП и цюрихский погром 1912 года, когда эсеры избили социал-демократов с криками «бей жидов», составили запоминающиеся страницы отечественного революционного движения.

(А для социал-демократов каждый эсер был «господин такой-то», и на общих митингах, чтобы не позориться, приходилось прибегать к формуле «товарищ по революции».)

Доходит до чего: годы и годы спустя, когда уже всё, как сказал Брукс, было просрано, Иванов-Разумник, говоря о марксистах, непременно ставит их специальность в кавычки: *марксистский «литературовед» А. Лежнев* (например), *пресловутый «очеркист» Мих. Кольцов...* а ведь Кольцов действительно очеркист, и Лежнев – очень неплохой критик; и, может быть... «всезнайство, принципиальность и непомерный апломб», так характеризуют Разумника Васильевича доброжелатели... может быть, поостеречься бы ставить других в кавычки человеку, который в войну оказался на оккупированной территории, хлопотами жены, нашедшей у себя немецкие корни, перебрался в Германию и – подчёркиваем дату – в 1942–43-м в течение года публиковал в берлинской русской профашистской газете «Новое слово» свои трагические очерки о судьбах (тюрьмы и ссылки) писателей в СССР.

Саша ничего такого не знал, и было ему не до того: он мучился, решая, какой должна быть его следующая реплика. (Печальный выбор между тупым вопросом «как вам у нас понравилось?» и жалобным «мы не такие ужасные, как кажемся». Или вот ещё: «Как вы устроились?» – спросить, будто на курорте, в санатории на отдыхе.) В итоге он сказал:

– Марксизм – не преступление. Коли люди марксисты, это ещё не значит, что они преступники.

– Возможно, – сказал Посошков. – Не хочу сейчас спорить. Вы не всех увидели.

Вечером Саша улизнул с посиделок и пошёл в гостиницу короткой, как он предполагал, дорогой – той же самой, которая при дневном свете выглядела надёжно и безопасно. Однако после захода солнца Филькин преобразился. Грянул город о землю, сбросил асфальтовую шкурку – и вот не город встал, а тёмный лес.

Трое вышли из-за угла, трое в кепках и кирзовых сапогах – тех самых, что внезапно разонравились министерству обороны, но в больших количествах находились на складах. И такие они были, такие... не то чтобы вышли конкретно грабить или конкретно насиловать, редко кто выходит из дома с намерением пойду-ка я, типа, кого-нибудь ограблю и снасилую... не то чтобы грабить и насиловать, а вот так, побезобразничать... отвести, как говорится, душу. Вот, всего-то в двух шагах от исправного фонаря, доцент Энгельгардт лезет в карман за огоньком («огонька не найдётся?») и вот он уже лежит, его дыхание притаилось в укромном углу организма, а рассудок пишет последний рапорт: «дело плохо».

Внезапно руки, потянувшиеся обшарить его карманы, куда-то пропали, страшные грубые голоса превратились в жалкие, тоненькие, и Саша понял, что бьют уже не его, – хотя он ещё полежал, как от ударов, прикрывая от криков голову. Наконец его рывком поставили на ноги.

– Высморкайся.

Саша высморкался в пальцы и поднял глаза на своего спасителя: мужчину сурового и крепкого.

– Расправа.

– Над кем?

– Фамилия у меня такая.

– Очень подходящая, – сказал Саша вежливо.

– Да не, я добрый. У тебя что, платка нет?

Не дожидаясь ответа, Расправа полез в карман кожаной куртки и достал пачку салфеток.

– На, оботрись.

– Спасибо.

Пальцы безобразно выплясывали и не гнулись, как от холода. Влажная салфетка соскальзывала. Расправа стоял рядом и аккуратно, не торопясь, полировал золотую печатку на среднем пальце – такую огромную, что её вполне можно было использовать вместо кастета.

– Люблю, чтобы от вещи вес был в руках.

– Штангистом хотели быть? – (Глупая, неловкая шутка. Это всё стресс.)

– Ну типа. А ты?

– Я хотел быть кем-то сто́ящим.

– Получилось?

– Нет.

– Бывает. Ладно, пошли.

– Куда?

– Куда-куда, в гостиницу.

– Я не такой, – прошептал доцент Энгельгардт.

– Какой «не такой»? Не живёшь в гостиницах? Я же вижу, ты не местный. А гостиница здесь одна приличная. Дедукция. – Расправа хохотнул. – Я тебя там видел. В лобби.

– О! понятно. А вы..?

– Приехал по бизнесу.

У Саши достало ума не спросить: «По какому?», не сказать: «Оно и так видно». Он ещё разок сказал «о!».

Центральная гостиница Филькина не походила ни на казовый отельчик из отечественных сериалов, ни на адские руины из отечественного арт-хауса. (Россия вообще не похожа на изображаемую Россию, на своё отражение в кривых и некривых зеркалах. Может быть, не только Россия. Может быть, что угодно, поднеси к его носу самое честное, самое научное зеркало, отобразится не лучшим образом.) Гостиница, одним словом, называлась «Престиж» и имела в распоряжении одноместные номера «люкс», удобства в номерах, молодого менеджера, заставлявшего персонал в служебных разговорах называть постояльцев гостями, и что-то вроде лобби, куда планировали провести Интернет, а по утрам подавать завтраки, но пока что постояльцы (гости) собирались там вечером ради огромного телевизора. Деловых, как мечталось менеджеру, встреч в лобби никто не проводил: то ли дел не было, то ли бизнесменов.

Саша и Расправа посмотрели на комиков, которые всё время смеялись сами, исполняя роль закадрового смеха (освобождали они зрителя от этой повинности или подавали ему пример?), потом – аналитическую передачку про выборы и другие наши несчастья, ещё потом – финал плоского узколобого фильма для широкой и глубокой аудитории и его обсуждение в интеллектуально-аскетичной – не понимать превратно – студии. На этом месте Саша, перенёсший шутки и аналитику, поглубже вжался в мягкий удобный диван. В лобби было полутемно и пусто, телевизор мерцал исправно, щегольски, равнодушный к кипящим в нём страстям. (Если они кипели и если это были страсти.) Участники дискуссии сидели в телевизоре, как в надёжной клетке. Большинство Саша хорошо знал по именам, а двоих – лично.

– Что ты так смотришь?

– Я не смотрю, я просто не закрыл глаз.

– Но ведь хвалят же, – сказал Расправа.

– Хвалят, потому что боятся прослыть некультурными дебилами.

«Сто тысяч искусствоведов, занимавшихся итальянским Возрождением, так и умерли, не съездив в Италию!» – выкрикнула из телевизора бодрая старушка.

– На хера вообще столько нужно, – отстранённо сказал Саша, – на одно-то Возрождение. А вовторых, нельзя же так простодушно показывать, что судьба ста тысяч искусствоведов тебя заботит больше судьбы десяти миллионов доярок. – Он посмотрел, как Расправа, перед тем как налить в стакан воду из бутылочки, протирает его отглаженным носовым платком. – Интеллигенция горюет только о себе. Как было плохо в СССР писателям, как было плохо искусствоведам... И не так уж плохо, если прикинуть размер дарования к размеру московской прописки.

– Как-то вы недружно живёте. Не по-хорошему друг к другу.

– Кто «мы»?

– Ну как, ты сам сказал. Интеллигенты.

– Ха! – сказал Саша. – Ха! А вы, бандиты, дружно?

– С чего ты взял, что я бандит?

– Глаза-то у меня есть.

– Меньше телевизор смотри, глазами-то.

– Я вообще не смотрю телевизор, – оскорблённо сказал Саша. И подумал о всех своих знакомых, которые тоже вообще не смотрели, но, судя по издёвкам и шуткам, были прекрасно осведомлены насчёт контента.

Расправа зевнул.

– Устал я, как сивка-бурка.

– Как савраска.

– Что?

– Ты хотел сказать: «Устал как савраска».

– А сивка-бурка, по-твоему, не устаёт?

– Он устаёт от другого. На нём, по крайней мере, не пашут. Это же богатырский конь. Богатырские кони питаются огнём, горячими угольями; пьют с хозяином из одной чаши.

– А савраска?

– А савраска – крестьянский, мужичий. Заморенная кляча, которую бьют по глазам.

– И я, значит, похож?

Саша смешался.

– Я согласен, что сам ты сивка-бурка. Но говорить нужно «устал как савраска».

– Не понял, почему. Как ты насчёт бильярда?

– Нет, – сказал Саша, – я спать пойду. Простите, если не так сидел и не то говорил.

Попав в номер, он поискал отсутствующий Интернет, потосковал ни о чём, полистал собственный завтрашний доклад... зря он это, тут бы не поправки вносить, а в печку всё разом, в печку... полистал доклад и, как впервые, оглядел комнату. Она была не убогой, а никакой – такой, какую ждёшь от гостиниц, перестав верить в отель «Бертрам». (Вот только что, в рекламе, ему предлагали «чипсы со вкусом холодца с хреном», а это, стало быть, была казарма со вкусом отеля.) Горячая вода, чистый санузел и непродавленная кровать его никак не воодушевили. Кто сделал так, что приходится выбирать между горячей водой и индивидуальностью?

И как заставить себя увидеть в горячей воде нечто большее, чем горячую воду?

Он всё же попытался. Он сказал себе, что, очень может быть, какая-нибудь древняя бабка, ветеран войны или труда, тащится сейчас с ведром на колонку, ещё у кого-то нет крыши над головой, в конце концов, профессор Посошков, ученик Шульце-Геверница, сидит в каком-нибудь общежитии на какой-нибудь раскладушке, – стыдно, доцент Энгельгардт, стыдно, совсем зажрались. Но ему не было стыдно, он слишком устал. Для того, чтобы стыдиться, тоже нужны силы – и немалые.

Этажом выше над ним, в точно таком же номере, полковник Татев лежал в одежде поверх неразобранной постели и смотрел в потолок. На тумбочке, рядом с телефоном и бутылкой минеральной воды, была брошена раскрытая аптечка: красивый кожаный пенал, полный соблазнительного блеска ампул, таблеток типа трамала и сомнительно упакованных порошков. Прямо на столе стоял чудесный коричнево-рыжий саквояж с крепкими ручками и двумя блестящими латунными замками, с которым полковник ездил в командировки. В саквояже, помимо трусов и прочего, обычно лежала какая-нибудь странная книжка – на этот раз «Политические сочинения» Эрнста Никиша. (Тот человек, о котором Эрнст Юнгер сказал: «Он так глубоко страдал от того, что на его глазах надвигалось на страну, что ему было не до страха».)

А в телефоне скапливались неотвеченные звонки.

Деловой человек, турист, путешественник приезжают в Петербург или Москву и в первом же газетном киоске приобретают карту, на которой город лежит понятным, подробным скелетом: кости и сочленения улиц, вены рек, станции метро. Случись что, или погода будет благоприятная, запросто дошагает приезжий куда надо, не растерявшийся и внимательный к очарованию повседневной жизни.

Но кто станет чертить общедоступные карты для Филькина и ему подобных городков и селений? Местным ни к чему, а для неместных существуют таксисты. Даже у Саши за пару дней сложилась в голове опрятная схемка, дорога от гостиницы до библиотеки и двух кафе. Но он не хотел идти этой дорогой. (Стоило вспомнить – и все синяки тут же послушно откликнулись.) Он прикинул так: выйти к реке (где должна находиться река, он представлял) и повернуть налево. К мосту, через который он всё время ходил или ездил. От которого два шага до соборной площади.

Жители Петербурга излишне полагаются на своё топографическое чутьё. Им кажется: куда ни пойди, обязательно выйдешь на какую-нибудь набережную или любой из центральных проспектов – строгих, стройных. Ведомый чутьём, Саша очутился на улице до того кривой, каких, ну ей же богу, не видел. (Ну видел, видел. В Италии.) Вдобавок она почему-то стала карабкаться вверх. Ещё поворот – и путник обнаруживает себя в гуще частного сектора: цепные собаки, дома-единоличники за заборами. Или подпираемыми кустами смородины изгородями. Или железной сеткой, которую грозно оплела ежевика.

Саше казалось, что он уже узнаёт каждого второго встречного. Выискивая опасливым взглядом кепки... невозможно не вспоминать: как они подошли, руки в карманах, и глаза, были же там под козырьками кепок какие-то глаза... выискивая взглядом кепки, он неожиданно увидел на противоположной стороне улицы Расправу. Облокотившись, тот разговаривал поверх калитки с хозяином двора, усатым, бравым пузаном в майке и подтяжках. (К подтяжкам крепились щедро широкие джинсы. Но всё равно именно подтяжки были средоточием, сердцем картины: сверкающие, сияющие, как орифламма, как царские бармы.) День начинался ясный, тихий – и есть, конечно, бодрящая свежесть в таком вот русском утре на закате сентября, – но для майки было всё же чересчур. Под толстой спокойной рукой всё было самое простое: деревянный штакетник, калитка из тех, что запираются проволочкой, никаких железных ворот и засовов, – но сам дом, видневшийся сквозь меркнущую зелень, был двухэтажный, кирпичный, насупленный. Саша счёл за лучшее (что ему сразу представилось: штрафы и протори? делёж тёмных денег?) пройти мимо, гадая, часто ли деликатность выглядит со стороны свинством. Но Расправа его, кажется, не заметил.

Очень кстати под ногами оказалась каменная, крымского совершенно вида лесенка, меж стен ежевики, внутри запаха от упавших, никем не убираемых листьев. Саша спустился и, облаиваемый людьми и собаками, продрался наконец по тщательно запрятанной среди заборов тропочке к спасительной воде. Мост, действительно, был совсем недалеко. Противоположный берег, дикий, обрывистый и опасный, с многообещающим хулиганским прищуром смотрел через тёмную узкую воду на чистенькую, пустенькую набережную, опрятные особнячки. Не зная, Саша прошёл мимо управления ФСБ и даже мазнул ненаблюдательным одобряющим взглядом по неброскому домику.

– Я ученик профессора Переверзева!

– У профессора Переверзева нет учеников! Вы все его предали!

С невесть откуда взявшейся прытью Саша увернулся от брошенной не в него пустой пластиковой бутылки и прошмыгнул внутрь. Уж чего он не хотел, так это чужих разборок на пороге. Взволнованные люди и огромность их обид ещё никогда не приходили с оливковой ветвью, и только пока они сводят счёты друг с другом, мы получаем передышку.

В библиотечном информационном центре на первом этаже царило оживление. Все (числом три) казённые компьютеры были заняты, и ещё человек десять, листая журналы и книжки, явно дожидались своей очереди. У окна сидел с собственным ноутбуком давешний блондин в сапогах, и Саша содрогнулся, по дороге к газетной стойке услышав, как тот мурлычет под нос низкопробную песенку из репертуара, о пристрастии к которому не осмелится заявить ни один интеллигентный человек – особенно с тех пор, как дурной вкус превратился трудами креативного класса в политическое преступление. Проклятый эсэсовец предсказуемо был в ладу с собой и миром.

В пачке свежих газет Саша отыскал местную. (Нет, она называлась не «Филькина грамота».) Газетка была смешной и боевитой – куда смешнее и бойчее анемичных петербургских газет, с одинаковой тоской писавших о футболе и балете. В ней не боялись смелых беспочвенных прогнозов, лёгкого шантажа и криминальной хроники. На первой полосе помещались парадные, идеологически выдержанные фотографии и высказывания мэра, а на третьей тот же мэр, в липнущем пуху иносказаний и околичностей, представал потешным держимордой – бука и долдон, – словно силы, формирующие бюджет цветущей сложности, ухитрились сэкономить, вместо двух газет, государственной и оппозиционной, издавая одну, и государственную, и оппозиционную, и затея прошла на ура, как нельзя лучше отвечающая народному юмору. А главным для читателей и журналистов оставались аполитичные пересуды, расписание рейсовых автобусов и обширная рубрика «сад-огород».

Видное место занял отчёт о продолжающемся расследовании аварии, в которой неделю назад погибли управляющий местной сетью ювелирных магазинов и пара человек по мелочи.

Авария наделала шума. Во всей истории, кроме плохих дорог и алкоголя, было что-то ещё, мрачное, загадочное, о чём не говорилось прямо, но что сквозило в деталях биографии погибшего, в пересказе слов следователей и чиновников, в том, с каким нажимом писалось – или умалчивалось, тогда нажим парадоксально возрастал, – о магазинах «Алмаз». Саша почувствовал себя смышлёным иностранцем, который всех намёков не понимает, однако их видит. Главный намёк (самый толстый, самый мрачный) понял и он: из разбившейся машины управляющего пропали деньги. Очень много денег. Очень, судя по всему, грязных.

Доклады, свой и чужие, в очередной раз показались ему фабрикой – но только не по производству бумаги, а по её жеванию. Он едва не задохнулся, зато принял решение отыскать профессора Посошкова и повести его обедать. Но профессора что-то нигде не было видно. Саша опросил всех слав и вадиков и обнаружил, что коллеги – ну совсем! – не горят желанием общаться с воскрешёнными. Никто не хотел испытывать себя в беседе с учёными ещё той легендарной закалки либо – прошу покорно – повстречать собственного двоюродного дедушку, коммуниста и пасквилянта, активиста РАПП, автора равно гадких стихов и доносов. (В шкафах у интеллигенции полно таких родственников, которым действительно открутили в тридцать седьмом голову, но вот только слишком многие тогда же вознесли по этому поводу беззвучную благодарственную молитву, слишком много горя, грязи, разбитых жизней ползёт за двоюродным дедушкой смрадным шлейфом... потянешься в шкаф за парадным мундиром, а там не мундир, а скелет.) Почему должен честный постструктуралист краснеть и стыдиться? Знаток права, ценитель актуальных художественных форм? Тот, в конце концов, кому должны страна, история и в особенности государство. Дедушка был не такой. Дедушки, возможно, и вовсе не было.

Так что славы и вадики подчёркнуто держали дистанцию. И с Сашей они разговаривали, пытаясь вразумить. Они говорили, что воскрешённые надменны, не идут на контакт, поглощены прошлым, враждебны к настоящему. «Эти люди не могут принять будущее, которое в очередной раз оказалось не таким», – сказал Слава. (А ты? подумал Саша. Ты ведь тоже не можешь. То прошлое, которое к тебе пришло – оно, что ли, такое?) Как бы там ни было, будущее и прошлое не нуждались друг в друге.

Но противоестественно и уродливо приняли форму общего настоящего.

– Саша, вы уже видели новый пост Барабанщика?

«Нет, и не увижу, не хочу видеть; отстань, отстань, оставь меня в покое».

– Не успел. Что-то интересное?

– Очень смело. – *«Я давно перестал понимать, что вы называете смелостью».* – Назвал все вещи своими именами.

Человек, о котором шла речь, как-то выпрыгнул совершенно ниоткуда – и хотя назывались самые разные шкатулки и коробочки, вплоть до той самой, настоящей ясности не было. Прозвище «Барабанщик» звучало позитивно, даром что пустил его кто-то из врагов и с намерением очернить, намекая на позабытые процессы, в ходе которых тогда ещё не столь яростный оппозиционер излишне охотно давал показания... ну и коза из поговорки топталась на заднем плане. Но теперь, отяжелевшее яростью, оно очень даже звучало, чудно подходило к резким лозунгам: «Вылезай! Предъявляй!», «Займи позицию!», «Не продлевай режиму жизнь», – такое храброе гудение барабанов (как перед боем), тревожное и угрожающее (как перед казнью). Барабанщик был харизматичен, неустрашим, исключительно неприятно выглядел (и вообще внешне, глазами и складкой жестокого рта, был похож на отличника боевой и политической подготовки) и недавно сказал то, на что не осмелилась ни одна политическая партия: режим поднял мертвецов в последней попытке устоять.

– Я вот только не понимаю, – осторожно сказал Саша, – теперь-то он что предлагает? Не назад же их закапывать?

– Со временем это как-нибудь разрешится! Сейчас важно обозначить позицию.

– Но обозначив позицию, придётся ведь что-то делать?

– Сашенька, никто вас лопатой махать не заставит. Наше дело – осмыслять, разъяснять и истолковывать. – *(«А, так кому-то лопату всё же дадут».)* – Коль скоро произошла подмена ценностей, мы скажем о подмене ценностей. Власть использует мёртвых в своих целях – *(«мы их, что ли, не использовали?»)*, – под вывеской, разумеется, спасения отечества... и даже, к сожалению, гуманизма. Но поднимать при этой власти мёртвых – это хоронить живых. Мы обязаны сказать... – (*«Не знаю, как сказать. Кому сказать».)* – Саша..?

– Да, – сказал Саша. – Да, безусловно.

– Осторожнее!

На этот раз доцент Энгельгардт взбунтовался. То есть он уступил дорогу, принёс извинения, но в спину сердитой девушке с пачкой книг сказал:

– Вы всегда такая злая, Марья Петровна?

Отчасти отечески, отчасти игриво. (Помогай ему Бог; он не силён в этих играх.)

– Я здесь работаю.

Это прозвучало как ответ на вопрос, как достаточное и разумное объяснение. Удивительное объяснение, как ни взгляни.

– Я думал, работа в библиотеке делает добрее и мягче.

– Думать все мастера.

– В любом случае, спокойнее.

Марья Петровна поставила книги на ступеньку лестницы. (На этой лестнице, такой широкой и барской, где сидели – сказать бы «в засаде», но разве они прятались – все его мучения, мильон терзаний... вот следы и запах... Не здесь бы заводить интрижку. Не ему. Но он и не хотел.)

– Собственно, почему?

– Книги, – сказал Саша, – аура. Эманации. Облагораживающее воздействие греческой грамматики. Кстати, у вас есть?

– Да. Что у нас есть, так это греческая грамматика.

Почуяв её необъяснимый, но нешуточный гнев, он тут же сменил тему: похвалил Филькин, похвалил здание библиотеки, похвалил лестницу (проклятущая!), а заодно ввернул свой вопрос про Посошкова.

– Воскрешённый? Зачем они вам понадобились?

Что ответишь: как разговорился подле мусорных баков с загадочным красивым господином и хотел бы продолжения. Да, попробуй, скажи: через полчаса все знакомые напишут в своих микроблогах, что имярек совершил каминг-аут – а самые противные (зачёркнуто: пидоры) явятся пожать руку лично.

И не впервые он почувствовал холод и скаредность жизни, не признающей иных форм любви, кроме сексуальной, и интереса – кроме взаимовыгодного; ущербность общества, поощряющего (но зато как) только такую близость, которая утоплена в перинный эпитет «интимная», в самом медицинском и судебном понимании слова; ощутил, как убог и скособочен этот мир, при всех его соблазнах и широте терпимости (не они ли всё скособочили, навязываемые соблазны и обесцвечивающая их терпимость), – словно щёки ободрало наждачным дыханием духа времени. Если бы его спросили, в чём дух нашего времени состоит, он мог ответить: в запрете на тайны. В непозволении быть изгоем – потому что в каком бы извращении ты ни схоронился, тут же, даже в России XXI века, при всех её, относительно цивилизованного мира, плюсах, найдутся единомышленники и соответствующий сайт. Найдётся также сайт для тех, кто ненавидит сайты.

– Да так, справки кое-какие хотел навести. Он со многими тогда встречался.

– Читальный зал на втором этаже, – сказала Марья Петровна хмуро. – Там в углу стенд. Они на нём оставляют записки, координаты. Не надо бы вам.

В читальном зале в углу, спиной к миру, рапповский дебошир говорил по мобильному телефону. («Надо подумать? А чего тебе думать? Ты сам-то не знаешь? Да, наконец, мы коммунисту можем дать такое простое поручение?») Когда Саша с извинениями стал протискиваться к стенду, он замолчал, отпрянул, но далеко не ушёл.

Саша пытался разобраться в море бумажек, и все они были адресованы не ему: и сложенные записочки с именами, и открытые обращения к группам лиц. И всё это время он чувствовал, как в спину ему вперяется... какое уместное, точное слово; хорошо бы про работу дрели так говорить... в п е р я е т с я взгляд.

«Прошу откликнуться всех, кто имел отношение к РСПКП...»

«Свободная ассоциация анархистов города Филькина приглашает...»

«Товарищей по СО восьмое спецотделение...»

Вперемешку теснились участники дела РНП, члены ЦК ПЛСР, троцкисткое подполье и «Правый уклон», Вольфила, Креаторий биокосмистов, Свободная трудовая церковь, Комитет спасения родины и революции, РНСМА, объединение «Перевал», анархо-подпольники, «Штаб действия и исполнения».

На видном месте висела листовка:

ДУХ РАЗРУШЕНИЯ – ДУХ СОЗИДАНИЯ

Львы Анархии! Разбейте клетки!

Короли углов! Обитатели подвалов!
Революционеры! Создайте Дружины Ужаса!

– Под анархическими принципами индивидуалистический и хаотический элемент разумеет разгильдяйство, распущенность и безответственность.

– Простите?

– У меня-то зачем прощения просить, – сказал рапповец. Он шагнул вперёд, резким движением сорвал листовку, скомкал и бросил на пол. Да, прямо на пол, под ноги. – С вас народ спросит.

«С каких это пор товарищи из РАПП взялись думать о народе?» – спросил бы Саша, имей он более полное представление о родной истории. В России и сейчас, и сто лет назад словом «народ» можно заткнуть почти любую глотку – но только не в двадцатые годы, и только если речь не идёт о пролетарских писателях. Советского народа до сталинской конституции ещё не существовало, формула «трудовой народ» неизбежно включала в себя проклятое русское крестьянство, а народ как народ, совокупность лиц всех классов, граждан и обывателей... пролетарские писатели сказали бы, что не бывает такого народа, как не бывает родины «вообще». («Мне странно, что родился я в той прошлой “родине” позорной», так они писали; есть подозрение, что так они и думали.)

В случае с литературой оптимизм вражды и насилия перегорел, не дав результата. Победоносным пролетарским писателям не хватило одного: таланта. Идеологам РАПП казалось, что можно взять писателя-середняка, призывника, рабфаковца как материал, великое наследие (ведь это их лозунги:

«живой человек», «срывание масок», «учёба у классиков») как инструмент, и их, идеологов, как демиургов – и всё пойдёт. И всё пошло наперекосяк: их боялись, но презирая, а единственный не канувший в Лету рапповский писатель, про которого никто и не знает, что он рапповский, – это Александр Фадеев.

– Ничего, товарищ. Мы вас приведём в чувство. – Рапповец резко (всё-то он делал резко) протянул руку. – Брукс.

И Саша эту выкинутую, как нож, руку пожал.

– Пожалуйста, не надо меня никуда приводить.

И чтобы сменить тему – да, чтобы сменить тему, и лишь самую малость из любопытства, Саша спросил:

– А что там такое с учениками Переверзева?

Валериан Фёдорович Переверзев не появится на этих страницах. Он умер в 1968 году, восьмидесяти пяти лет, в которые поместились и шесть лет заключения и нарымской ссылки при старом режиме, и восемнадцать лет советских лагерей.

Профессор Переверзев был марксистом до и после революции, основателем и вождём принципиально новой методологической школы, плехановцем, модным профессором в МГУ и кумиром красных приват-доцентов; человеком, который написал: «В произведении нет никаких идей, есть образы», а теорию социального заказа высмеял с довольно специфических позиций.

Дискуссию о «переверзевской школе» затеял в 1929 году Луначарский, а поддержал Авербах, и по её итогам группа Переверзева распалась. Большинство, признав свои ошибки под давлением партийной критики, попросилось в РАПП, куда их приняли после публичного отречения от учителя («...в переверзевской концепции есть ряд таких очень существенных положений, которые, являясь неверными и чуждыми марксизму-ленинизму, неизбежно кладут отпечаток меньшевизма...»). Сам Переверзев ни в чём не раскаялся и свои взгляды защищал в полном одиночестве, но мужественно. (Современник сообщает, что профессор был абсолютно лишён чувства юмора; очень похоже на то, что именно этот изъян способствует нравственной стойкости.) Когда Ермилов по горячим следам писал о «методологии меньшевиков-вредителей», это больше соответствовало сути дела, чем позднейшая формула «троцкистско-переверзевская агентура». (Взбесила она человека без чувства юмора? будем думать, взбесила.)

Посадили его только в тридцать восьмом, после разгона РАПП, после окончательного падения Авербаха. Вернувшись в 1956-м в Москву, он занялся древнерусской литературой, к которой уже не применял свой знаменитый социологический метод.

– Сущность врага в том, что он враг, – сказал Брукс. – Нутра не перекуёшь. Происхождение не поменяешь.

– Но у Ленина происхождение тоже...

– При чём тут Ленин?

У него ожил телефон; зачастил голосом русского протестного рэпа. Брукс отрывисто сказал: «Занят, перезвоню», – и вновь повернулся к Саше.

– Ты-то кого ищешь?

Саша превозмог себя (куда он только ни глядел, разговаривая с людьми, лишь бы не), посмотрел повнимательнее, и ему показалось, что у Брукса непроницаемые глаза. Как нарисованные, например, дверь или окна; стучи не стучи, прижимай нос вроде как к стеклу – это не дверь и не окно, это стена. А то, можно подумать, легко читать в глазах, как в распахнутых душах. Светло-карие, небольшие – вот что он смог сказать по итогам чтения.

– Вряд ли вы его знаете... только не сердитесь, пожалуйста... Я ищу Ивана Кирилловича Посошкова.

– Чего сердиться? Знаю я Посошкова. Живёт в соседней комнате.

– Он здоров?

Брукс что-то быстро обдумал.

– Хочешь навестить? Я и сам домой собрался. Берём мотор, покажу.

Все знают о вражде МВД и органов госбезопасности. Органы договорились уже до того (под запись, но на условиях анонимности), что у них с милицией «сословная несовместимость»: начальник ОБЭПа, надо понимать, пьян, вонюч, плохо выбрит и насквозь коррумпирован, а чекист на параллельной должности свеж, строг, подтянут и имеет за душой только зарплату и портрет Феликса. Хам и белая кость. Быдло и офицер. Человек системы и человек чести. Тот, кто берёт сам, и тот, у кого все берущие под контролем. То-то был праздник у майора из УВД... Саша Энгельгардт не сразу узнал бы в милицейском майоре типа в подтяжках; таково воздействие формы на штатских... то-то был майору праздник, увидеть в своём кабинете полковника Татева и его удостоверение. От собственных бумаг подняв глаза.

Выслушав вопрос, он для порядка стал всё отрицать.

– Ну, чистая авария. Ездят как уроды.

– И не стреляли?

– И не стреляли.

– А деньги куда делись?

– Это какие ж деньги?

– ...

– Знаешь, что интересно? От хозяев этих денег ко мне уже приходили. Так что ты, получается, сам от себя.

– Нет, я от государства.

– От государства пришёл бы Наркоконтроль.

– Я не за баблом, – сказал полковник. – Я за тем, кто его взял. Кстати, сколько... эти хозяева... задекларировали?

– Два лимона. Понимаешь? Пойми, здесь Филькин. Никто не рискнёт. От двух лимонов баксов геморроя больше, чем удовольствия.

– ...Так уж и никто.

– Даже, например, межпартийная БО?

– Что за межпартийная БО?

– ...

– Террористов вы должны курировать.

– Мы курируем всех. Толку-то.

– ...Странный ты, Татев. Почему ко мне пришёл, а не к своим?

– Люблю, чтоб из первых рук.

– Не такие уж мои руки первые.

– ...

– Не они это. Налёт на магазин – одно, а наши тонкости знать – совсем другое. Кстати, зачем бы им тогда этот налёт вообще понадобился?

– ...

– ...

– В ваших тонкостях разобраться – не Москву построить. Им могли и помочь.

– Кто?

– Говорят, у дела революции много сочувствующих.

– Так ты по делам революции приехал?

– Нет. Я из собственной безопасности.

– Совсем хорошо.

– ...Кстати, взяли-то вчера что? При налёте?

– А что там сейчас брать? Ювелирку взяли.

– ...Ну, кто бы это ни был, накажут его всерьёз, – небрежно сказал полковник. – Особенно если выйдет так, что человек погоны опозорил. Крупные такие погоны, не нашим чета.

– ...Понятно.

– Это правильно, что ты меня понял. Давай телефончик.

Если стоять на соборной площади лицом к зданию городской администрации – зданию, кстати говоря, советской постройки и даже с некоторыми чертами конструктивизма, – то по правую руку будет собственно собор, а по левую, точно напротив, здание УВД. (Покинув которое полковник Татев отправится в пивную рядом с центральным городским парком на встречу с человечком, враз похожим на ежа и поросёнка. А вот, пока он стоит и смотрит, в мэрию входит крепкий, основательный мужчина в кожаной куртке – её карманы набиты платками и салфетками, потому что каждый раз, взявшись в общественном месте за ручку двери или мебель, он не может не вымыть или хотя бы обтереть руки.) Слева от мэрии на площадь выходит улочка, на которой – вот здесь же, за углом – находится городская библиотека. (В эту минуту Саша ещё мается на докладах, ещё не пожал руку Бруксу – даже не подозревает, что через пару часов пожмёт, – ещё не сели они в машину, повезущую их за фиксированную таксу в пятьдесят рублей на рабочие окраины.)

Посреди площади – газон и любовно, с художественным размахом, высаженные клумбы, а посреди клумб – памятник Ленину, и на него – и друг на друга – любуются из своих окошек и мэр, и церковь, и милиция. Ленин небольшой и нестрашный, с левой рукой в кармане. Правою он то ли криминально полез за пазуху, то ли растирает мучительную боль в груди.

Весь Филькин назначает у памятника свидания и половину деловых встреч – ту, что можно и нужно показать. Прямо сейчас (полковник закуривает, Расправа входит в мэрию, Саша пониже опускает голову, как будто слова докладчика – это нацеленная палка) вокруг Ленина бродят несколько пар, прогуливающие школу подростки и неприметный молодой человек в бейсболке, ветровке и некреативных джинсах. Он держится спиной к зданию УВД с его видеонаблюдением и читает сообщения в мобильнике. (Телефон тоже некреативный.) Через какое-то время он идёт в сторону моста и там его подхватывает битая «копейка», берущая курс на кирпичный завод.

В любом населённом пункте России есть квартал под названием «Шанхай». Заводские бараки, без плана и ордера обросшие сараями и времянками, дают приют людям без паспортов, людям без будущего и тем, кому не повезло с местом и временем рождения. Как они живут, интересуются только милиция и проверяющие из органов опеки. Скорая ездит сюда как на казнь, к детям не ходят в гости одноклассники, и если из всех слов, красочно описывающих подобные места, понадобится выбрать одно («опасность», «преступность», «свары», «злоба», «истерика»), таким словом будет «грязь». Здесь ругательски ругают власть, а мусор вываливают из окон, мелко крысят друг у друга, тащат то, что плохо лежит, и портят то, чего утащить не могут, – и интеллигентный режиссёр, как проснувшись, прямо называет их быдлом в своём отмеченном призами и наградами фильме.

Возможен и другой взгляд, заставляющий искать в человеке человеческое и находящий, что использованные и отброшенные люди, как и любые другие, могут быть храбрыми, верными, неожиданно отзывчивыми, придут на помощь при пожаре (и придут в ярость, попробуй им сказать, что, если бы не их антиобщественное поведение, пожара и вовсе бы не было), – и все эти поиски добра посредством микроскопа приводят к тем же самым призам и наградам... так что самые честные переключаются на панорамную съёмку Алеутских островов или завязывают с кинематографом, от греха подальше.

Но Брукс искренне торопился домой.

«Давай скорее! – покрикивал он на водителя. – Чего тащишься!» («Я не нарушаю больше, чем на триста рублей», – невозмутимо отвечал водитель.) Брукс не мог и минуты прожить без своего телефона: вертел его в руках, мацал, набирал и проверял сообщения. Телефон был простенький, и Саша с ужасом ждал вопроса «а что у тебя?». Он не хотел выглядеть *зажравшимся*, и ему не пришло в голову, что сейчас, в точности как в школе, вещь новее, навороченнее и дороже всего лишь поднимет его авторитет. В его школе с этим ещё боролись. Его учили, что хвастаться постыдно; позже, в другой стране, это аукнулось жгучим неумением составлять резюме и заявки на гранты.

Фу. Брукс и не смотрел на него; возился со своим аппаратцем, пофыркивал. Смешной? ещё как – и ногти грязные, рост метр с кепкой... Но полон задора и опасной энергии. (Саша, впрочем, любую энергию определял как опасную, подозрительную и тёмную, нечто такое, что больше смущает, чем притягивает. А ещё: опасную, подозрительную и тёмную, но тёмную не как глубокая ночная вода, а как стекло с размазанной по нему грязью. Поверхностная, как пена, и вульгарная, как слово «движуха», энергия XXI века.)

В машине пахло бензином, пылью, ворчливым таксистом. Серое здание рабочего общежития, к которому они подрулили, считалось на районе элитной недвижимостью. Наличествовал даже сквер, с поблёкшей за сезон побелкой на поребриках и стволах деревьев. Прежние обитатели, спешно расселённые по вмиг нашедшимся квартирам, так торопились выехать, что бросили кое-какой полезный хлам: табуретки, вёдра, старые холодильники и велосипеды. У дальнего подъезда стояла битая «копейка». Люди стояли кучками. Метла, управляемая мужичиной в сапогах и толстом свитере, потихоньку сгребала с дорожки листья. Саша сделал глубокий вдох.

По заставленному какими-то коробками и корытами коридору Брукс проводил его до нужной двери и без предисловий исчез. За дверью было громко и неспокойно. Саша уже заносил руку, чтобы постучать, когда понял, что поторопился, и лучше было бы вместо себя прислать дружелюбную записку с номером телефона. (Вот так и понял; как говорится, внезапно осознал.) Но все события влекомы чудовищной силой инерции: рука, раз уж поднялась, постучала; постучав, невозможно повернуться и уйти, а потом ты вообще перестаёшь быть субъектом действия – вместо «войдите» дверь сама распахнулась, и с порога, как тычком в грудь, Сашу остановил напряжённый, больной и ненавидящий взгляд.

К взгляду прилагался... можно даже сказать, что избыточно... к взгляду прилагался и человек: средних лет, непримечательно русый, в сером костюме. В своей оторопи Саша его не рассмотрел толком, не смог бы сказать, какого цвета эти страшные глаза, неведомой силой пригвоздившие его к полу.

– Здравствуйте, – сказал он. – Я ищу Ивана Кирилловича.

Человек в костюме посторонился, и доцент Энгельгардт шагнул в комнату, наполненную людьми.

Они все сидели за круглым столом, молча и неподвижно, как на фотографии; сходство усугублялось ещё и тем, что все смотрели на Сашу, словно он, владелец камеры и её фокусов, готовился запечатлеть то, что минуту назад было жарким спором. (Фон: занавешенное окно, в сизом дыму голая комната. Фигуры: одни мужчины, в одежде либо из гуманитарной помощи, либо от щедрот федеральных властей; в первом случае это был спортивно-молодёжный стиль, во втором – списанный милитаристский.) Никто не сказал ему в глаза: «Шпион, лазутчик», – но что-то такое было написано на вежливых лицах.

– Какое у вас к нему дело?

– У меня нет с ним дел, – холодно сказал Саша. (Он рассердился и, кроткий, радовался тому, что сердится. Шпионом его ещё никто не считал.) – Его сегодня не было на заседаниях.

– А должен был?

– Нет. Не знаю.

– Что-нибудь передать?

Не хотел Саша ничего передавать посредством этого... этого... вот этого. Даже визитка, которые он доставал бездумно и быстро, показалась вдруг чем-то очень личным и не предназначенным для посторонних глаз.

– Нет, спасибо. Я лучше пойду.

И тогда, вот тогда, они переглянулись.

Не так, конечно, что каждый посмотрел на каждого... один, красивый-бледный, вовсе ни на что не реагировал, сидел, горемычно подперев рукой голову, смотрел в чашку... не каждый на каждого, но кто-то друг на друга и почти все – на человека в костюме.

– Что ж так сразу «пойду»? Посидите, подождите Посошкова. Чайку с нами... Водочки?

Всё пугало в этом издевательском протяжном тоне: нахрапистые гласные, нарочитая шепелявость. Кто ж ты такой? подумал Саша. Что я тебе сделал?

Кое-как (череда «спасибо», «не беспокойтесь» и «мне пора»; эх, инвалидная команда) он откланялся и дал дёру, почти уверенный, что ему не позволят уйти: схватят за локоть, свалят подножкой. В людях, нагнавших такой страх, не наблюдалось ничего зверского, инфернального или просто анархически пьяного (львы ужаса? короли подвалов?) – и профессор Посошков вполне представим был за этим столом, в этой компании. Тем не менее Саша испугался так, словно попал на воровскую сходку или в компанию крупных чинов, отдыхающих в бане, и вдобавок… какие тусклые лампочки; здесь поворот, а здесь должна быть лестница… вдобавок чувствовал, что у него есть для страха все основания. Брукс, троцкист и гангстер в литературе, его разве напугал? Нет. А эти почему напугали? Он один, а их с полдюжины? Это достаточное основание ночью на улице, но тому, кто не хочет услышать о себе «слабонервный», лучше не признаваться, что в его дневной обиход протиснулись чувства с ночных улиц. Он явно помешал, он был явно чужой; так-то оно так… скорее вниз по лестнице… так-то оно так, но неужели из-за этого вот такие, вот такому с порога оторвут голову? *Нет.*

– …Вот нехристи, – сказал огорчённый голос, а потом: – Вставай, голубчик.

Саша встал в два приёма, то есть сперва сел и пощупал карманы: ищи-свищи. В бумажнике были все карточки, в телефоне – все контакты.

– Что же это?

– По голове тебя, голубчика, стукнули.

– Кто?

– …

– …Кошелька нет…

– Совсем некрасиво.

Саша пригляделся и сквозь головную боль опознал человека с метлой. Вблизи тот был огромный, красиво кудлатый, хорошо пахнущий дымком и парком.

– ...Вы здесь дворник?

– Я здесь дядя Миша – незаконная власть. Хотели выбрать коменданта, да перелаялись. Я вроде как самопровозглашённый. Пойдём, полежишь.

Эта комнатка отличалась следующими чертами: чистая и полупустая. Стены и дощатый пол были свежеокрашены, голое окно – отмыто, две кровати тщательно заправлены (в пионерлагерях так заправляют? в казармах?), грубый, из садовой мебели или лично сколоченный стол у окна освобождён от сопутствующего хлама: ни бумаг, ни посуды. Полка, вешалка, картонная коробка. Бессознательно Саша поискал глазами какой-нибудь винтаж, какой-нибудь антиквариат и тут же очнулся: откуда? Прежние люди получили во владение новые вещи; доступ к гаджетам. (Доступ к гаджетам: «Мы, Энгельгардт, не пещерные», – успел сказать Брукс. Многие из современных устройств воплотили смелые мечты тогдашних технократов. Детали не всегда совпали... полёты в космос, человек-амфибия и города под водой, стеклянные прозрачные дома, крайняя урбанизация, гоночные самолёты, летающие танки, объёмное телевидение, передача энергии без проводов, искусственное улучшение памяти, анабиоз, трансплантация, атомная взрывчатка, радиоревольверы, подслушивающие стены, звуковое оружие, машина внушения, машина ужаса, метро от Москвы до Владивостока, лучи смерти; советская фантастика 20-х жила предощущением сбывающейся утопии, а фантастика 30-х – предчувствием войны... детали не совпали, но горячая вера в могущество науки погасила удивление. XXI век разложил на своих прилавках сбывшиеся мечты, и то, о чём не мечтали и не думали вообще, и параноидальные прозрения; чудо сбылось, страхи сбылись. И как будто о чём-то другом мечтали, не того боялись: всё оказалось совсем, ну совсем не таким.)

В меньшей степени это относилось к современной одежде – и как не все девяносто лет назад были технократами, так и не все оценили наш стиль комфортной одноразовости и общественную лояльность к кроссовкам в концертном зале. (Ну а что, если всё пойдёт в итоге на одну помойку: певцы, художники и кеды.) И если Брукс нашёл в берцах и камуфляже обновлённую версию военного коммунизма, если кожаная куртка в любой своей версии прежде всего – кожаная куртка, «кожанка», то многие приняли щедрые дары XXI века с тоской и смущением. Собственно говоря, скверный костюм Посошкова это манифестировал: не хочу. Через что бы Посошков ни прошёл, он оставался человеком из общества, для которого представление о порядочности включало в себя и подпункт «порядочно одет», и невозможность появиться на людях без воротничка или в рубашке на голое тело, а на улице – с непокрытой головой. (По этому случаю Саша мог бы вспомнить собственную семейную хронику и предание о том, как в 1929 году его прабабка, приехавшая на дачу навестить семью сына, молча развернулась и ушла, увидев босые ноги вышедшей на крыльцо невестки.) А на другом краю той же самой жизни, во всяком случае, того же 1929 года, там, где уголовный чад, бушлаты и шапки-финки с развязанными и болтающимися тесёмками, торжествовал тот же самый – хотя и требовавший прямо противоположного – принцип: «всякий порядочный хулиган никогда не будет носить долгополого пальто».

...Да, но как же джинсы?..

Пока Саша («обожди здесь») лежал и покряхтывал, дядя Миша где-то ходил, а вернувшись, привёл за собой двоих: неприметного парнишку и мужчину средних лет, который был приметен вызывающе: поджарый, лысый и с чёрной пиратской повязкой на правом глазу. Этот второй прошёл мимо встрепенувшегося Саши – и Саше на колени упало его имущество, в целости и сохранности.

– Спасибо большое. Как вам удалось?

– Проверьте, всё ли на месте.

Одноглазый устроился на свободной кровати – и как-то вдруг стало понятно, что это именно его кровать, и что свирепый порядок в комнате поддерживается с его подачи. Парнишка оказался попроще, к тому же был в джинсах. Он сразу присел у Саши в ногах.

– Вот Федя, – сказал дядя Миша про парнишку. – Вот Кошкин, – про одноглазого. – Давайте чай пить и друг у друга секреты выведывать.

– Дядя Миша – агент царской охранки, – сказал парнишка.

Саша посмотрел на дядю Мишу.

– Правда?

– Да как сказать.

– Зря вы связались с каэрами.

– Простите, не понимаю.

– Ни с кем из нас не надо бы связываться, – сказал дядя Миша, – но с компанией из тридцать четвёртой комнаты – в особенности.

– ...Неужели это они меня ограбили?

– Нет, не они. Им бы ты и сам всё отдал.

– А кто тогда?

– Зачем тебе знать?

– На будущее.

– И зачем тебе такое будущее?

– Это демагогия, дядя Миша, – неожиданно и почти весело сказал Кошкин со своего места. После чего Саша наконец собрался с духом, чтобы к нему приглядеться.

Он был растерян, выбит из колеи и смотрел на самое очевидное, чёрную повязку – скрывающую не только повреждения либо утрату глаза, но и всего человека.

Культурная память услужливо прокручивает картинки с подписями: Слепой Пью, адмирал Нельсон, фельдмаршал Кутузов, – и череду фильмов вплоть до – вроде бы – «Семнадцати мгновений весны», и пока доцент Энгельгардт мучительно вылавливает имя персонажа, который вошёл в кабинет Мюллера и щёлкнул каблуками... была повязка... была или нет?... а ведь ещё есть циклопы и одноглазый скифский народ аримаспов, о котором сообщают Геродот и другие... Лихо предстаёт в образе худой женщины без одного глаза, и встреча с ней приводит к потере парных частей тела... пока он так бессмысленно мучится, его самого изучает здоровый глаз Кошкина, холодный и ясный.

– ...Они всё ж таки политы, а не каэры, – сказал парнишка. – Это дядя Миша у нас каэр.

– Извини, Фёдор. Ты просто не дожил до правильной постановки вопроса.

Но и действительно, какая постановка вопроса – правильная? В свою первую отсидку (1929 год, Соловки) троцкист Варлам Шаламов объявлял голодовку, не желая сидеть... «брошенный в концентрационный лагерь в среду уголовников, растратчиков, шпионов и контрреволюционеров»... не желая сидеть с контрреволюционерами и требуя отправки к оппозиции; причём если в середине двадцатых контрреволюционерами считались члены реакционных партий, бывшие царские сановники, белые офицеры, духовенство и иностранцы, а политическими, находившимися на более мягком режиме, до того более мягком, что паёк у них был лучше, чем у дислоцированных на острове красноармейцев, – все социалисты без различия, то для Шаламова уже не было разницы между эсером и царским сановником, и странно, что какую-то разницу он проводил между этими двумя и уголовными. (Ответная реакция: «Политы? – переспрашивает каэр интересующегося. – Какие-то они противные были: всех презирают, сторонятся своей кучкой, всё свои пайки и льготы требуют. И между собой ругаются непрестанно».)

Так как же будет правильно? Левые эсеры и анархисты для большевиков сперва были блудными друзьями, после – врагами, ещё потом в самих рядах ВКП(б) утратилось единство: и десяти лет не прошло, как троцкисты оказались контрой пострашнее белых офицеров. (КРТТД – с такой формулировкой в приговоре мало кто выжил.) И десяти лет не прошло, как оказалось, что самая страшная ненависть обращена на своих, переставших быть своими.

Дядя Миша уверенно хлопотал с современным электрическим чайником, накрывал стол скатертью. Теперь стало видно, какой он древний, как давно поседели густые некороткие волосы. Заключённая в нём сила когда-то играла в руках и плечах, ярких глазах – и не ушла бесследно. «Каэр, царская охранка... – подумал Саша. – Наверное, генерал какой-нибудь. Князь». Почему и зачем князь – ну казался дядя Миша князем, вот почему.

Саша полез в рюкзак (карманы ему вывернули, а рюкзак стащить не успели) и достал принесённый Посошкову коньяк.

– У нас в ссылке, – сказал парнишка, придвигаясь, – социал-демократы даже от организации общей библиотеки отказались, чтобы об другие фракции не грязниться. От местных шарахались. Всё ждали, пока их большевики для совместной работы пригласят. Хотел бы я видеть их рожи, когда в Москве вместо переговоров о власти они получили трибунал.

– А у нас в камере, – охотно отозвался дядя Миша, – все со всеми разговаривали, но только не два коммуниста – друг с другом. Сердитые оба были...

– Я не коммунист.

– А кто? – спросил Саша.

– Анархист-ассоциационист.

– Ты гляди, – сказал дядя Миша, – выговорил. Да, вы, анархисты, умеете. Что ни человек, то фракция. Ну, со знакомством?

Коньяк выпили как водку, причём Кошкин сказал: «Пьянки – главный метод вражеской троцкистской работы среди молодёжи». Саша покосился направо-налево и решил, что сказано было в шутку.

– Чем вы здесь занимаетесь? – спросил он, тщательно выбрав из всех вопросов самый безобидный. Неудачно выбрал.

– Находимся в изоляции.

– Почему?

– Карантин... Боитесь... И не каждому вот так сразу занятие придумаешь: Федя у нас только и умеет, что революции делать, Кошкин – порядок наводить... Не замечаю я, чтобы в России сейчас в революциях была нужда... или в порядке.

– Иван Кириллович, – сказал Саша, вспомнив ученика Шульце-Геверница, – мог бы преподавать. Хоть в школе. Математику.

– Мог бы. Но не будет, и в школу его не пустят.

– Верно. Страшно представить, чему он в этой школе детей научит. Разве куда-нибудь в коопторг счетоводом... Говорят, теперь и счетоводы непростые... с университетской скамьи...

– ...Дядя Миша, а вы?

– Да, дядя Миша, расскажи про себя. Как ты рабочие демонстрации расстреливал.

– Дурак ты, Фёдор.

– ...

– ...

– Ты это ещё поймёшь, голубчик Энгельгардт, – сказал дядя Миша, не обращая внимания на грозную тишину. – Не только жизнь людей ничему не учит, но и смерть тоже.

Филькинская Манон Леско была звезда вне конкуренции – хотя бы потому, что большинство девок, считавших себя козырными, уехали делать тротуар и фортуну в столицы.

Жертва не столько общественного темперамента, сколько собственной лени, Климова сочла эти хлопоты излишними. У неё были постоянные клиенты, по любым меркам хорошая жилплощадь, и она совершенно точно знала, что не хочет и не будет работать – даже если под работой понималась роль владелицы ресторана, салона, фитнес-клуба... такого, в общем, места, куда можно приезжать, выгребать из кассы деньги, отчитывать управляющего и доводить до слёз официанток. («Климова, – говорил ей мэр, – давай хоть кафе какое-нибудь, а? Ведь с голой жопой останешься. Меня люди не поймут».) В эпоху, не нуждающуюся в великих куртизанках, никто не поймёт, что великие куртизанки не рассматривают свою привлекательность как стартовый капитал, не стремятся её во что-либо вложить – живут, короче говоря, с самого капитала, – и если у кого-то из них и был салон, то никак не парикмахерский.

Также – и это было особенно оскорбительно – Климова не делала тайком съёмку и фотографии, не копила материал для шантажа. Высокопоставленный дядя надевал штаны и переставал существовать, пропадал, ничего, кроме наличных, по себе не оставив – а наличные на то и наличные, что их невозможно без специального порошка – или меточек, или как ещё это делают борцы со взяточничеством – связать с предыдущим владельцем.

Подарки она брала, но от совместных поездок на отдых отказывалась, и о ней никто ничего не знал толком: даёт ли она кому-нибудь бесплатно, куда уезжает в декабре и мае, как собирается жить.

Были люди... потому что люди склонны разгадывать тайны и биться за своё особое место именно в той жизни, из которой их выталкивают... нашлись люди, которым её отчуждённость, скрытность не давали покоя; тревожась и наблюдая, они придумали странную, ни на кого не похожую женщину, – и только благодаря их тревожным усилиям Климова стала выглядеть романтично и загадочно.

Когда полковник Татев переступил порог, он оказался в страшном сне – сказать бы, вот именно такое воспалённая провинциальная фантазия называет *будуаром*... но верно и то, что подобные розово-золотые разящие интерьеры мы видим и на картинках в гламурных журналах с именем, а их хозяйки, далеко не провинциальные певицы, актрисы и чьи-то жёны, показывают и рассказывают заботливо и гордо. (А иногда это даже хозяева, певцы и актёры.) Стены, пол, камин, рама зеркала, пуфики, кресло, ступеньки и перила лестницы на второй этаж – что не было розовым и золотым, было розовато- или золотисто-белым. На огромную белую с позолотой кровать под розовым с позолотой покрывалом воображение без вариантов помещает одалиску, которая томно раскинулась и ждёт, имея на себе только духи и драгоценности. На пуфике у задрапированного розовым окна высилась чёрная сумка: необъятный баул гламурной кисы, вместилище запасных туфель, бутылки, айфона, косметики и прокладок, – а на стене над кроватью висел чёрный кожаный хлыст. На розовой стене, посреди рюшечек и воланов и золотого узорчика – внушительный, мрачный чёрный хлыст. Полковник очень долго не мог отвести от него глаз.

– А что наверху?

– Наверху я живу.

– Можно посмотреть?

– Нет.

Из бело-розово-золотых богатств мебели полковник придирчиво выбрал... хорошо, назовём это козеткой... и уселся, повертевшись, поудобнее расположив себя, свои вещи, больную ногу и палку. Сел он так, чтобы хорошо видеть хлыст, кровать, всю комнату.

– ...Расскажи про Зотова.

– Зотов приходил по четвергам.

– У тебя твёрдое расписание?

– Пятница, вторник и четверг... Теперь, значит, четверг освободился. Сегодня какой день?

– Среда.

– Ну, приходи завтра. Четыре тысячи в месяц. И я не делаю минет.

– Четыре тысячи чего?

– Долларов. Стабильность евро преувеличена.

– Четыре тысячи долларов в месяц за раз в неделю? И без минета?

– Минет тебе голубые гораздо лучше сделают, поверь.

– Согласен... Как насчёт четверга и понедельника? В виде исключения?

– Десять тысяч. В виде исключения.

– Я, как-никак, полковник госбезопасности.

– Верно. Полковнику госбезопасности не к лицу торговаться.

– Полковнику госбезопасности не к лицу платить.

– ...

– ...

– В Лондоне берут полторы тысячи фунтов за ночь.

– Но здесь не Лондон.

– Но на фунты-то я могу перейти?

– ...Зотов в ту среду, значит, не сюда ехал?

– Я не знаю, куда он ехал. Я его не ждала.

– А что мэр?

– Был как обычно, во вторник. И не намекал, что собирается провернуть дельце с грабежом и убийством.

– Я не говорил про убийство.

– Газеты говорят.

– Газеты говорят, что это просто авария.

– Вот именно.

– ...Что с Зотовым было не так?

– Он был слишком нормальный. Играл по правилам. Только не понимал, что правила не те, о которых ему сказали вслух.

– ..?

– Мэра ты уже видел? Нет? Когда увидишь, поймёшь. Его напрягает, если его не пытаются обворовать, подставить... ну, вещи, которые он может вычислить и пресечь. Он начинает думать, что такой человек замутил что-то на другом уровне... не за спиной, а где-то сверху... так наверху, что не дотянешься.

– Ты уверена, что у него не было оснований?

– Ты меня не услышал. Василий Иванович хороший мэр, и человек неплохой. Но с честными он не умеет. Особенно с честными в нечестном бизнесе.

– Ты хочешь сказать, Зотов думал, что респектабельность торговца не зависит от того, чем он торгует? И если честно вести грязные дела, останешься незамаранным?

– Не знаю, что он думал, но он так жил. Ты сам-то по-другому живёшь?

– ...И мэр всё понял неправильно?

– Василий Иванович не доверяет исключениям. Он поэтому и писать грамотно не умеет.

– При чём здесь грамотность?

– Ну, все эти «стеклянный, оловянный». Русское правописание учит делать допущения. Готовности принять ещё один логически необъяснимый вариант – просто потому, что он есть. Я не верю, что можно толком объяснить, почему «ничего» пишется слитно, а «ни фига» – раздельно. Да меня и не интересует.

– Никогда не думал о русском правописании с этой точки зрения.

– Ты о нём так и так вряд ли думал. А с точки зрения смотрят, а не думают.

– ...Деревянный.

– Что?

– «Стеклянный, оловянный, деревянный»... А что они тебе рассказывали?

– Ну кто станет поверять секреты проститутке?

– Много кто.

– ...

– ...Я решил, что среда мне подходит больше. Не люблю четверг. И не хочу брать день покойника. Это плохая примета.

– Но в среду я не работаю.

– Климова, какая тебе разница? Будешь не работать в четверг.

– Ты сам сказал, что это день покойника.

– Но работать в день покойника ты можешь?
– Работать могу.
– А отдыхать – нет?
– Вот именно.
– А я почему должен?
– Ты не должен, ты хочешь.
– ...А кто третий?
– ..?
– Вторник, четверг и пятница. Мэр, Зотов... Про Климова не уверен. Надеюсь, он просто однофамилец?
– Кто такой Климов?
– Начальник вашего ФСБ. Так кто по пятницам?
– Директор музея.
– Это в каких же музеях так зарабатывают?
– Ему со скидкой.
– Почему?
– ...Скажи, ты зачем к нам приехал?
– Я-то? Я приехал плести интриги.
– Столичный хлыщ и бедные провинциалы...
– Обычно бедные провинциалы имеют столичных хлыщей, как хотят.
– ...Тогда до завтра.

Климова сказала: «До завтра», полковник Татев сказал: «Я не говорил, что приду», – а потом он вышел и с холма, на котором стоял белый двухэтажный дом (квартира Климовой – с отдельным входом), посмотрел вниз на центральный парк, затопленный сумерками и туманом: большие деревья, неясные редкие огни, осень.

Он стоял так достаточно долго, чтобы увидеть, как к дому идёт широкоплечий мужчина в кожаной куртке, и заступить ему дорогу.

– Мы ходим одной дорогой.

– Ну и?

– Тебя прислали искать деньги.

– ...

– Я помогу. Вдвоём веселее.

И полковник Татев помахал удостоверением перед носом Расправы.

Какие чёрные эти осенние ночи, сколько в них тоски. Одинокий фонарь с его тяжёлым унылым светом... проклятущий современный мусор, сплошь из полиэтилена и пластика, мёртвый ещё до того, как стал мусором... фонарь освещает затоптанные листья, жестянки из-под напитков, окурки, целлофан; к утру всё уберут. С туманом в темноте что-то произошло: он чувствовался на ощупь, да вокруг фонарей плавал жёлтой моросью – жестокий и опасный, грозящий гибелью туман над болотами, зыбучими песками.

В темноте, радушно укрывшей наших врагов и все беды, с кинематографической отчётливостью был слышен стук колёс идущего где-то поезда; это означает, что погода переменится к худшему. Улицы пусты, руки пусты, жизнь напрасна. Дотащившись до «Престижа», Саша обнаружил в лобби Расправу, который сам с собой играл на бильярде.

– Присоединяйся.

– Да я не умею, – сказал Саша. – Так посижу. Посмотрю, если можно.

Он подумал и не стал рассказывать, как любил в детстве (тайком, нарушая все запреты) проскальзывать за взрослыми спинами в бильярдную курортного посёлка, как до сих пор любит гипнотическое совершенство шаров, бег их блеска по тусклому сукну, ясные или глухие звуки ударов, полумрак и свет ламп, томящий привкус упадка и респектабельной криминальности. Декаданс, деградация, элегантность: казино, перехватив эту роль, играет её в том же стиле и с тем же паническим рвением, что и наши актрисы, субретки в лучшем случае, получившие роли герцогинь. (Нет, только не казино: слишком много денег, шума, женского присутствия, страстей взамен мастерства, битв насмерть вместо игры как удовольствия, и не тончайшие, дымчатые, в дыму и тенях намёки, но грубая, наглая и организованная преступность – в конце концов, «Казино» называется тот фильм, а не «Однажды в бильярдной».) Играть он, впрочем, так и не играл, а теперь не смел сказать, до чего хотелось: кто ж тебе не давал учиться? Пушкин? коммунистическая партия?

– Трудный был день?

– Насыщенный.

– Вижу. Как ты ухитряешься?

«Дурное дело нехитрое», «хотел поближе к жизни», «так вышло». Последний вариант ответа, во всей своей незатейливой честности, трусости, был универсальным девизом Сашиной жизни – был бы девизом, если бы о нём не стыдно было сказать вслух. Потому что гласные девизы – они гордые, яркие, казовые, желательно на латыни или старофранцузском, «честью и верностью», «Богу и Государю», «без лести предан», или вот: «не поколеблет», – звучит же? – если и допускается в них нотка фатализма, то это фатализм с хорошей осанкой, «Твой есмь аз», «Бог моя надежда», не какая-нибудь малодушная размазня... толстый роман можно написать (что и было мастерски выполнено) про девиз Au Plaisir de Dieu... несложно вручить себя попечению богов, когда известно, что не ерунду на палочке вручаешь, не какую-то пакость, хлам, тряпку множественного – и стол протереть, и высморкаться, и коту по морде – назначения; даже если вдруг в глазах Бога французский герцог и такая тряпка равноценны, то как быть с самосознанием – тряпки, и притом вонючей... Остановись.

– Так вышло.

(Или: в те времена, времена девизов, и вонючие тряпки твёрдо знали, что их запах приятно щекочет Богу в носу. В XXI веке Бога обязали не принюхиваться, слово «тряпка» запретили, а вонь, во всём спектре, победили дезодорантами – есть же и моральные антиперспиранты, 48 часов POWER.)

– Сколько в Филькине воскрешённых?

– В самом городе немного, – не удивившись, сказал Расправа и стал натирать мелом кий и пальцы. – Крестьян по области раскидали, детей – по детдомам. Здесь те, кого на землю не спихнёшь: уголовники и умственного труда.

– Уголовники-то откуда взялись?

Уголовники взялись из Москвы и Ленинграда, которые после введения паспортов зачищали от деклассированного и соцвредного элемента. (132 тысячи на 1933 год. Под этот замес угодил поэт Клюев). С потоком раскулаченных они попали на Обь и Васюган, в Нарымский край, и начальство на местах очень скоро принялось слать центральным властям взволнованные депеши о необходимости «прекратить посылку в Западную Сибирь рецидивистов-уголовников ввиду явной непригодности этих контингентов к условиям освоения Севера». Потому как крестьяне что: отрыли себе землянки, накопали кореньев – живут; с деклассированными этот фокус не прошёл. Не приспособленные к труду, на высылку «в тайгу», «за болота», «на кочки» они ответили побегами, убийствами, разбоем и «террором бандитских элементов». (Элементы грабили местное население, а оно избивало их дрекольем.) Попытались локализовать, и так, в частности, появился Смерть-остров, Остров людоедов: за месяц, с 18.05 по 18.06.1933 из шести тысяч человек две тысячи умерли по тем или иным... при расследовании одиннадцать человек были приговорены к ВМН за людоедство... по тем или иным причинам. («...Если бы эти прибывшие деклассированные были выселены не на остров, а на места, то их положение было бы лучше, но для местного населения это была бы могила».) В виде заключительной виньетки добавим, что местное население очень хорошо привыкло греть руки на ссыльных, пока ссылка оставалась неуголовной: политические, крестьяне и лишенцы.

– Откуда ты всё это знаешь?

– С людьми говорил.

– И как люди... реагируют?

– На что?

– Вообще.

– ...

– Ты же не думаешь, что их тоже воскресили?

– Кого?

– Людоедов.

– Приветствую, мужчины.

Потом Саша думал, что Марья Петровна вошла в его жизнь громами и молниями, а полковник

Татев – соринкой в глазу, которая сперва только раздражает, но очень быстро заслоняет собою всё. Саша посмотрел на Расправу. Расправа был как спокойный, благожелательный шкаф, и в нём за надёжной дверцей хранились порядок, здравый смысл, справедливость... может, конечно, и ствол лежит под стопкой отглаженных простыней, но это такой ствол, правильный.

– О чём вы здесь так мило тёрли?

– О достопримечательностях.

Загадочный человек, оказавшийся всего лишь Олегом, взялся за кий. (Вот ему не мешали ни хромота, ни искалеченная рука, на которую Саша старался не смотреть и всё же смотрел.)

– И какие в Филькине достопримечательности? Краеведческий музей с палкой-копалкой и десятой авторской копией картины местного уроженца Крамского «Незнакомка»?

– Крамской родился в Острогожске, – мирно сказал Расправа. – А картина называется «Неизвестная». – И добавил для Саши: – Смотришь на меня, как будто пень в лесу заговорил.

– Верно, – сказал Татев. – Если бы это был пень в Летнем саду – ну ещё куда ни шло.

– В Летнем саду нет пней, – сказал Саша. – Да и Летнего сада больше нет. А вы, московские, вечно к нам цепляетесь. Первые цепляетесь, прошу заметить. Что у вас самих-то есть получше краеведческого музея? Кремль этот лубочный и алмазный фонд, который вы у нас же и выгребли?

Есть, есть такая московская привычка: попрекнуть музей из провинциального городка его нищетой. Саша, со своей стороны, вступился за филькинское краеведение не потому, что так уж его знал и ценил. (Что он там знал? Как мог оценить.) Он рассчитывал, что в Филькине бережно хранят память об удельных князьях, монастырях, татарах, староверах, первых заводах и народных промыслах; здесь есть подлинники художников XIX века, валенки с вышивкой, братские могилы, усадьбы, где родились великие русские писатели. Можно не быть вовлечённым в эту медленную жизнь, не любить и не интересоваться, но всё же отрадно сознавать, что она есть.

– Ничего. Вот заберём из Эрмитажа импрессионистов, будет и на нашей улице праздник.

От негодования Саша даже на ноги поднялся.

– Это *наши* импрессионисты.

– Меня в школе по-другому учили,

– Американцев тоже в школе учат, что это они Вторую мировую выиграли.

– Действительно. Лучше б их учили думать, что Америка – это империя зла.

– ...

– Да не, – сказал Расправа, – на меня не смотри. Я такой москвич, с Воронежской области.

По горькому опыту зная, к чему ведут проволочки, Саша отправился к мэру с утра пораньше, даже таксисту сказал «в мэрию», а не просто «на площадь». Услышав это, пожилой весёлый дядька развеселился совсем уж апоплексически и всю дорогу выкладывал пёстрые сказки про тендера и откаты, мошеннические проделки; угрозы и вымогательства; побои, аварии, мёртвые тела, – начиная со слов «Василий Иванович мужик, конечно, хороший» и заканчивая кровожадным призывом развесить местную администрацию на фонарях. *«Эх, чубайсы-абрамовичи, живульки плотоядные»*.

– Ничего, скоро по-другому будет, – он подхохотнул. – Сталина-то воскресили. Встанет Иосиф Виссарионович, пойдут скоты в расход.

– Разъясняли ведь, – сказал Саша, нарушая золотое правило: с таксистами не спорят, им дают выговориться. – Сталин на первом месте в списке неподлежащих.

– Это понятно, что в списке. Не дураки небось, сами себе приговор подписывать. А он всё равно воскрес.

– И Василия Ивановича в расход?

– Его первого.

Так туда Саша и вошёл, в логово зверя. В глубине души он надеялся, что его завернут ещё на входе, но охранник («Из Питера? Василий Иванович уважает») списал паспортные данные и кивнул. Пришлось продолжить.

По дороге к приёмной попались ему на глаза бледные испуганные лица и румяные нахальные, те и другие – с въевшимся в кожу вокруг глаз и рта подобострастием; люди в отличных костюмах и без осанки; плечи, явно расправленные спортзалами – и только ими; ни одного прямого взгляда. Сама приёмная стояла пустая, прохладная, с полуоткрытой дверью в кабинет, и оттуда неслось утробное завывание:

– Сидоров! Ты нассал в руку, которая тебя кормила, защищала и любовно трепала по яйцам! В мою руку нассал своими шакальими ссаками!

Саша замер и стал ждать, пока злополучный Сидоров отдаст концы здесь же, в кабинете, или по ту сторону телефонной трубки. Вместо того из кабинета вывалился сам хозяин.

– Ну и где эта зараза?

– Не знаю.

Василий Иванович был в натуре Василий Иванович: толстый, краснорожий, громогласный и с усами. Пока Саша развеивал недоразумение, представлялся и излагал свою нужду, лицо его претерпевало... вовсе нет, не мгновенную трансформацию волка в добрую бабушку и не мучительные судороги оборотня... лицо его, явно не изменившись, опало и подобрело, как будто волк бабушку всё-таки сожрал, но после этого почувствовал себя не только сытым, но и самой бабушкой, в каком-то трансцендентном плане.

– Проходи, мой сладкий сахар. Присядем... Помозгуем... Как не помочь... Из культурной столицы человек к Василию Ивановичу едет, а Василий Иванович, значит, не поможет? Я своему быдлу всегда говорю: учись, устремления имей, – а толку? Всех устремлений, как бы въехать в рай на чужом предмете. Не желают работать вообще никто! Чтобы там культура какая, интересы духовные – хер тебе! И не работают при этом, саботажники! Ну не делаешь ни хера, так хоть думай о судьбах родины! Нет, блядь, ихние судьбы – как бы прибылéй не лишиться и жопой при этом не шевелить. Быдло путлявое, дешёвки. Одни дешёвки вокруг! Задыхаюсь я от них... в печеня́х у меня от них... нехорошо... Ты мне как глоток воздуха. С Питера профессор. С настоящими вопросами.

Направляемый, словно здесь можно было упасть или заблудиться, Саша вступил в кабинет. Культурная столица, степеня́ научные.

Усевшись и излагая свой (настоящий) вопрос по второму кругу, уже в подробностях, Саша взбодрился: да наконец, он же и презентирует людей, которые хотят работать.

– Они многого не просят, но ведь должна быть какая-то программа интеграции? В вуз нельзя, в школу нельзя... диплом восстановить невозможно.

– Погоди, не волнуйся. Воскрешённые – это федеральная программа.

– Я понимаю, что федеральная. Разве местным органам власти не дали полномочия?

– Мы от себя – что можем. Расселили... все на учёте... Паспорта... поликлиники... Пособие маленькое, я согласен... Но и цены не московские. – Василий Иванович заговорил деловито, как демонстрирующий огород хозяин: здесь огурцы, парничок, там компост привезли; вот жена затеяла альпийскую горку.

– Я о другом говорю. Речь о работе, а не о пособии. Учёные, экономисты, люди с административным опытом... Они не денег хотят, а места в жизни.

Василий Иванович засмеялся, с тихими раскатцами и вдруг как-то недобро. Саша понял, что про административный опыт сказал зря.

– А место в жизни – это что такое, по-твоему?

Место в жизни – это такое место, к которому всё прилагается: работа, деньги, семья, самооценка. И не важно, что деньги и статус в представлении Василия Ивановича являются особым случаем денег и статуса: каждый человек, появившись на свет, со временем хоть что-то, да получает, и прежде всего – легитимность. Если захочет, поедет в города побольше отвоёвывать место получше. А не захочет, так есть пословица: где родился, там и пригодился.

– Вы их боитесь?

– Я только своей совести боюсь и Бога. А вот ты скажи честно Василию Ивановичу, зачем тебе это?

«Что угодно можно сказать и не подавиться».

– Случайно всё вышло, заинтересовался. У них никого нет. – Сказал и впервые со всей отчётливостью вообразил это страшное одиночество: где жена? где дети? давно состарились, легли в могилы; страны и той нет – чужая, оскотинившаяся. – Какой-то апартеид получается.

– Это когда негров в ЮАР трамбовали? – припомнил мэр политинформации своей школьной поры. – Ну ты загнул.

– Апартеид – это политика сегрегации. Никого не трамбуют. Разным – ну, в случае с ЮАР расам – запрещено смешиваться: работать, жить, учиться, жениться, в ресторан – всё порознь.

– Да? Разумно.

– То негры, – сказал Саша, плюнув на политкорректность, – а здесь наши русские мужики.

– Ты ещё этих мужиков не видел. – Василий Иванович оживился. – Всё твердили про вымершие деревни... Вымершие деревни, вымершие деревни! Зато теперь такие стали живые, что без ОМОНа не сунешься. Ну, за область пусть у губернатора голова болит. Или у тебя. Проедь, проедь по деревням, раз с таким интересом. Быстро поубавится.

– А насчёт этих-то что?

– Да что «что», пристроим твоих троцкистов. Пиши фамилии.

Тут у него зазвонил телефон. Василий Иванович полез в карман, глянул – лицо его окаменело, а ноги резво понесли прочь.

Саша увидел фотографию только потому, что остался в кабинете один.

Фамилии на обороте своей визитки он написал (хуже не будет). Фамилии он написал, но прекрасно зная, что вот так, в глаза, редко кто отказывает, даже и в начальственном кабинете: куда проще наобещать с три короба и спровадить. Написал и стал оглядываться.

Сперва он поднял глаза на портрет президента РФ: тот, как и положено, висел на стене за хозяйским креслом. (Почему, вот интересно, эти портреты вешают так, чтобы их видел посетитель, а хозяин кабинета лишь слабо ощущал, будто ангела за плечом? Хозяину кабинета, что же, не обязательно государю в глаза глядеть? он и утром к своему рабочему месту спешит пройти, уткнувшись в айфон или подсунутые секретаршей бумаги.)

Частная жизнь стояла на столе в серебряной рамочке: довольно большая фотография, необычного формата. Саше стало любопытно, что там за жена и дети. (А скорее – дочь с внуками: среднестатистический Василий Иванович преисполняется чувством семьи на этом этапе.) Он встал, обошёл стол и глянул.

Молодая женщина на фотографии со всей очевидностью не была женой или дочерью. Начать с того, что стояла она (фотография была в рост) в одном белье. Без улыбки, но не угрюмое лицо, которое она спокойно отворачивала, было безусловно красиво, но почему-то пробуждало вопросы, не появляющиеся при взгляде на рядовую глянцевую куклу: кто она на самом деле? о чём задумалась? И, главное, Василий-то Иванович как дотумкал поставить её на рабочий стол? Никто так не делает. Тот, кто на такое способен, никогда не войдёт хозяином в такой – в любой – кабинет.

Уже ревниво... греческая богиня в чулках и лифчике... да, с нехорошим душевным подъёмом Саша рассмотрел собранные в полуузел тёмные волосы, чёрные кружева и какой-то спущенный с плеч то ли мех, то ли бархат.

Лучше многих Саша знал, что красоту нельзя взять за руку и дёрнуть на себя. (Ах, да все это знают, даже те, кто берёт и дёргает... может быть, именно поэтому дёргает с такой яростью.) Знал, что к позолоте идолов нельзя прикасаться. (Прочёл и принял на веру.) С первого взгляда, с первых слов получив пугающе определённое представление о Василии Ивановиче, он не мог вместить мысль, что вот такой Василий Иванович каким-то чудом и при этом явно не понимая, что делает – поставив на стол неуместную фотку, – умудрился уцелеть, как внутри начертанного волшебным мелом круга, и то, что разбило бы сердце и жизнь любого человека с воображением, для него осталось обычной связью с девкой. И Саша, потому что он знал очень много о том, что остаётся, когда проходит угар, и почти ничего – о самом угаре, ощутил недостойную злобу.

Василий Иванович между тем ушёл и сгинул. Саша высунулся в приёмную: там появилась секретарша. («Твари ленивые, – бушует Василий Иванович, – говном зарастут, а жопой не двинут. Вот где эта блядища бродит, вместо того чтоб чай-кофе подавать?») Они потаращились друг на друга, и Саша сказал: «Я, пожалуй, пойду», а секретарша сказала: «Вы вообще здесь откуда?» Годы и килограммы сделали её непробиваемой, непроницаемой; всем, что мы привыкли ждать от провинциальных секретарш бюрократов в летах (и бюрократы в летах, и секретарши). Но всё же на рабочем месте в роковой момент её не было.

– А Василий Иванович вас искал.

– Чего хотел?

– Кофе хотел.

– Он кофе не пьёт.

– Значит, чаю.

– Чаю?

– Да, придёт и выпьет.

– ...

– Что-то он выпить должен?

– У меня есть валидол.

– А от давления?

– Такой молодой, и уже с давлением. Присядь сюда, в креслице.

– Спасибо, но я про Василия Ивановича.

– Да сердце у него, а не давление. И куда понесла нелёгкая.

– Может, Сидорова пошёл искать?

– Сидорова?!

Разговор... так Саша сегодня и не узнает ничего о таинственном Сидорове... всё более дружелюбный разговор был прерван вмешательством третьих лиц, которые ввалились в приёмную деловитой невежливой толпой и так сходу засновали, что показалось, будто их несчитаемо много, как муравьёв – причём особенно крупных, голодных и размахивающих удостоверениями.

– Выемка документов. Оставайтесь на своих местах. Ключи от сейфа. Где сам?

Саша, оказавшийся у окна (сперва он законопослушно застыл на месте, а потом его подвинули, чтобы не стоял на дороге), прекрасно видел, как Василий Иванович нарезает круги у памятника Ленину... руками размахивает и мобильник зажал, как молоток... видел и помалкивал: ну нет, не станет он помогать людям с удостоверениями, какими бы эти удостоверения ни были. Но мало-помалу и секретарша притеснилась к окну, и ещё кто-то, и вот уже все стоят и смотрят, как Василий Иванович – окликнули его, что ли? – резко оборачивается, и неприметный прохожий, такой неприметный, что и умирая не запомнишь, несколько раз, прежде чем броситься наутёк, стреляет в мэра Филькина, и тот неуклюже садится на клумбу.

Саша захлопал глазами, секретарша закричала, а люди с удостоверениями, вместо того чтобы смело прыгать из окон и спешить в погоню, а также на помощь, как по команде принялись звонить по своим мобильникам, хотя двое сперва, теми же мобильниками, эту ужасную сцену сфотографировали.

Плоды крупных ограблений умещаются, как мы видим из криминальной хроники, в спортивной сумке – и примерно с такими же ездят инкассаторы. Два миллиона долларов в рублях пятитысячными купюрами – это компактная коробка как минимум из-под водки, а если купюры будут по тысяче и пятьсот, придётся брать коробку от пылесоса. Даже не зная, как устроена инкассация в теневом секторе экономики, можно предположить, что это не делается в одиночку, не делается топ-менеджером... на своей машине и без охраны... типа, о, давайте я по дороге закину, всё равно нефиг делать... и безусловно не делается с нагромождением сложностей на маршруте «легальный магазин – легальный банк».

Многочисленные свидетельства подтверждают, что теневые инкассаторы привезли наличные деньги в «Алмаз», и те лежали себе в сейфе, дожидаясь инкассаторов из банка... Ну а теперь их там нет, управляющий «Алмазом» Павел Зотов – в морге, и все заинтересованные лица уже наведались туда с инспекцией, а точно ли Зотов лежит под соответствующей биркой, не подсунули ли кого другого... Да нет, не подсовывали. И с опознанием никаких проблем.

Расправа ходит по Филькину, разговаривает с людьми, чешет в затылке. А потом его телефон начинает буквально разрываться: в мэра стреляли. И как, застрелили? При аресте? Стреляли, но не те, которые пришли арестовывать? Всё же застрелили или нет? В больнице под охраной. Но его арестовали? Арестовали, арестовали. Лежит на кровати, прикованный наручниками. К чему? Ну к кровати и приковали, к чему ещё; есть один порносайт, вот там делается очень похоже, хотя и не с Василием Ивановичем в главной роли, или не с каким-либо другим мэром... вообще не с мужчиной. Одну минуту: порносайт тут для словца упомянут или это намёк, который надлежит запомнить и как-то осмыслить? Потому что, знаете, такое выходит за рамки всех допущений: Василий Иванович и порносайты. Русский богатырь, мэр, столп наркотрафика... Ему пятьдесят лет. У него всё есть. А теперь он прикован к кровати, и уместнее говорить не «есть», а «было».

Город Филькин ошеломлён, как если бы на него упал метеорит; у города контузия. Это через пару дней кусками из космоса начнут торговать, а прямо сейчас все названивают друг другу, несутся с работы домой или в школу за детьми, скупают макароны и треплют нервы МЧС. Когда Расправа приезжает в городскую больницу, представители конкурирующих силовых структур собачатся на лестнице: одни требуют везти Василия Ивановича в областной центр, сурово предполагая, что здесь его попытаются то ли отбить, то ли добить, другие – возможно, они не против такого варианта – хотят обойтись своими силами. А главврач, мэру многим обязанный и много от него вытерпевший, сказал: «Делайте что хотите», – и демонстративно потряс руками, словно воду стряхнул.

Никто понятия не имеет, чем сейчас занят Василий Иванович, а Василий Иванович, подперев дверь палаты изнутри, проворно мастерит верёвку из больничных простыней. (Про наручники, выходит, всё брехня.) И правильно, чего ждать: несчастного случая при переливании крови, халатности стажёра, поездки в тюремную больницу – поедешь-то в больницу, а приедешь прямиком в морг. Вид мэра ужасен: голый волосатый торс с марлевыми нашлёпками на боку и плече, глаза густо обведены чёрным, и такие мешки набрякли, такие мешки... Из окна второго этажа, по связанным простыням, он, конечно, выберется.

Саше очень хотелось разузнать, не Брукс ли навёл на него похитителей телефонов и бумажников, и при этом он боялся оскорбить невиновного человека, если вдруг – ну а вдруг – тот ни при чём. (Предположение, будто при чём кто-то из тридцать четвёртой комнаты, доцент Энгельгардт не колеблясь отмёл. Ну, он просто знал. Знал – и всё тут.) Явившись после всех треволнений и допросов в библиотеку, сам не зная – уж так люди с удостоверениями умеют говорить и смотреть, – а не в статусе ли подозреваемого его отпустили гулять по городу, он увидел Марью Петровну и Татева, мирно разговаривающих на ступеньках перед входной дверью. Пока он думал, подходить или нет, Татев заметил его и помахал. Решившись, Саша помахал в свой черёд, приветливо улыбнулся и не останавливаясь прошёл мимо. Марья Петровна посмотрела ему вслед.

– Знаешь его?

– В одной гостинице живём. Доцент из Питера.

– А, ну теперь понятно.

– ?

– Странный он какой-то. Заторможенный. Они там все такие. Разговариваешь с человеком, а он на тебя смотрит, и ты вообще не понимаешь, о чём он думает.

– Это из-за климата.

– Ну да, как же. А вы в Москве жлобы такие из-за пробок?

– А из-за чего мы жлобы?

– ...Ты рассердился или обиделся?

– Просто интересуюсь.

– ...

– ...

У обоих почти одновременно подают голос мобильники. Обычно – если компания сидит за столом, или нужно поговорить о чём-то важном, или двое рады, что наконец встретились, – это раздражает, но иногда, и сказать правду, чаще, чем иногда, – за столом с ненужными людьми, или посреди такого разговора, что сказать необходимо, а говорить нет слов, или вот двое наконец встретились и один из них не знает, как отвязаться от другого, – телефон вмешивается в беседу как deus ex machina, причём теперь это выражение вновь можно понимать в буквальном смысле, словно дружелюбный божок шлёт спасение из своей блестящей коробочки как раз в ту мёртвую минуту, когда не остаётся ни сил, ни надежды. Марье Петровне приходит сообщение, она его читает и удивлённо улыбается. Полковник Татев отвечает на звонок и, послушав, говорит что-то вроде «неужели?» и «спасибо, понял». Потом они – а что делать – смотрят друг на друга.

– Всё в порядке?

– Да, спасибо.

Величественная красивая дама высовывается из окошка второго этажа и взволнованно кричит:

– Машунь! Василий Иванович из больницы удрал!

– Куда?

– Пока не знаю! Наверх пойдёшь, забери с абонемента чайник!

– Вера Фёдоровна!

– Иди, иди!

– ...Чайник-то не на абонементе, – бурчит Марья Петровна, поворачиваясь к полковнику. – Марья Петровна меня зовут, Марья Петровна.

– ...

– Что ты хочешь сказать?

– Ничего.

– А услышать?

– Я уже услышал. Вы все такие... информированные?

– Это Филькин. Наша заведующая – мэру двоюродная сестра. У Веры Фёдоровны сын работает в больнице, муж – в администрации, а свёкор до пенсии был прокурором области. Даже если бы не был... Василий Иванович здесь местный, понимаешь?

– ...И, наверное, уже весь Филькин знает, кто в него стрелял?

– Кто-то, кто не умеет стрелять и не хочет в этом признаваться. С трёх метров обойму разрядил, а куда попал? Плечо поцарапал.

– Да, надо было вплотную подойти. Нервы не выдержали.

– ...

– ...Ну а ты?

– Что я?

– Ты чья дочь?

– Простого инженера. Но я училась в одном классе с дочкой мэра.

– И как она?

– Была нормальная.

– А потом что случилось, в Москву переехала?

– ...Ты считаешь, что сейчас пошутил?

– А что, не смешно?

– Не знаю. Не очень. Ты мне говорил, чем занимаешься?

– Нет.

– Бизнес?
– Скорее госслужба.
– И к нам сюда...
– В командировку.
– ...Это не из-за твоей командировки Василий Иванович в окошко прыгнул?
– Реально прыгнул? Я думал, он простыни свяжет и вылезет. Нет, не из-за моей.
– ...
– Ты такие вопросы задаёшь, Марья Петровна, как будто сама хочешь о чём-то рассказать.
– ...
– Машка!
– Иду, Вера Фёдоровна!
– Подожди, я серьёзно. Давай помогу.
– Чайник искать? ...Надеешься, я тебе поверю?
– У меня вообще много безосновательных надежд.

На этом они, к сожалению, расстались. Вера Фёдоровна, не смыкавшая вежд на посту у окошка... веки у неё тоненькие, сухие, и под ними зоркие, уверенные в себе глаза... Вера Фёдоровна на своём посту всё подметила и сделала выводы. Вот почему эти наблюдательные сплетницы вечно попадают впросак, в долгосрочной перспективе; всё увидит и всё истолкует, не множа сущностей, взяв самое простое с поверхности объяснение... где и чем оказалось бы всё искусство, прими оно постулат Оккама на свой счёт? а любовь? а квантовая физика? Вера Фёдоровна не из тех, кто рад творить зло, а Маше, выросшей у неё на глазах, она желает добра и только добра... Ужасные дни предстоят.

Ужасные дни предстоят: кому водевиль, кому – трагедия. Но сколько раз сколькие из нас пошли себе дальше своей единственной тёмной путём-дорогой, ни о чём не догадываясь, даже не подозревая, что их судьба вильнула вбок, и дорога вовсе не единственная – шепотки и совещания, умелые осторожные руки, отодвигающие беду; уже не узнать, *что* они на самом деле отодвинули.

Городской парк начинается за собором и одним краем выходит на реку, а другим, парадным – на узкие улицы, которые по холму поднимаются в спокойные зажиточные кварталы. Бетонные столбики невысокой ограды тщательно побелены, а обновить железную решётку между ними руки не дошли – и то же можно сказать о чугунном литье ворот.

Полковник Татев проходит по центральной аллее до ротонды, построенной при царях каким-то ссыльным архитектором. Аллея заасфальтирована. (Полковник отметил это с одобрением, а вот Саша Энгельгардт, когда сюда попадёт, неприятно удивится: в наших парках, знаете ли, даже и в том Летнем саду, которого больше нет, дорожки, как положено, песчаные, земляные, а иногда и травяные, особенно там, где годами не чищенная дорожка мало-помалу зарастает клевером и жёсткой выносливой травкой, превращается в тропинку... хорошо идти по такой тропинке осенним утром, смотреть под ноги, стараться не думать.)

Только что прошёл быстрый сильный дождь, и на почерневший блестящий асфальт упали жёлтые блестящие листья от самых простых деревьев, берёз и клёнов, – ещё свежие, не затоптанные. За деревьями проглядывают густые, густо-зелёные кусты барбариса и боярышника, далёкая, почти чёрная сейчас ёлка. Скамеечки. Урны. Неказистую прелесть этого пустого и простого сада можно увидеть только сквозь нежную пелену собственной здесь прошедшей жизни, а чужому глазу всё не так. Облупленная, покосившаяся на своём постаменте ротонда кажется досадно приземистой – и нарушение пропорций (неявное, намёком, но всё же) не делает ссыльному архитектору чести... может, и хорошо, что сослали. Ступеньки выщерблены. Внутри холоднее, чем снаружи. Терпеливо ждут сквозняки, капающая вода и забавный человечек с усиками, очочками и значком ВЧК-ГПУ.

– Здравствуйте, товарищ Татев.

– Привет, конспиратор. Не промок?

Человечек пощупал себя, осмотрел. Маленький человечек... в первую встречу он представился как Зоркий, такая партийная кличка, самолюбиво и недальновидно, увы, переросшая в фамилию... маленького человечка XXI век до того дезориентировал, что в нём и злоба не держалась. Он потерялся в новой жизни, а потом провалился в себя – и там потерялся тоже. Верно ли существовал тот Зоркий, оперуполномоченный третьего отдела СПО, которого опасались враги, ценило начальство, не обижала Особая инспекция; ничего определённого, ничего бесспорного не нащупать ищущим пальцам. Промок он или нет?

– ...Они хотят с вами встретиться.

– Встретиться? Можно встретиться. А зачем?

– ...

– А мне это зачем?

– Не верите, что от нас толк будет? От таких вот? Которых в расход пустили?

– Я верю в это, а также в прямо противоположное. Веди.

Они выбрались из парка, и полковник Татев махнул удостоверением, останавливая такси.

Поехали этим же берегом, где-то слева поочерёдно оставив собор, пожарную каланчу, разваливающийся монастырь, и оказались в довольно глухом, полусельского вида месте, но ещё не на краю города: дальше виднелся район бетонных пятиэтажек. Небо над ним было затянуто не тучами, а голубенькими облаками, пока не решившими, как лучше: то ли развеяться на вдохе, то ли затаить дыхание и ещё раз пролиться сладким невесомым дождём.

– В каком он звании? Тот, кто тебя прислал?

– Комиссар госбезопасности второго ранга.

– ...Генерал-полковник. Недурно. Не думал, что... Сюда?

Это был большой двухэтажный деревянный дом: некрашеный, почерневший, несуразно и громоздко квадратный – и с приляпанными на этот квадрат мезонином под двускатной крышей и печными трубами. Все окна первого, очень низкого, этажа были заколочены досками.

Доски успели почернеть в тон стенам, и теперь казалось, что дом так сразу и построили: строили да заколачивали. Тем не менее ничего опасного, скверного в его виде не было: угасающие старушки угадывались за чистыми окнами второго этажа, безалаберные работяги, – ничего преступнее.

Забор или палисадник отсутствовали, и яркая травка подступала от дороги к фундаменту. На задах, перед рассохшейся и распахнутой настежь дверью (выходящая на улицу дверь была навеки заложена проржавевшими болтами) сидел прямо на земле некто печальный и пьяненький.

– Всё празднуете?

– Снимаем мы здесь у новых, – пробормотал Зоркий. – Новые здесь живут.

В комнате с кривым потолком и тёмным полом за столом сидели двое: ледяной и одноглазый. Полковник Татев мельком посмотрел на чёрную пиратскую повязку и уселся, не дожидаясь приглашения.

– Ну и как же к вам обращаться? – спросил Кошкин с насмешкой. – Ваше высокоблагородие? Господин полковник?

– Я полковник, но товарищ. Ты сходи в библиотеку: погоны ещё Сталин реабилитировал. Наш кровавый режим тут ни при чём.

В НКВД реформа званий прошла раньше, чем в армии: уже в 1935 году появились сержанты, младшие лейтенанты и так далее, вплоть до старшего майора ГБ. На полковниках и генералах дело застопорилось – уж слишком это отдавало проклятым царизмом, – и высшие чины так и остались комиссарами (трёх рангов, плюс генеральный комиссар). Полковники придут в 1943-м, вместе с погонами, а генералы – в июле 1945-го, когда сотрудники госбезопасности будут переведены на армейские воинские звания.

– Знаю. Была война.

– Да мы все знали, что война будет, – сказал ледяной. – Не думали, конечно, чтобы так...

– Немцы тоже не думали, чтобы так, – сказал Татев. – Всё хотел спросить... Вам не удивительно, что мы её выиграли?

– Вы? Хлыщи в сапожках?

– Это называется «демонстративное потребление». Я имею в виду нас, страну.

– ...

– ...Как у вас Зоркий-то славно экипировался. – Полковник показал пальцем на значок ВЧК-ГПУ.

– У него был такой же, – сказал Кошкин. – А этот не его, конечно, достал где-то. Что ты думаешь, мы из могил в полном облачении встали, со всеми орденами?

– Вот об этом я стараюсь не думать.

– Правильно стараешься. А то ещё спроси, как там на том свете.

– Как там на том свете?

– Холодно, Татев.

– ...Разве они не номерные?

– Номерные. Ну, достал – пусть носит. Вреда нет.

– Мы занимались настоящими вещами, – сказал ледяной. – Организовывали, налаживали, защищали. Делали страну государством. А вы сейчас кто? Просто жандармы на службе буржуазии.

– Зачем звали-то? В рожу плюнуть?

Широко поставленные прозрачные глаза Ромуальда фон Плау смотрели со спокойствием слепого, так смотрели, будто ничего не видели. Получая паспорт гражданина РФ, он вернул себе настоящие имя и фамилию – показывал XXI веку, что возвращается в исходную точку, в отвратительный мир неравенства и эксплуатации. Кошкин называл его «Роман Александрович» и «майор», а за глаза, даром что сам был дворянин и сын присяжного поверенного, – «фон барон». (Кошкин о себе мог бы написать роман «В людях»: ранняя смерть отца, бедственное положение семьи, безрадостные скитания по семьям родственников. В анкетах он наверное прилгнул: какая-то мифическая старушка-прачка его воспитывала, рабочая семья, – но ведь цена чужого хлеба быстро узнаётся, даже если ты окончил гимназию и университет.)

Фон Плау, до того как порвать со своими мелкопоместными баронами, учился и путешествовал по Европе, а потом пошёл в военное училище. Анкета перечисляет фронт, Советы солдатских депутатов, подпольную революционную работу в Вильно и бои с польскими легионерами; ранение при защите штаб-квартиры рабочих представителей, тюремное заключение. В 1920-м, когда ему исполнилось двадцать пять, его обменяли по мирному договору с Польшей. Ранение в действительности было попыткой самоубийства.

Полковник Татев рассеянно смотрел в окно: старое дерево с мокрой пегой листвой, за деревом ещё один деревянный дом, за домом – купол и крест церковки. Крест позолотили, а на купол пошла аккуратная зелёная краска.

– Салюты теперь сопровождаются колокольным звоном, – сказал Кошкин, проследив его взгляд. – Оно и веселее.

– Мы работали, – сказал фон Плау в пространство. – Мы взяли тёмный, неграмотный, опутанный религиозными предрассудками, озлобленный народ и сделали из него тех, кто выиграет войну и построит социализм. Мы отдали всё. Мы верили в будущее.

– Теперь ты видишь, во что верил.

– Я вижу горстку эксплуататоров, и одураченных ими, и цепных овчарок, которым говорят, что они защищают родину – а не дворцы жулья и собственные будки.

– Майор, остынь.

– Пусть говорит, у нас демократия. – Полковник Татев развёл руками. – Это когда тебя посылают на три буквы, а ты поворачиваешься и идёшь куда хочешь.

– Клоун.

– Не нужно принимать выходки Романа Александровича всерьёз. Это всё временно. Мы ещё не привыкли.

– ...Я думал, вы скорее будете вести борьбу.

– Какую борьбу?

– Революционную.

Кошкин и фон Плау не скрывая переглянулись.

– Здесь действительно кое-кто ведёт... или пытается вести... революционную борьбу. Но мы – Роман Александрович, я... мы готовы... – Нужное слово Кошкин искал так долго, что фон Плау без сострадания улыбнулся. – ...готовы сотрудничать. К сожалению, вы этого пока не хотите... не знаю, это страх или безразличие. После революции многие царские кадры пошли служить советской власти, ты ведь знаешь об этом?

– Знаю.

– Конечно, ты должен знать. Хотя бы о Джунковском слышал. Большевиков они презирали. Они работали с нами, но не на нас. Не ради того, во что мы верили, а ради страны. Тогда я их не понимал. Теперь понял.

– И что для этого потребовалось?

– Всего лишь оказаться на их месте.

Жалобы на засорённость рядов ВЧК раздавались с момента создания ВЧК. Прислушиваясь к ним, можно увериться, что одну половину чекистов составляли убийцы-фанатики, психопаты, садисты и сексуальные маньяки, а вторую – бывшие царские жандармы, полицейские и черносотенцы. Что б хотя бы черносотенцам не жить спокойно? Пошли служить, потому что привыкли служить. Потому что ничего другого не умели, потому что кто-то всё равно должен, – и чего вы в конце концов от них хотите, если они жандармы и полицейские, организации ЦК в изгнании? Любую гражданскую войну несёт по поверхности обыденной жизни, могучего мутного потока рутины и случая: приходят в городок белые – проводят мобилизацию, приходят красные – проводят мобилизацию... по тем же спискам, при царе составленным... и знаменитое «брат на брата» сплошь и рядом получается само собой, без какой-либо братоубийственной вражды в исходной точке.

– Ну так что, не побрезгуешь?

– Работаем в тех деньгах, какие есть. Только вот что... Я сейчас не при исполнении. И вы оба должны понимать, что так оно и останется. Никаких официальных контактов. Никакой надежды на восстановление.

– Хорошо.

– И я не хочу числиться в агентуре, – сказал фон Плау. – Ничего не подпишу.

– Да ладно, какая у меня агентура.

Полковник посмотрел на Зоркого. Тот сидел в углу на табуретке, не вмешивался в разговор. Убитый. Весь в своём, которое теперь неизвестно чьё.

Интересно узнать, может ли такой человечек оказаться достаточно хитрым, чтобы намеренно изобразить эту потерянность, эту глухоту, – сделать вид, одним словом, такого человечка. Опыт подсказывает, что сходу, сдуру ответ не дать; опыт говорит: подождём, отложим.

– Почему-то мне кажется, что вы морочите мне голову.

– Почему-то кажется, что и ты нам тоже.

– Тогда сработаемся... Кстати, о Джунковском я слышал, что не таким уж он был профессионалом.

Через двадцать минут полковник Татев, рассеянно напевая: «Мы будем вместе, я знаю, таких, как я, не бывает», вышел на дорогу, помахал удостоверением перед приглянувшейся машиной, сел в неё и дал водителю адрес Климовой.

Мы уходим, за нами закрывают дверь, и тогда-то всё и начинается. Только социопат, всё богатство мира носящий с собою, вполне свободен от любопытства и желания знать, какие разговоры, тайны и замыслы поднимаются у него за спиной волшебным чертополохом: сунься и пропадёшь, сунься – и утонешь. Саша искал Брукса, а наткнулся на Посошкова, которого, положа руку на совесть, вот прямо сейчас предпочёл бы не видеть. Он и без того изводился, гадая, что наговорили Ивану Кирилловичу его товарищи, и хотел изводиться поодаль, не глядя в глаза, потому что мало ли что в этих глазах подметишь: стыд, например, или – уже получше – негодование. И зачем он, никого не предупредив, пошёл к мэру? Решил сделать доброе дело. Отлично сделал.

– Александр Михайлович!

– Иван Кириллович... Как вы?

– Я должен принести вам извинения.

– Нет, нет... За что?

– За приём такой неловкий. Мне сказали, вы испугались?

– Я сам виноват, что без приглашения.

У профессора Посошкова был усталый и огорчённый вид. Саша почувствовал себя таким виноватым, что начал рассказывать об успехах демократии на постсоветском пространстве. В Германию опять можно поехать – куда там, во Фрайбург? Если позовут и дадут денег на билет.

– Люди озлоблены. Они не понимают. Не могут простить.

– Я бы тоже не простил, если бы меня в награду за все труды расстреляли.

– Господь с вами, я разве об этом. Я говорю о современности. О том, с чем мы столкнулись: роскошь в столицах, новые хозяева на заводах. А я помню, как строили эти заводы. Сколько людей погибло. И по факту получается, что мы погибли для того, чтобы ваши, как вы говорите, олигархи могли покупать себе самые дорогие в мире яхты.

– Они теперь и ваши тоже. Олигархи.

– Нет, нет...

– Дядя Миша – ну, который называет себя комендантом вашего общежития – сказал, что наша жизнь больше всего напоминает ему ту, что была перед войной... Он имел в виду Первую мировую. Я ответил, что он нам льстит.

– Михаил Алексеевич... как же... Мировой судья... Депутат Второй Думы... Во Временном правительстве работал... Представьте, я с ним сталкивался и в предвариловке у Чеки, и после, в ссылке.

– Он... князь?

– Князь? Даже не столбовой. Дед его потомственный и чуть ли не из кантонистов. Понравился вам, да? Это он умеет. Любезный сплетник. Ну а соседа его... повидали?

– Кошкина? Да.

– Он из ГПУ.

– ...Не похож как-то.

– Вы кого-то с рогами ждали и общематросского вида? У нас в Нарымском крае старосcыльные умели вычислять шпиков в таких людях, которые без воротничка чувствовали себя голыми.

– И много их было?

– Через одного.

– ...А кто тот человек, который в тридцать четвёртой комнате самый главный?

– Самый главный в тридцать четвёртой – я, – сказал Посошков, не удерживая смеха, и Саша, не веря себе, увидел, что он вовсе не такой музейный, портретный, как сперва показалось.

– Вы, наверное, о Вацлаве. Я вас познакомлю почеловечески. Ему крепко досталось, но он отойдёт.

– А вы сами... отошли?

– Я не знаю. Легко умереть в сознании своей правоты, и очень трудно – чувствуя, что ошибался. А потом воскреснуть и узнать, что всё-таки был прав.

Полковник Татев, уже в джинсах, но босой и в незастёгнутой рубашке, стоит у окна, а Климова, удобно откинувшись на груду подушек, курит и поигрывает хлыстом.

– А чего ты ожидал? Что он у меня здесь под кроватью прячется?

– В таком роде, – говорит Татев, не оборачиваясь. – Где же ещё? Передай ему, если вдруг увидишь, что сам он мне неинтересен. И я мог бы помочь на взаимовыгодной основе.

– И на кого он должен будет дать показания?

– Ну какая разница? Он не в том положении, чтобы перебирать. *Барабань*, – напевает он старый шлягер, – *барабань*... кстати, тебя уже допрашивали?

– Нет. Майор наш местный побеседовал. ...Знаешь, на чём первым делом прокалывается мужчина, когда идёт налево? Покупает себе новые трусы.

– Новые трусы нужно брать из уже купленных женой.

– Логично. Но никто так не делает.

– ...Как думаешь, кто стрелял?

– Наверное, тот, кто не хочет его ареста.

– Или тот, кто об аресте не догадывался?

– Не вижу смысла.

– Его здесь и нет. Это не смысл в нашем понимании, а революционная целесообразность.

– ...Не понимаю.

– Я думал, ты отслеживаешь, что в городе происходит. И в стране заодно.

– Зачем?

– Затем, что в твоём бизнесе нужно держать руку на пульсе. Ты с заменой определилась?

– Василий Иванович пока что не в гробу.

– Но вряд ли платёжеспособен.

– И в разных передрягах бывал.

– Забудь. Всегда есть самая последняя передряга.

– Да, но как её угадать?

– ...Ты к нему неужели привязалась?

– Я ко всем вам привязываюсь. По-своему.

– ...

– Когда хочешь, чтобы тебе не поверили, говори правду. Лучшего способа не существует.

Пятница для Саши началась вот с чего: в дверь номера небрежно постучали, хозяйски вошли, и пухлый, бледный, отдалённо нахальный молодой человек, скороговоркой представившись, показал ему, воздевая, прозрачный пакетик с его собственной визиткой.

– Как вы это объясните?

– Это моя визитка, – сказал Саша, демонстрируя полную готовность к сотрудничеству.

– А фамилии на ней чьи?

Если бы доцент Энгельгардт в своём злополучном списке на обороте визитки перечислил всех, с кем познакомился, и ещё одного, запавшего в память, получилось бы так:

Иван Кириллович Посошков

Брукс

Кошкин

Фёдор

дядя Миша

ужасный человек в сером костюме –

так себе списочек. Поэтому назвал он только двух: Брукса и Посошкова. Брукса – без имени, но тому и одна фамилия хорошо шла.

– Это воскрешённые.

Следователь поскучнел.

– Василий Иванович никогда не занимался воскрешёнными лично. Это федеральная программа.

– Да это я, а не Василий Иванович. Я приходил спросить, нельзя ли что-нибудь сделать в смысле трудоустройства. Сто раз уже всем вам рассказывал.

«И в сто первый расскажешь», – привычно отобразилось на лице следователя.

– Почему именно эти?

– Потому что именно с этими я познакомился на конференции. Она, кстати, заканчивается.

– ...Они хоть смирные?

– Очень смирные. Один профессор, другой – из писательской организации.

– Проверим... Вы пока не уезжайте.

– То есть как это? Говорю же, сегодня последний день. У меня билет.

– Трудоустраивать больше никого не хотите?

– Сами видите, как у меня получается.

Неподалёку от гостиницы, на той центральной улице, где Саша впервые увидел полковника Татева, а полковник Татев – Марью Петровну, но только если идти не к реке, а в противоположную сторону, находится самое передовое и модное кафе Филькина: современный интерьер, отличный кофе и – о да! – Wi-Fi. В небольшой элегантной вывеске с названием AMOR FATI всё было бы хорошо, но прямо под ней, вертикально вниз, примостилась реклама газированного напитка, так что выходит, что любовь к судьбе и есть кока-кола... также наоборот. Доцент Энгельгардт, которому приятно думать, что он единственный, кто понимает, в чём тут соль, смотрит на сей непреднамеренный коллаж скорее печально, чем с ненавистью: нет, он не боец; и вдобавок подозревает, что сошедшиеся под прямым углом латинская фраза и логотип всемирно известной корпорации высказывают ужасную правду.

Понесла же нелёгкая поесть гречневой каши!

Внутри кафе в дальнем углу вездесущий Олег Татев уткнулся в свой ноутбук, а из ближнего приветливо машет ещё один нехороший московский человек, Виталик Биркин... звучит это совершенно не так, как имя знаменитой актрисы или её сумочек, по-другому звучит... Биркин, специалист по семиотике, когнитивной лингвистике или ещё чему-то такому, мерзкому, гений саморекламы, предприниматель и эксперт (с упорным ударением на первом слоге), шематон, любящий щегольски сказать что-нибудь вроде «double merde» и «низкосрачка», прощелыга, не перечитывавший школьный корпус классиков со школьной скамьи, рачительный отец детей и безалаберный – культурных начинаний, попрыгун, непонятно каким шальным ветром занесённый в Филькин вместо Амстердама... Скажи уж сразу, что завидуешь.

– Доброе утро.

– О! Здравствуйте, Виталик.

– Какая необычная в провинции жизнь, – сказал этот гад, проследив, чтобы Саша не сбежал и уселся рядом. – Сперва думаешь, что никакой жизни нет вовсе, так, тление какое-то, болотное колыхание... Потом приглядишься: ноль комфортной городской среды, экологическая катастрофа на каждой помойке – а люди есть, и люди, и устремления. Хотя и прожили всю жизнь в стране рабов. С ощущением, что от них ничего не зависит и жить достойно им никогда не дадут.

– Да, – сказал Саша, – да. (*«Пошёл ты на хер со своей жизнью».*)

– Вы домой как, через Москву? У меня завтра презентация – –

– А я не еду. У меня в этом семестре всё равно окно. Поживу здесь... Меня попросили.

– О чём?

– Местная администрация вписалась в большой культурный проект. Буду курировать.

– Хорошо заплатят?

– Да. Это заказ РЖД.

Никогда раньше у него не получалось вдохновенно врать, и вдруг оказалось, что это совсем не сложно. Глаза Биркина искренне загорелись интересом, злобой и завистью.

– РЖД? Но вы-то тут при чём?

– Под руку подвернулся.

– ...Ладно... как хотите... А я рад, что возвращаюсь, хватит с меня этой многообещающей грязи. Зачем ездил? Кого спасал? Сидел бы сейчас на тераске, ел рогалики с кунжутом.

– А с этими булочками что не так?

Биркин шутовски развёл руками.

– По этим булочкам сразу видно, что ничего здесь не происходит.

– То есть как это не происходит?

– Ой, я вас умоляю. Тракторист банщику под забором накостылял.

Тракторист? банщику? Почти с ужасом Саша понял, что Биркин, который только что увлечённо болтал про потенциал провинциальной жизни, не удосужился узнать местные новости; для Биркина и его друзей новостей в России вообще нет, пока те не попадут в московские блоги. Зато в Сашиной выдумке он не усомнился и с лёту её проанализировал. Дети в таких случаях незамысловато говорят: «Давай дружить». Взрослые припоминают, что у них есть ненужного для обмена.

– Знаете что, я вам оставлю свои местные контакты. Так и не успел ни с кем встретиться – одно, другое. Устаёшь от публичности.

– Понимаю.

– Ну вот... Журналисты местные, музейщики... Вот этот – краевед... А этот как затесался?.. Славные люди, с поправкой на уездность. Поговорите с ними. Вдруг пригодятся.

«Не могу. Не хочу. Не буду».

– Хорошо.

Саша не станет этим интересоваться – а поинтересуйся он, так обнаружил бы, что большинство русских художников, в его сознании безвыездно приписанных к Петербургской академии художеств, родились не прямо перед сфинксами: Верещагин – в Череповце, Шишкин – в Елабуге, Петров-Водкин – в Хвалынске, Кустодиев – в Астрахани, Нестеров – в Уфе, Врубель – в Омске, Перов – в Тобольске, Суриков – в Красноярске. Иван Николаевич Крамской вот родился в Острогожске. (Нотабене. Острогожск Воронежской области – город с 1765 года, основан в 1652-м как острог и военная крепость, население на данный момент – 33 029 человек. Имеются краеведческий музей, дом-музей И. Н. Крамского и картинная галерея имени Крамского.)

Многим будет неприятно это узнать, но огромное количество провинциальных музеев имеют датой основания 1918, 1919 и последующие годы. В основу их собраний легли коллекции и архивы из дворянских усадеб, материалы императорской Археологической комиссии, фонды фотографий. Сами усадьбы, да, сгорели – некоторые ещё в 1905 году, если на то пошло, и депутат Первой Государственной Думы кадет М. Я. Герценштейн публично называл это «иллюминациями».

Филькинскому краеведческому музею повезло трижды: в Гражданскую, когда власти сменяли друг друга слишком быстро, чтобы успеть заинтересоваться двадцатитысячной коллекцией фотографа Рутлева и парой предположительно петровских кресел; в Великую Отечественную, когда немцы не дошли до города каких-то пятьдесят километров; и в 1993-м, когда директор музея, тоже Рутлев, осмотрел с фонариком своё хозяйство, сделал подсчёты и вынес хлеб-соль молодой российской демократии.

Музей остался на плаву.

Фонды и счета за ЖКХ приведены в порядок, а здание музея регулярно латают – вот и сейчас на светло-красном кирпичном фасаде со множеством завитушек приветно горит новенькая жесть водопроводных труб. (Здание музея: двухэтажный длинный особняк выстроен по указаниям просвещённого купца в русском стиле – была такая разновидность модерна, – и это модерн с сильным уездным акцентом. А русский стиль всеотзывчивость архитектора уплотнила и чем-то мавританским в узорах кирпичных полуколонн, и чем-то слабо готическим в узких окнах эркеров, и даже – чего только не бывает – предтечей конструктивизма глядят дворовые флигельки.)

Стоит музей на небольшой площади, в которую упирается всё та же центральная улица; полковнику Татеву от AMOR FATI идти здесь два шага – он их и делает. Небольшая площадь в народе так и называется, Малая, в противоположность Соборной. Те четыре или пять переименований, приключившиеся на протяжении ста лет, филькинский обыватель не потрудился запомнить: пл. Троцкого, Калинина, Брежнева или Сахарова – народу один чёрт. Кое-кто, правда, говорит о Малой площади Музейная, а сами работники музея свою площадь называют просто площадью – но понятно, что это разговоры специалистов промеж собой, ведь, в конце концов, и служилый люд, обосновавшийся вокруг Соборной площади, от мэра до Марьи Петровны, точно так же о своей большой площади говорит «площадь», не уточняя, какая именно, ещё/опять Соборная или ещё/опять Ленина. «Ты куда? – На площадь выйду. – Тогда возьми у Ани булочек». И достойно примечания, что давным-давно не Аня сидит в киоске со свежей выпечкой, и сам киоск принадлежит заезжему татарину.

Так вот, Малая и Музейная.

Это скромная площадь. (Скромная; и не заслуживает эпитета «убогая».) Здесь нет ни скверика, ни памятника, а пустое место занимает стихийная парковка. Раньше, наверное, стояли извозчики или подводы с дровами-сеном. Полковник лишнего взгляда не бросил: оценил, и сразу в дверь.

В директорский кабинет он пошёл через экспозицию: возможно, не без цели мстительно отыскать палку-копалку. Но в залах на его пути размещалась фотовыставка.

В основном это были групповые фотографии: железнодорожное депо и его служащие, художественная выставка и её участники; заводские рабочие, награждённые серебряными цепочками за выполнение военного заказа; пожарная дружина (тридцать четыре человека в разнофасонных касках и один, надменный, в фуражке); крестьяне; земские школы и училища; демонстрации; церкви и монастыри, первые автомобили; голод, война, смерть Ленина; крестьяне, солдаты, гимназистки, физкультурники, пионеры, автомобили, противогазы, избы-читальни, стрельбища, пионеры, ещё раз крестьяне. Только крестьяне не изменились: дублёные лица и руки, как комья земли.

– Ну привет, Сидоров.

Директор музея дёрнулся, встал и тут же рухнул обратно в кресло. (Директор музея: крупный и – призажмурившись – можно даже сказать, что вальяжный. Что-то не то сквозит прорехами у этой вальяжности в подкладке, как будто когда-то давно человека били ногами, и он поднялся, подлечился, но не забыл. Служебный кабинет обставлен мебелью и вещичками из запасников... да, любопытные такие собраны мебель и вещи. В углу стоит резной книжный шкаф, стоит высокое узкое кресло с резной спинкой и на круглом столике подле кресла – бронзовый восточный божок, ужасный, с рогами, с зубами, с хвостом и острой пикой в когтистой лапище, а на стене над ним мы видим фотографию в рамке, и если подойти и приглядеться – Господи ты Боже! – на фотографии запечатлён этот самый угол, край этого шкафа, это кресло, и в кресле сидит тоненькая молодая женщина в белом платье, а божок – этот, этот самый! – присмиревшим псом примостился у неё в ногах. И взгляд, взгляд, задумчивый, печальный; человек, которого били ногами, в одном пространстве с таким взглядом неуместен, извините; то есть если бы отрубили ему, например, голову или даже расстреляли – это ничего, пустяки в данном контексте: взять этак элегантно головушку под мышку, пулевые отверстия платочками – с монограммой – заткнуть – и пожалуйста, сиди и, если сможешь, беседуй, женщины в белых платьях к такому готовы, но ногами... ногами... Подытожить: директор музея крупный, напоказ вальяжный и всему остальному, что есть в его директорском кабинете, не под стать.)

– Вы когда-нибудь оставите меня в покое? Я же всё сделал.

Полковник Татев улыбнулся и подошёл к окну.

Три поколения Рутлевых поглядывали в это окошко на Малую площадь, на те или иные события, на те или иные флаги... смерть Ленина, первые автомобили... но чаще ветер мирно ворошил пыль или свет луны ложился на синие ночные сугробы. Всю жизнь свою увидишь в десяти коленах, на этот синий снег глядя. А закончилось всё Сидоровым. Он женат на дочери последнего Рутлева и в некотором роде продолжает династию, но скудное слово «некоторый» будто в насмешку поставлено рядом с полнокровным словом «род»: в каком-каком роде? ах, *в некотором*! Будто пришёл кто-то неумный и недобрый и сказал: кончилось для вас время.

Рутлевы для Филькина были гербом и оберегом; каждый школьник знал, что первый Рутлев создал музей, каждый, кто был школьником в пятидесятые, помнил, как второй Рутлев, придя с войны, принял и поднял разорённое краеведение, и в горком входил – пиджак в орденах, Звезда Героя – королём к министрам; каждое нынешнее дитя уже успело узнать в своей колыбели, как в конце девяностых умирал Рутлев-ренегат, спасший музей ценою чести – и жизни тоже, потому что какой же Рутлев надолго переживёт свою честь.

Сидоров же был, есть и будет мужем Светки Рутлевой, которую в городе не любят за отказ принять налагаемую фамилией ответственность и за то, что, отрекшись от фамилии по сути, сменить её на мужнину она и не подумала, осталась Рутлевой, чтобы позорить отца, деда и прадеда. Трусы из Турции взялась возить, челночница! Теперь у неё пай в городском рынке и три магазина, а про трусы нет-нет да вспомнят, пальцем исподтишка покажут.

– Ну и хорошо, что сделал. Пригодится как запасной вариант.

– Я сотрудничаю со всеми, – поведал Сидоров потолку. – На мне музей. Как я могу не сотрудничать?

– Ты сотрудничаешь, потому что тебе нужно сплавить любовника жены. Бой-баба, у меня верные сведения?

– ...Какой вы жестокий человек, Олег Георгиевич.

– Жестокий? – удивляется полковник, разглядывая божка с пикой. – Никогда так о себе не думал. Откуда у вас в Филькине этот... Вицлипуцли?

– Правильно говорить Уицилопочтли. Нет, это не Уицилопочтли. Это тибетский идам, гневное божество.

– ...Он не выглядит гневным.

Что да, то да: у тибетского идама, при всех его рогах и когтях, зубастая морда скалится довольно и радостно.

– Да. У самого гневного девять голов, тридцать четыре руки и шестнадцать ног. Рутлев-Бельский, двоюродный дядя нашего основателя, собрал прекрасную восточную коллекцию. Сам в экспедиции ездил. Очень хотел открыть публичный музей, но земство тогда не пошло навстречу... А с Васей-то что теперь будет?

– Да ничего особенного. Он побежит, его поймают.

С Василием Ивановичем Сидоров в родстве именно как Сидоров: дальнее-предальнее родство, не гуще седьмой воды – и всё равно не вода. И поскольку оба принадлежат к филькинскому истеблишменту, взаимные обиды и предательства только укрепили эту связь.

– Это вы ему... устроили?

– Нет, не я.

– ...

– Когда хочешь, чтобы тебе не поверили, говори правду. Лучшего способа не существует.

Сидорова – чего это он так смутился и губу прикусил? – откровенно жаль; он не худший, он вообще не плохой, судьба усадила его на чужое место, причём такое чужое, которое он всю жизнь страстно желал ощутить своим и – всю-то жизнь! – чувствовал, что нет, не своё, не станет он Рутлевым ни для этих стен, ни для тибетских идамов, ни для себя самого.

– Вася хороший человек. Он просто попал в обстоятельства. Как я, как все. Климов ваш – совсем другое дело. Его не жалко.

– Понимаю.

– Что вы там понимаете! Это не из-за жены. ...Он знает, что вы в городе?

– Если доложили, то знает. – Полковник смотрит на тибетское гневное божество. – Ты ведь тоже любишь запасные варианты, а, Сидоров?

Через двадцать минут он идёт по улице и объясняет своему телефону: «Почему бездействую? Очень даже действую. В ритме местной жизни. Хочу всё сделать аккуратно... А если не мешать, то и само всё сделается... Нет, зачем же до морковкина заговенья... Вот и уже...» Рядом с ним тормозит машина, и Расправа, высунувшись с пассажирского места, говорит: «Садись, поехали».

– Морковкино заговенье – это когда?

И в Филькине, и где угодно с родственниками либо считаются, либо готовы отца родного зарезать из-за трёх метров жилплощади. Василий Иванович из тех, кто считается, поэтому городскую библиотеку комплектуют неожиданными книжками, крышу ей время от времени чинят, а по случаю удачно проведённой конференции собирались задать фуршет в мэрии. Теперь-то его, конечно, отменили, но разве спровадишь гостей с пересохшим горлом? где это видано?

Библиотека сделала стол своими силами: интеллигентно выпить-закусить, поговорить о возвышенном. Щедрые дары филькинских огородов и позитивные тётки в теле пробудили хорошую часть Сашиного существа, и он оживлённо и с толком хвалил огурцы. И не придуриваясь слушал – периферийно, но очень хорошо понимая, что никогда не окажется в таких тёток власти, разве что женившись на чьей-нибудь дочери. И при этом не верится, что кто-то из них отдаст за доцента Энгельгардта дочь.

Потом он тихо слинял и бродил по библиотеке. Особняк был просторный, с непредсказуемыми лестницами и чистыми полами, и множеством помещений, в которых обнаруживались беженцы из павшего, как Константинополь, Дома культуры: шахматный кружок, исторический кружок, филателистов, дошкольного развития. Даже неуверенный хор пел где-то вдали, хотя библиотека старалась привечать тихих и не плодящих грязи: танцы и кружевницы сгинули на пути из ДК в рыночную экономику, а литературную студию, без твёрдой руки начинавшую пить и буянить, подвергли децимации.

За очередной полуотворённой дверью шла беседа на повышенных тонах.

– Что ты творишь, Лихач! Что ты творишь! Мы ещё не готовы!

– А вы когда-нибудь бываете готовы?

– Позиция ЦК – –

– Опять двадцать пять! Позиция ЦК! Опять ЦК на нашей шее, боевиков, хочет выехать, а потом слить!

– Как слить?

– Как воду в английском клозете! Говорят теперь так, не слыхал? Позицию они в ЦК выработали! Изменится когда-нибудь хоть что-то?

Распахнулась с грохотом дверь, вылетел и пронёсся мимо Саши парень, которого Саша видел за столом в тридцать четвёртой комнате, красивого и бледного; следом вышел человек в сером, следом – Посошков.

Красивый-бледный на Сашу и не глянул. Вацлав глянул и на ходу испепелил, оледенил, уничтожил. Посошков остановился рядом.

– Ну что, Александр Михайлович, пора прощаться?

– Да как вам сказать, Иван Кириллович... Придётся отложить.

Саша понимал, что теперь уже неотвратимо нужно рассказать Посошкову и Бруксу, во что он их впутал с треклятой визиткой.

Рот не раскрывался.

– ...Всё в порядке?

«Говори же! Скажи!»

– Всё хорошо, спасибо. Рабочая ситуация... Что у него с руками? У того человека?

– Бомбы когда-то делал.

Саша ужасно смутился. Он даже знать не хотел, что Иван Кириллович знаком с *такими*. Он не хотел знать, что Иван Кириллович почти наверняка в те времена, когда эти бомбы делались, *таким* искренне сочувствовал.

Министрам, губернаторам, жандармским чинам и казакам из конвоя отрывало ноги и головы – Плеве вот сорвало взрывом всю нижнюю часть лица, – а в чистых гостиных по такому поводу пили шампанское. Когда в Москве убили великого князя Сергея Александровича, «телеграммы об этом произвели большой и притом радостный эффект» в Петербурге. («Ухлопали основательно: его разорвало на куски».) Четырнадцатилетние гимназистки отказывались идти на панихиду. («Совсем мы не верноподданные, совсем не верноподданные! дружно закричали девочки, и ни одна на панихиду не явилась».)

Особую симпатию к эсерам «среди интеллигенции и широких обывательских, даже умеренных слоёв общества» привлекла именно их террористическая деятельность; деньги в кассу ЦК притекали со всех сторон и в огромных размерах – 400 тысяч рублей на конец 1905 года. В Первой Государственной Думе кадеты назвали провокацией предложение Стаховича при объявлении амнистии категорически осудить всякий будущий террор. Во Второй Думе несколько месяцев шла борьба за то, чтобы вопрос об осуждении политического террора вообще поставить на повестку: в конце концов Дума признала его неподлежащим рассмотрению (в Манифесте о роспуске Второй Думы сказано: «Уклонившись от осуждения убийств и насилий, Дума не оказала в деле водворения порядка нравственного содействия правительству»). В Третьей Думе кадеты голосовали против проекта создания особого фонда для помощи жертвам революции. Параллельно и эти депутаты, и это общество истерически требовали конституции.

– Я не хотел подслушивать.

– Вы не обращайте внимания, они вечно ссорятся. Вацлав не в себе, а Лихач слишком много времени провёл среди анархистов.

– А анархисты..?

– Анархисты не желают сотрудничества. А если говорить до конца, то и не способны к нему.

Следующим, на кого Саша наткнулся, был Фёдор, анархист-ассоциационист. Он сидел на подоконнике, в руках у него был планшет, а в планшете, судя по всему, – какая-то игра. От любого из Сашиных зомбированных современников он отличался одним: не стал делать вид, что Сашу не заметил.

– На курсы сюда хожу, – сказал он, предупреждая вопрос с общим значением «чего припёрся».

– Какие?

– Компьютерные. – Он любовно покачал свой планшет. – Купили в складчину. Вещь, да?

– А пользуетесь как?

– По очереди. Я считаю, нужно вести работу с учётом новой действительности.

Фёдор порылся в карманах и дал Саше бумажную листовку. Листовка призывала анархические группы преодолеть раздор, не бить друг друга под ехидное хихиканье буржуазной прессы и сплотить наконец силы для общей борьбы с истинными врагами трудящихся. Подписано: «Союз пяти угнетённых».

– Пяти?

– Ну да, пятеро нас. А что, мало? На последнюю акцию в двадцать шестом мы вообще трое вышли. Группировка АСМ. «Анархизм, социализм и монархизм». Я, доктор земский и жандармский полковник.

– ...?

– Ну, полковник, конечно, был бывший. Сапожничал. Всех троих и расстреляли.

– А что за акция? Митинг?

– Зачем, втроём-то? Сперва экс хотели сделать, но с транспортом не сложилось. Решили тогда показательный налёт на губзо. «Партийца» распили и пошли. Сидят такие... в жёлтых сапогах... галифе шириной с Чёрное море. Чай – с мёдом-маслом... А крестьянин пришёл по делу: «Постой за дверью». Тот ему «товарищ начальник», а в ответ – первобытный взгляд на вещи. До сих пор мне этот товарищ Пиндюр снится, как я его рожей стол полирую.

– ...То есть вас расстреляли за пьяный дебош?

– В советском учреждении. И никакой это был не дебош, а политический манифест.

– Как-то не очень... Для политического.

– И я теперь думаю, что не по уму вышло. Надо было с уголовными кооперироваться. Я сейчас с одним товарищем на связи, – Фёдор приподнял планшет, – так они в Ростове гибче поступили: солидаризировались с графом Панельным и кассы грабили.

– ...Фёдор, а вы не боитесь? Всё по-новой?

– Мы акций не проводим. Решили пока сугубо мирным методом.

Анархисты так бурно встретили зарю новой жизни, что товарищи по революции отшатнулись от них в полном составе, и левые эсеры помогали большевикам разоружать отряды МФАГ. (В отместку за это анархисты не поддержали июльский мятеж.) И все же они единственные, чьи выходки и бесчинства вызывают скорее смех, чем ужас: подложный декрет «Об отмене частного владения женщинами», автора которого саратовским анархистам, едва избежавшим суда Линча, пришлось убивать и объявлять это убийство «актом справедливого протеста», или похождения актёра Мамонта Дальского, замешанного в опиумном деле апреля 1918-го, но вместо ареста угодившего под трамвай, или удивительная история офицера латышских стрелков Эрдмана, который под видом анархической знаменитости, «эмигранта из Америки товарища Бирзе», одновременно был одним из создателей советской военной разведки, реально работавшим против немцев, и агентом савинковского «Народного союза Защиты Родины и Свободы». Этот человек, ни чьих годов жизни мы не знаем, ни раскрытия инициалов А. И., в 1922 году, уже из Польши, прислал Дзержинскому издевательское письмо с рассказом о своих интригах.

– Весёлое было время.

«Ограбления и убийства под флагом идейного анархизма», – подумал Саша. За два дня он почитал, что смог, и сильно удивился. Перед глазами у него так и стояла эсеровская богородица Мария Спиридонова в сопровождении «матросов крайне скверного вида, перетянутых крест-накрест пулемётными лентами, увешанных револьверами и гранатами».

– И вам не было страшно?

– Страшно? – Фёдор задумался. – Вот скажите, Энгельгардт, вы сейчас чувствуете, что вам принадлежит будущее?

– Нет.

Саша даже засмеялся. Уж кому-кому, а ему будущее не принадлежало совершенно точно. Он и не интересовался, каким это будущее будет.

– А я тогда чувствовал, что оно мне принадлежит. Нет, не страшно. Хотя, – добавил он после паузы, – в двадцать шестом уже было не то, что в восемнадцатом.

– ...А сколько вам лет?

– Двадцать четыре.

– Так в восемнадцатом было шестнадцать?

(Вот прямо сейчас Марья Петровна отшатывается от идущих по лестнице Лихача и Вацлава, и Лихач, который уже собирался что-то сказать, видит это и не останавливается, а Вацлав очень внимательно, очень задумчиво на них смотрит.)

– Ну шестнадцать, и что, мало, что ли? Некоторые товарищи с десяти лет в движении.

(Вот прямо сейчас полковнику Татеву Зоркий показывает какую-то промзону, заброшенный на вид пыльный дворик у склада или мастерской. Они обходят железные бочки, разглядывают запертую железную дверь. Полковник, улыбаясь, слушает объяснения и фотографирует на телефон празднично яркую рябинку.)

– До чего вы все запуганные, – говорит Фёдор, – смотреть больно.

И доцент Энгельгардт хлопает глазами, гадая, не ослышался ли.

«Я буду разговаривать, а ты, если что, ксивой помашешь», – говорит Расправа, когда машина останавливается в переулке точно напротив закрытых железных ворот с белой по ржавому надписью НЕ СТОЯТЬ НАКАЖУ. Они сворачивают во двор как раз вовремя, чтобы увидеть санитаров, выносящих покрытые одеялом носилки, идущего следом участкового, взволнованных граждан в домашних тапочках.

– Я так понимаю, это и есть твой свидетель, – говорит полковник.

Расправа останавливает процессию, отгибает край одеяла, смотрит, возвращает одеяло на место и, достав из кармана пачку салфеток, медленно и методично протирает руки.

– Он.

– И что с ним приключилось?

– Метиловый спирт с ним приключился, – говорит участковый.

– Думал я, думал, – говорит Расправа, отворачиваясь, – и выходит, что эта самая Боевая организация – –

– Нам это не годится.

– Тебе, может, и не годится, а мне очень даже.

– Ты что, будешь клеветать на нацпроект?

– Нет. Но это они. Всё сходится. Чего ты, Татев? И для тебя всё козырно. Борьба с терроризмом.

– С терроризмом, а не с нацпроектами.

– Но это они.

– Какой ты твердолобый. Если это БО, со своими деньгами твои хозяева могут проститься. Списать на форс-мажор. В усушку. В утруску. Сделать ручкой.

– Это вряд ли.

– И какие у них рычаги? Местные правоохранительные органы будут бесконечно благодарны, когда ты попросишь сделать у нацпроекта обыск. Или сам пойдёшь штурмовать? Их десятки человек по разным адресам, и даже если я найду тебе эти адреса – а я-то их как раз искать не буду, – то что ты один сделаешь? У Совы людей одолжишь? Подобрал себе Сова команду: что ни человек, то статья. Только штурмовать что-либо помимо коммерческих палаток так и не научились.

– Штурмовать – не моё дело по-любому, – говорит Расправа спокойно. – Моё дело – найти и ткнуть пальцем. Слишком много нестыковок в версии. И Зотов с ними никак не был связан, и вокруг мэра возня слишком странная... А больше всех в этом блудне не нравишься мне ты.

Полковник Татев молча улыбается. Расправа останавливается перед крупными осколками пивной бутылки прямо на дорожке, собирает их, выкидывает в бак, смотрит на свои руки, лезет за салфетками.

– И что будем делать?

– Что делали. Профильтруем город, на БО твою посмотрим... Нет, нет, посмотреть на них надо.

– ...Знаешь, о чём я подумал?

– Нет.

– Вот и я не знаю.

Вечер Саша провёл, наблюдая, как Татев и Расправа играют в американку. («Ну она хоть жива осталась?» – «Конечно. А за что её убивать? Не блядь виновата, а тот, у кого хватило ума на ней жениться».) Утром на ресепшене ему вручили записку от Посошкова. Саша вскользь подумал, что давал профессору номер своего телефона, подумал, что тому, наверное, и звонить не с чего, и напоследок – что он уже сто лет в обед не получал написанных от руки сообщений. Почерк был мелкий, чёткий. В обращении содержалось слово «глубокоуважаемый». Посошков писал, что находится в полицейском участке по адресу Тракторная, 10 и умоляет своего единственного знакомого из благонадёжных удостоверить его личность. Ох, горе-то, подумал Саша и полетел удостоверять.

Полицейский участок, думал он. Тьфу, отдел полиции. За что его могли загрести, интеллигентного пожилого человека со справкой о воскрешении? Не там перешёл дорогу, не на тех и не так взглянул? Плюнул? Нет, этот плевать не будет.

– Нет там никакой полиции, – сказал таксист.

– Может, что-нибудь другое. Сейчас их столько всяких разных.

«Что-нибудь другое что? Следователи? Неужели чекисты?» Прослышали, что некто недоволен восстановлением частной собственности, и тут как тут, с уже заготовленной галочкой в отчёте о выполнении плана. Ведь это же она, двести восемьдесят какая-то.

– Это верно, расплодились дармоеды. Как волков уже можно... отстреливать. Ну вот твоя Тракторная.

Больше всего это место походило на промзону в глубокой коме.

По одну сторону тянулся сплошной бетонный забор, над которым торчали неопрятные кроны тополей, по другую – мелкие производства, мастерские и склады за отдельными заборами и оградками. Дорога была не заасфальтирована, а вымощена крупными бетонными плитами со свёрнутыми железными ушками, по два в каждой. Ушки давно проржавели. Та же ржавчина отсвечивала в тополях, в жёстких листьях налёгшего на старую решётку кустарника. Было светло, спокойно, но как-то уж очень безлюдно, и звуки ленивых бренчаний и лязганий показались Саше уж очень далёкими.

Он пошёл, разглядывая таблички с номерами, где они были, долго и растерянно смотрел на нужный номер, свернул в распахнутую железную калитку – и окончательно укрепился в мысли, что не в милицию Посошков попал, а к каким-то бандитам, которые начнут с того, что потребуют денег, а закончат... много чем можно закончить, если ты бандит, а вокруг ни души.

Мир, безусловно, велик – даже очень большой, – но иногда он размером ровно в тот дворик, мирный и пыльный, в котором стоят неухоженные железные бочки, яркими красными пятнами горит рябинка, а от стены отделяется и идёт к тебе, на ходу вынимая руку из-за пазухи и чем-то в этой руке посверкивая, нестрашный молодой человек в бейсболке, ветровке и некреативных джинсах.

С небывалой отчётливостью Саша понял, что сейчас его будут убивать.

В роковые минуты прозрений и ДТП время становится таким медленным, что кажется, будто успеешь «Войну и мир» прочитать, не то что сгруппироваться или нажать на тормоз, – но, как правило, не успеваешь ничего. Доцент Энгельгардт успел закрыть глаза. Когда он их открыл, его уже потряхивала за плечо не могучая, но какая-то очень ухватистая рука с пальцами, как клещи.

– Ну а теперь расскажи дяде Олегу, во что ты впутался.

– Я не впутывался.

– В тебя сейчас стреляли, ты в курсе?

– ...

– Да не бойся ты. Страх плохо влияет на цвет лица.

– ...Где же он?

– Сбежал. Я его палкой по руке ударил.

– ...Олег, а ты кто?

– А я разве не говорил? Полковник Татев, ФСБ.

– ...

– Ты на меня с таким ужасом смотришь, словно я сейчас достану из кармана подвалы Лубянки.

– А что, есть?

– Лубянка на кармане?

– Подвалы на Лубянке.

– Подвалы везде есть. Поехали.

– Куда?

– Куда-куда, в гостиницу.

– Ага, – сказал Саша. – Ой, нет. Мне нужно Посошкова найти, немедленно. Если с ним что-то случилось – –

– Да, и что же ты сделаешь, если с ним что-то случилось?

– Не знаю. Смотря что.

– Какие варианты?

– Варианты я никогда не рассматриваю. Это всё равно что загодя в гроб ложиться.

– Вот как... По этой улице что, вообще не ездят?

Им пришлось прошагать метров пятьсот до перекрёстка, где наконец обнаружилось дорожное движение. Полковник Татев помахал удостоверением, они загрузились, и Саша сказал таксисту: в Шанхай, к общежитию.

– Наверняка последний этаж, – ворчит полковник, карабкаясь по лестнице. – Когда ты калека, жизнь состоит из последних этажей, неработающих лифтов и луж у обочин. Проклятые кафельные полы... вчера чуть не навернулся. Как-то бездушно этим миром правят, согласен? Без огонька.

– И кто правит миром?

– Как кто? Жадность, глупость и гормоны. Шучу. Миром правит мировое правительство.

– Мировое правительство?

– Ну да. Эта самая закулиса.

– Олег, ну не можешь же ты верить в теорию заговора.

– Теория заговора – всего лишь одна из теорий, описывающих устройство мира. Одна из двух, точнее говоря.

– И вторая какая?

– Теория хаоса. Теория хаоса тебе больше нравится? Нет, конечно, можно и с хаосом работать, если готов заранее. Больше нервотрёпки. Должен тебе сказать, что когда что-то делаешь, крайне неудобно исходить из предположения, что на результат может повлиять любой случайный плевок любого случайного дурака. У некоторых, поверишь, руки опускаются. Дураков, говоришь, избегать? В условиях хаоса количество случайных дураков превосходит возможности маневрирования, и даже, при случайных обстоятельствах, случайным дураком может оказаться и вполне себе умный. Пришли уже наконец?

– Мы к нему вот так сразу не пойдём, – сказал Саша, останавливаясь в коридоре. – Мы пойдём сперва к дяде Мише и попросим предупредить.

– Как скажешь.

– Потому что дядя Миша – это местная закулиса.

«И потому что ни за какие коврижки не постучусь я больше в дверь тридцать четвёртой».

Дядя Миша и Кошкин играли в шахматы.

Саша поздоровался, не уточняя, представил Татева («это Олег»), трижды извинился и изложил своё дело.

– А! – сказал дядя Миша, вставая и потягиваясь. – Бросим пить, пойдём в театр-кино. Он здесь где-то, сейчас приведу. А тебе мат в два хода.

– Не вижу.

– Тогда просто поверь.

Когда они остались втроём, Саша призадумался. «Ах, кстати, познакомьтесь ещё раз: ОГПУ – ФСБ, очень приятно». Говорят ведь, что представителям спецслужб, даже из враждующих государств, проще друг с другом, чем с собственными гражданскими. Может, и эти сойдутся – хотя, с другой стороны, ему-то зачем их сводить? Простые приличия требуют сказать человеку, с кем тот имеет дело, но если, например, речь идёт о двух шулерах, здравый смысл затыкает рот приличиям, пока не подоспеют те, кто заткнёт рот уже здравому смыслу: святость или сводящая с ума злоба.

– Да, – сказал Кошкин, начиная складывать фигуры, – теперь да. Прав был старый чёрт. Как он умудряется? Говорит, у Нимцовича выигрывал. Что вы такое затеяли, Энгельгардт? Связь времён восстанавливать?

– Ничего я не затеял. Простите, что помешали.

– Пустяки, я вам рад. Мы здесь всё больше в своём котле... Будто эмигранты.

– А пресса? Или вот историки? Я думал, они должны вас осаждать.

– Поначалу осаждали. Но скоро сняли осаду.

Историк берёт из любых рук, и журналист, как мы надеемся, тоже. Свидетельства и показания сперва нужно собрать, а потом – сверить. Если выходит совсем криво-косо, что-то можно и упрятать обратно во тьму времён. Заштопать дыры. Этой аккуратной, а у кого получается – щегольской штопкой историк показывает свой класс. Если кто-нибудь, как бездарный следователь, выбивает из источника донос вместе с зубами, то этот беззубый рот также свидетельствует, рано или поздно, и коллеги-рукодельники – у них нитки в цвет, у них неотличимо – смотрят и кивают с мрачноватым чувством морального удовлетворения. Ахтыгосподи.

– Вас, наверное, многое сейчас удивляет, – осторожно сказал Саша.

Кошкин фыркнул.

– Товарищ уже всему в своей жизни удивился, – говорит полковник Татев.

«Сел бы ты в угол и молчал тихо».

– Вы тоже по научной части?

– Нет, я на госслужбе. Интересуюсь понемножку.

– Чем? – спросил Саша, не выдержав.

– Социальной антропологией. Социальной психологией. Этологией. Ну такими, знаешь, вещами.

– Люди теперь себя совсем по-другому ведут? – спросил Саша у Кошкина.

Ответ – «ага, совсем по-другому» – уже содержится в вопросе; многие формулируют свои вопросы подобным образом, а после обижаются. Доцент Энгельгардт хотя бы удержался от «да?» в конце фразы.

– Вроде нет.

– То есть как это? Что-то вам бросилось в глаза?

– ...Девчата в глаза бросились.

– Это да, – сказал полковник. – Девки у нас – первый сорт.

– И это всё?

– А что вы хотели услышать? Что мы при встрече на улице кричали «хайль Сталин»? – На имени вождя он всё же чуть запнулся; никто в тридцатые не называл Сталина Сталиным – «Сам», «инстанции», «товарищ Сталин», если уж совсем деваться некуда. – Люди тогда были разные – и сейчас они разные. Но вообще чувствуется, что давно не было войны.

– Война – всегда не лишнее, – сказал полковник.

– Да что ты знаешь о войне? – сердито сказал Саша.

– Я о войне знаю всё, что нужно, чтобы на ней не погибнуть.

– Нет, – огорчённо сказал Посошков, повертев записку. – Я этого не писал. И почерк не мой. И я бы никогда не злоупотребил вашим доверием, Александр Михайлович. Не стал бы ни во что впутывать.

– Это у тебя пока что проблемы, – сказал Татев по дороге в гостиницу. – И с чего ты взял, что всё прояснилось? Кто-то зачем-то это написал? Тебя, между прочим, убить пытались.

– Не убили же. Я сказал «прояснилось», потому что рад, что к воскрешённым это не имеет отношения. Уж не к нему, во всяком случае.

– Уезжал бы ты.

– Как я поеду? Я ведь объяснял – –

– Подписку дал? Нет. Паспорт при тебе? Ну и ехай спокойненько.

Саша пожал плечами и задал вопрос, который вот уже два часа не то что напрашивался, а прямо вопил во всё горло:

– Олег... А как ты там оказался?

Уголовники, от которых его спас Расправа, были просто уголовниками; кем мог оказаться парень в бейсболке, Саша не стал даже гадать. Он мог бы уехать, но остался, и мало того: придумал себе работу.

В библиотеке отнеслись к его инициативе на редкость спокойно – как только узнали, что присоединение ко всем имеющимся кружкам и курсам ещё одного пройдёт на общественных началах.

Не нужно платить, оформлять, брать на баланс; чего ты хочешь? семинар по культурной адаптации для воскрешённых? правда хочешь? Отчасти даже понятно, почему тебя не тянет домой, говорят, в Питере сейчас ужасная погода, дожди, наводнение, вспышка гриппа, а в Филькине золотая осень, полно грибов и недалеко за ними ехать; московские, конечно, уже усвистели, уже назначены деловые завтраки на восемь утра, и грибами они как-то не очень... это зря, чудесные грибы в окрестностях Филькина, ты ведь пробовал... огурцы?.. огурцы – это Вера Фёдоровна, её волшебная рука и секретные травки... нам не понять, что нужно этим московским и всем тем, кто им подражает, а вот ты... так значит, ты... Да; и всё, что от вас требуется, – помещение и информационная поддержка, вон на стене у гардероба плакаты и самодельные афишки возвещают о множестве мероприятий – возвещают и, нужно заметить, сменяются новыми, не успев пожухнуть. Бодрая, осмысленная жизнь идёт в библиотеке, то выставки и лекции, то шахматный турнир и пешая краеведческая экскурсия. А ты как думал. Ладно, будет тебе семинар.

Кто туда пришёл; или: зачем они пришли; или: что доцент Энгельгардт намеревался предложить пришедшим. О культурной адаптации известно, что она совершается сама собой, в процессе бытового ежедневного контакта с институтами и установлениями культуры, всем тем, что нельзя или трудно сформулировать, что плавает в местной воде и висит в местном воздухе, так что и цепляешь его невзначай, с глотком и вдохом. И к чему их адаптировать: Филькину, тёмному лесу для самого обучающего, или к тому городу, который аудитория называет Ленинград и вряд ли в ближайшее время увидит? («Не фантазируй, – сказал дядя Миша. – Минус два – это не произвол, а разумное ограничение. Ты не понял, какие настоящие минуса́ бывают. Минус всё, вплоть до областных центров и морских берегов». – «Всё равно это несправедливо». – «Конечно. Справедливо будет, когда вся наша орда в столицы хлынет». – «Не знаю, какой столицам от этого ущерб». – «Обоссут тебе Невский, тогда узнаешь». Саша уже собрался спросить, не профессор ли Посошков, например, будет ссать, но прикусил язык, мгновенно представив отделение чистых от нечистых, интеллигенции от народа. С минусом для всех выходило как-то проще, и профессор Посошков, народник, не должен был возражать огрести с народом за компанию.)

По вопросам, которые ему задавали, Саша очень быстро наловчился вычислять дату смерти, происхождение и партийную принадлежность, но он не смог ни понять слушателей, ни сделать понятным себя.

Персоны покрупнее и покрепче за полгода либо адаптировались самостоятельно, либо решили, что им это ни к чему. На семинар пришли люди маленького калибра, люди, которые, оправившись от первого потрясения, приняли новый мир как нечто такое, с чем теперь жить. Вот так же они принимали отречение государя, революцию, войны и вообще всё, о чём пишут в учебниках истории – хотя ни в одном до сих пор не написали, что история возможна только благодаря чудесной пластичности человеческой психики. Никто из них не казался надломленным, и все – себе на уме, как будто думали затаённо: это всё? или ещё не всё? Однажды Саша поймал себя на том, что брезгливо спрашивает сам себя: вот это и есть уничтоженное лучшее? генофонд? – и не смог устыдиться.

Поведение их было поведением эмигрантов, и, поглядев, Саша перестал задавать вопрос, как так вышло, что русские писатели в Париже 20-х и 30-х остались настолько в стороне от большой культурной жизни, словно жили на Марсе, а не на соседней с хотя бы Гертрудой Стайн улице. Чем бравировал Набоков: пятнадцать лет прожил в Берлине и не выучил немецкого. Да? действительно есть чем бравировать? «Не познакомился близко ни с одним немцем, не прочёл ни одной немецкой газеты или книги и никогда не чувствовал ни малейшего неудобства от незнания немецкого языка»; это был Берлин Дёблина, Отто Дикса, Фрица Ланга, Марлен Дитрих, Эрнста Никиша и штурмовых отрядов НСРПГ. И пусть бы Набоков, неумный и ограниченный; люди необыкновенные усердно сберегали Россию, сжав её до размеров и статуса гетто, превращая в посмешище. «Во имя сохранения русской семьи в зарубежьи...» «Все лучшие традиции русской общественности»... Ну хорошо, достаточно.

Вот так и эти. Старые меж собой счёты были для них ядовито живыми, а мир за пределами старых счётов – стерильно мёртвым. Они освоились в нём ровно настолько, чтобы дорога за порог не вела прямиком в ад – цены, магазины, транспорт, – а самые храбрые освоились среди местных кабаков, шлюх и гомосексуалистов. (Эмигранты вот тоже неплохо освоили парижское дно; об этом написан лучший роман Газданова.) Вполне непринуждённо они говорили: «айфон», «Интернет», зато в мучительное недоумение повергали их такие слова, как «еврокомиссар», «бархатная революция». Вежливо послушав про политическую практику XXI века, выборы, роль оппозиции, гражданское общество и движение волонтёров, группа повела себя так, что доцент Энгельгардт переключился на обзор сериалов. Они были убеждены – знали, да и всё тут, как сам Саша знал многие вещи, – что новое устройство мира можно описать в старых точных терминах, и если этого не делают, причиной может быть только злой умысел. Эксплуатация? Нежелающие платить вступают в схватку с неумеющими работать; лектору пришлось в одиночестве смеяться своей шутке. Классовая борьба? Ну, сказал Саша, гм... В постиндустриальном обществе классов в прежнем понимании больше нет. Частная собственность есть? уточнили у него. А классов нет? Либеральненько. («Либеральненько» – это уж он добавил от себя, прокручивая состоявшийся разговор в уме.) Будут ли революции? Будет ли война?

Со всеми затруднениями доцент Энгельгардт неизменно отправлялся к дяде Мише. Дядю Мишу ничто не огорчало; он не заходил в тупик хотя бы потому, что никуда не шёл. У всех вокруг были готовые ответы на любой вопрос, а дядя Миша говорил: какая разница, – и предлагал выпить чаю. Все вокруг, если уж открывали рот, винили других и искали оправдания себе, а дядя Миша никого не винил и ни в чём не оправдывался. Саша, под впечатлением, пересказывал ужасы преследования сельских священников, а дядя Миша кивал: «Было дело. Бросит паренёк родителей с голоду помирать и письмо в газету напишет: *я, сын священника, порываю всякую связъ с духовнъм званием. Учителъ такой-то.* Или вот наш брат, дворянин: брали фамилии жён и становились комсомольскими работниками. Посошков твой» – –

– Иван Кириллович с двадцать третьего года по ссылкам!

– В двадцать третьем хорошо было. Архаика благолепная... Когда в Усть-Сысольск в ссылку приехали, два митрополита и я, начальство местного ГПУ представляться явилось... Сидим, пьём с дороги чай, а они, голубчики, входят: разрешите представиться. Один к владыке под благословение подошёл. Через десять лет, конечно, всё переменилось.

Неколебимо упорен и загадочен он был в нежелании говорить о своей работе в Думе и Временном правительстве. Он отшучивался, он отмахивался, он наконец сказал: «Парламентаризм вносит в политику торгашеский принцип свободной конкуренции и делает власть предметом спекуляций. Это всё английские идеи, их отношение к государству, желание торгаша, чтобы его оставили в покое и дали заниматься бизнесом. Отсюда столько договорных понятий в английской политической теории. Отсюда боязнь державности. Помнишь, как Расплюев говорил? – Саша не только не помнил, но, похоже, никогда не знал. – *"Англичане-то, образованный-то народ, просвещённые мореплаватели"*. Даже война в глазах английских государственных деятелей выглядит коммерческим предприятием».

– Гм. Вы и тогда так думали?

– Нет, тогда я так не думал. Не считай меня умнее и подлее, чем я есть, голубчик Энгельгардт.

– То есть теперь вы были бы на стороне царского правительства?

– На той стороне бессмысленно было быть. Как ты выберешься из ямы, которую сам же себе и вырыл? Нет, из таких ям не выбираются. – Дядя Миша включил чайник и стал пересыпать сушки из мешочка в белую тарелку. – А потом общественность и народ оказались ещё хуже своих старых руководителей. Про Временное правительство меня спрашиваешь... Милюков... Керенский... – Он уставился в окно, незавешенное и до скрипа отмытое. – Я не забуду картину этой трусости.

Отираясь в общежитии, Саша постоянно кого-то встречал, становился свидетелем споров и конфликтов, помог Бруксу дотащить до комнаты коробку с холодильником, а у дяди Миши вообще был на подхвате в разных хозяйственных начинаниях и всё думал: мерещится ему или профессор Посошков его избегает. Интеллигентный человек ведь не скажет в глаза «пошёл вон»... к сожалению, в ряде случаев – к сожалению... не скажет, а при встрече на лестнице поздоровается и улыбнётся. Гадай потом: это «пошёл вон» или «рад видеть, но тороплюсь», или «рад видеть, но говорить нам не о чем», или «я ещё не решил, что с тобой делать». А когда ты решишь? А как я узнаю? Трудно в определённом отношении с интеллигентными людьми.

Зато Фёдор повёл с ним работу по всем правилам. (Анархистам пропаганда всегда удавалась лучше консолидации, и надзирающие органы отмечали, что даже в нарымском крае ссыльные анархисты – «наиактивнейший и в то же время буйный элемент политической ссылки» – пичкают идеями анархизма молодёжь, вплоть до деревенских ячеек комсомола.) Не восприимчивее деревенской молодёжи, доцент Энгельгардт слушал внимательно и с сочувствием к личности оратора, которое тот мог принять за сочувствие к идеям. А дальше только по широкой дороженьке под гору: увлекаешься, теряешь бдительность, выбалтываешь всё больше лишнего и от идей переходишь к внутрипартийным дрязгам. Потому что не всё шло гладко в «Союзе пяти угнетённых».

– Вас пять человек, – с тоской сказал Саша, – а вы уже что-то промеж себя расследуете. Суд, небось, будет... Товарищеский.

– Нет, не товарищеский. Мы учли и изжили ошибки.

– ...Я думал, что анархисты не признают суда.

(Лев Чёрный, расстрелянный в 1921-м лидер МФАГ, так и сказал напоследок: «Не признаю никакого суда, никогда не делал и не буду давать показаний».)

– Когда между своими, это не суд.

– А что? Пикник на обочине?

– Почему пикник? Выявление провокаций и провокаторов. Не понимаю, Энгельгардт, с чего вы так взбеленились.

– Это вот нормально, да? Провокации таким манером выявлять?

– Ну да. Ну а как?

– ...

– Социалисты каждый чих расследовали и правильно поступали.

Постоянно действующие следственные структуры возникли у ПСР в 1909 году, у РСДРП – в 1911-м, но ещё до этого существовала практика создавать под то или иное дело специальную следственную комиссию. Большинство таких дел было связано с людьми, которых партии, прогрессивная общественность и даже наше ставшее объективным время называли провокаторами, а охранка – полицейскими осведомителями. Правда бывает и на стороне спецслужб: потому что какой же, например, провокатор Роман Малиновский, член ЦК РСДРП и депутат Четвёртой Государственной Думы.

Когда В. Л. Бурцев, редактор «Былого» и Шерлок Холмс русской революции, сделавший охоту на предателей и полицейских агентов делом жизни – сделавший себе на этом имя, – познакомился и сошёлся с перебежчиком из вражьего стана Бакаем, в их беседах постоянно возникали недоразумения из-за терминов: «Я долго не мог усвоить, что сотрудник означает провокатор». (Бурцев, видимо, полагал, что и Департамент полиции должен именовать своих агентов провокаторами, подобно тому как в старинных мистериях дьявол восклицает *я дьявол! я дьявол!* а негодяй в старинных романах, чтобы уж точно не смутить никого из малых сих, появляется заклеймённый именем *Скотинин, Негодяев* и *Развратин.*)

Задача разоблачать предателей не сразу обрела привлекательность спорта и многим даже казалась тягостной; Бурцев со своими выступлениями против Азефа выглядел клеветником и посмешищем. Когда скандал всё-таки разразился, началась эпоха допросов, лжи, подозрений, истерик. Действия партийных следственных комиссий (самые известные: у эсеров – Судебно-следственная комиссия по делу Азефа и Следственная комиссия при ЦК по делу А. Петрова; у эсдеков – Парижская комиссия ЦК РСДРП по делам о провокации и Партийное следствие РСДРП по поводу сложения Р. Малиновским депутатских полномочий) атмосферу не оздоровили. ЦК ПСР сделало козла отпущения из Боевой организации, членов которой не пожелали даже выслушать. Парижская комиссия РСДРП, состоящая из меньшевиков, впередовцев и примиренцев, рассорилась с Парижской комиссией РСДРП, состоящей из большевиков и – special guest – Бурцева, а Бурцев дорасследовался до того, что рука об руку работал с тем самым человеком, которого должен был вывести на чистую воду. (Не он один. М. И. Калинин в это время в апреле 1914-го готов был подозревать скорее Ленина или Зиновьева, чем Малиновского. Ленин за Малиновского вступился всей своей мощью, хотя хорошо помнил прецедент Азефа и уверял, что не допустит «такой слепоты», как Чернов и прочие.) И если ловить и казнить предателей получалось не всегда, то не было недостатка в трупах другого рода: самоубийц, не вынесших подозрений и связанной с ними травли.

– Если бы меня вот так в чём-то заподозрили, – сказал Саша, – а я ни сном ни духом... и потом бы сказали: извини, ты должен понять, такая ситуация... Я бы не смог по-прежнему. С этими людьми.

– Нервы, как у барышни.

– ...

– Да шучу я, шучу. Не надо нас считать какими-то... животными. Как будто я не через это прошёл. Волками, бывало, друг на друга смотрим, кто постарше, – сами на себя в зеркало: шпик? не шпик? А главное, доказательств ни у кого никаких, и работать надо. А как работать? Если нет доверия? Берёшь и работаешь. Без вариантов.

После этого разговора доцент Энгельгардт сбегал в магазин и, не отлынивая, выпил с дядей Мишей и Кошкиным. Он чувствовал себя таким хрупким, как будто уже разбился на части, и думал: как странно, что эти двое поселились вместе.

Когда он вернулся в гостиницу ночевать, полковник Татев лежал на бильярдном столе (чего, конечно же, нельзя делать), лежал, раскинув руки, со стаканом под рукой. (И стаканы ни в коем случае не ставят на бильярдное сукно.)

Саша молча посмотрел и пошёл к себе.

Саша не решился наводить справки... нехорошо как-то, некрасиво, пусть, если захотят, расскажут о себе сами, пусть даже и наврут, что хотят... Саша не решился, а вот полковнику Татеву его верный vaio много чего наболтал. У фон Плау биография была образцово-увлекательная: Первая мировая, Гражданская, военная разведка, особый отдел, контрразведка, закордонная работа и промышленный шпионаж, полпредство ОГПУ то в Сибири, то в Средней Азии, то в Саратовской области, – где трудовой и жизненный путь старшего майора ГБ завершился в сентябре 1937 года. Послужной список Кошкина выглядел попроще, а петлицы и нарукавные звёзды – посерьёзнее. Подробных сведений о нём не было нигде. До ВКП(б) и Кошкин, и фон Плау были анархо-коммунистами, но вряд ли встречались. Фон Плау умер на допросе. Кошкин после ареста погиб при невыясненных обстоятельствах.

У Зоркого хорошо или не хорошо получалось служить нескольким хозяевам, но он это делал. Со своим значком клоун для XXI века и ночной кошмар для воскрешённых, он был бесполезен как осведомитель. А вот, например, провокации? Другое дело; можно было бы посредством Зоркого исполнить идеальные провокации, возникни в них у полковника Татева нужда. (А полковник, когда граждане и ответственные лица всё настойчивее интересовались, собирается ли ФСБ что-нибудь делать с нарождающимся революционным движением, не забывал подчеркнуть свою принадлежность к ну совсем другому отделу. «Нашёл кого спросить», – со смехом говорил он одному майору, второму майору и третьему (старшему) тоже; и вообще любому, кто сунулся. И многие совались? Да. Профильтровал Олег Георгиевич город, ничего не скажешь.)

Зоркий маялся на посылках, на побегушках, можно утверждать, что полковник Татев, давая поручения бывшему оперуполномоченному, держал в уме, что тот отчитается также перед Кошкиным и фон бароном и хорошо, если только перед ними.

Интересно так жить, постоянно иметь при себе двадцать вариантов развития событий, помнить, кому, что, при каких обстоятельствах и зачем говорил, к чему и по какой причине это привело, и правильно ли была определена причина – и не вышло ли так, что какое-то постороннее неучтённое влияние сильно эту причину исказило. А последствия? Последствия не должны разбегаться, как невоспитанные собаки.

Это даже не шахматы. Это даже не покер.

– Товарищ Татев...

– Да?

– Посмотрите, вот он. В сером костюме. Нас увидел, сейчас уйдёт.

– Он тебя знает?

– Конечно. Мы все друг друга знаем. Плохо, что они на легальном положении.

– Ты тоже на легальном положении.

– Зачем же вы сравниваете?

Полковник Татев и Зоркий сидят среди тёмных личностей в самом тёмном углу пивной напротив городского парка. Пивная разительно отличается от AMOR FATI. Это ещё не то заведение, где подонки общества собираются, чтобы обновить криминальную хронику, но уже не те тихие удовольствия, которые можно отнести к социально одобренным формам досуга. Одинокой девушке здесь было бы стрёмно, а к двум взрослым мужикам никто не станет цепляться.

– Зря мы так открыто встречаемся.

– Это ничего. Я не прячусь. Ты всё запомнил?

– Запомнил, да. Товарищ Татев... Вы мою докладную прочли?

– Это не докладная, Зоркий. Это роман в модном вкусе. Унылая правда жизни, которая уже на десятой странице приводит к утрате читательского доверия. Ты в тренде.

– Что?

– Не пиши больше... отчётов. Мне их хранить негде.

– ...И как мне отчитываться?

– Ну не картинками же. В устной форме. Хотя, – полковник задумывается, – картинки – тоже хорошо. Фотографируй.

– Меня по-другому работать учили, товарищ Татев.

– А меня, по-твоему, кто учил? Делай, что говорят.

Они расстаются. Полковник Татев выходит на улицу, курит и озирается, прикидывая, куда пойти: прямо или направо, по склону вверх. По небу несутся быстрые тучки, а по влажному асфальту дороги – жёлтые листья, принесённые ветром из парка. В тучах уже проступает ноябрьский свинец. Листьев уже много. Ладно, говорит полковник сам себе и идёт направо. Телефонный звонок («что-что? понятно») меняет его планы. Он останавливает... всё-таки странные эти корочки нового образца: надо же додуматься так радикально поменять цвет; и внутри торжество технологий... останавливает машину. Едет на Тракторную. Но в дворике по адресу Тракторная, 10 нет уже никого, кроме Марьи Петровны. Которая сидит прямо на земле, привалившись к железной бочке, и горько плачет.

– Видишь, к чему упрямство приводит, – говорит полковник. Балансируя палкой, он устраивается рядом, выпрямляет ногу и прикуривает две сигареты. – Пожаловалась бы дяде Олегу сразу, – он даёт ей сигарету, – не пришлось бы теперь слёзы лить. Чего они от тебя хотели?

– Ничего. Припугнули.

– Ну не реви, меня это возбуждает. Как тебя вообще угораздило?

– ...

– Я храню чужие тайны. Моему слову можно верить.

– ...Я с ним встречалась. Догадываюсь, о чём ты хочешь спросить. Лучше не надо.

– Я бы и не спросил.

– ...

– И почему расстались?

– Ему фиолетово на чувства других людей. А сейчас... Но он-то сам ладно... А вот его друзья... Там есть один. Страшный человек.

– Опасный?

– Нет. Он страшный.

– А в чём разница?

Марья Петровна сперва думает.

– Мой отец купил недавно на кухню набор ножей, профессиональных. И в итоге никто, кроме него, этими ножами не пользуется – чтобы без пальца не остаться. Вот это опасный. А если представить, что такой нож ещё сам по себе порхает, так что не убережёшься, даже когда его не трогаешь, – то это будет страшный.

– ...И чего такой страшный может от тебя хотеть?

– Не знаю.

– ...

– Я думаю, он старается подгрести под себя всё, что попалось. Ну типа вдруг пригодится. Есть такие запасливые, которые верёвочку с торта развяжут и приберут, хотя у них уже сто этих верёвочек... Ну пойди ты, купи моток нормальной, если так надо, нет, будет по ошмётку говно собирать. Ты понимаешь, о чём я. Ты сам такой.

– Понимаю, о чём ты. Не совсем такой.

– ...Мне просто понравился парень, и погляди, к чему это привело.

– Это всегда приводит к чему-то схожему.

– Мне казалось, что можно как-то... предположить варианты. Обезопасить себя. Заранее понять, чего ждать.

– Ты явно добилась успеха.

– У него на лбу не написано, что он боевик. Воскрешённый – и что с того, что воскрешённый? Нормальный парень. Почти всё было нормально.

– Кроме того, что ему фиолетово?

– Такие вещи замечаешь не сразу. А когда замечаешь, не сразу веришь. А когда придётся поверить, можно найти уважительную причину... и ещё одну, попозже. А потом, когда станет настолько поздно, что никакие причины не понадобятся, так вообще...

– Ну да. Как-то так.

– А потом появляешься ты!

– Это мне спасибо такое?

– Случайно тогда мимо шёл, да? Искал библиотеку?

– А что тебя не устраивает?

– Меня такие вещи бесят.

– Могу порекомендовать сертралин.

Полковник достаёт из кармана кожаный пенал, а из пенала, покопавшись, – коробочку антидепрессантов. Марья Петровна разворачивает инструкцию и внимательно её изучает.

– Смотри, что здесь в побочных: ночные кошмары, суицид и кома.

– Ты всегда читаешь мелкий шрифт?

– Я всего лишь – –

– Да. Тебе всего лишь кажется, что можно себя как-то обезопасить.

– Очень смешно.

– Смешно, но невесело. Сюда тебя зачем привезли?

– Не знаю.

– Ну конечно же знаешь. У них здесь тайник.

– Да. Был. Партийный склад оружия в количестве двух пистолетов.

– И всё?

– Про гранаты шла речь. Не знаю, достали или нет.

– Деньги?

– Деньги? Лихачу, бывает, сигарет купить не на что.

– Лихач? Твой бывший? Кто он в БО?

– Не знаю! Мы просто встречались.

– Для «просто встречались» ты слишком осведомлена.

– Может быть, не так хорошо, как ты, Олег Георгиевич.

Полковник Татев лезет за удостоверением.

– Я знаю, кто ты. Вера Фёдоровна мне сказала.

– А кто сказал ей?

Марья Петровна пожимает плечами и смотрит прямо перед собой.

– Ну что, дочь простого инженера... Ты не думала, что они на экспроприациях деньжат подкопят и сделают теракт на вашей водокачке? И папа твой под суд пойдёт, если жив останется?

– У нас не водокачка.

– Да, да. Водоканал. И главный инженер на нём – отец революционно настроенной идиотки.

– Ты не понимаешь. Ты привык к современным. Для тебя терроризм – взрывы в метро и в автобусах.

– Эти тоже скоро поймут, что в XXI веке убивать людей в автобусах значительно легче, чем губернаторов.

– Но им важно убивать губернаторов.

– Так и что? Люди из автобусов ходят на выборы.

– ...Тогда почему их не допрашивают?

– Никто их не будет допрашивать. Без прямого доноса.

– Я не донесу, если ты об этом.

– Есть о чём доносить? Ты при планировании покушения присутствовала? Или при исполнении? Можешь опознать?

– ...

– Да ладно, Маш. Мне без разницы.

– Марья Петровна.

– Будь ты проще, Марья Петровна. Вот погляди на меня. Я сейчас попал в поток... в поток чего?

– Канализации.

– Нет, я хотел сказать, в поток событий. Меня затягивает в какие-то ненужные события, и чем больше я буду дёргаться, тем сильнее будет тянуть. Поэтому я – –

– Поэтому ты не делаешь вообще ничего. Утонуть не боишься? Если это вдруг река, а не болото?

– Я всегда исхожу из худшего варианта.

– ...Послушай... Скажи мне... А это всегда так?

– Как так?

– Ну, бестолково.

– В большинстве случаев.

– Мне бы жилось спокойнее, если бы я знала, что у всего есть дальняя причина. Ну вот сидит где-то мировое правительство и решает: этому призы-акции, этого по башке, и Марью Петровну по башке тоже, на всякий пожарный... И чтобы всё чётко. И во всём – точность и логика. Как в марксизме.

– Кто б подумал. Ты веришь в теорию заговора.

– Лучше уж заговор, чем так, что вообще не знаешь, чего ждать.

– А при чём тут марксизм?

– Там тоже всё продумано.

– Наверное, поэтому он и провалился. ...Эти ребята разве марксисты?

– Нет. Ну и что?

– Ничего. Я ещё помню людей, которые читали Маркса, а не только имели о нём мнение.

– Нет, Олег Георгиевич. Эти твои люди получали за Маркса зарплату. А читаем его мы.

– Нормально ты его читаешь, если мировой заговор под кустом мерещится. Маша! Да подожди!.. Стой, – полковник Татев хватает Марью Петровну за руку. – Усвой главное: нет никаких заговоров. Есть только хаос. И ты в нём не выживешь, если будешь верить... в причинно-следственные связи.

– ...Если мы ещё немножко вот так посидим на холодной земле, а завтра тебя прихватит, ты не увидишь здесь связь?

– Действительно, вставай давай. Помоги. Спасибо. На определённом уровне уже нельзя проводить бытовые аналогии. Они... ну, они искажающе упрощают. И потом, я не говорил, что таких связей нет. Я сказал, что не надо делать на них ставку... Слушай, не беги так. Ты же видишь, дядя калека... Нельзя рассчитывать на логику, если речь идёт о людях. Та же выгода... Человек, может, и знает, что выгодно подождать и взять рубль, но если у него пять копеек под носом, он их всё равно хапнет... ну, про рубли-копейки это я так, образно... Будет знать, что кранты рублю, но хапнет, хапнет... копейку эту сраную... Извини. Почему по этой проклятой Тракторной никогда никто не ездит?

– Потому что не образному рублю кранты, а отечественному производству. Из-за таких, как ты, и вашей трусости.

– Не понял.

– Чего ты не понял? Тебе сколько лет? Ты какой стране присягу давал?

– Уже этой.

– ...

– Интересно, а твои ровесники в тридцатые тоже вздыхали о золотых деньках царского режима? Какой незамутнённой была вода, голубым – небо и всходы озимых – дружными? ...Идёт дороженька вдоль пригорочка, на пригорочке – церковка, в церковке – лавочка – –

– Трепло безыдейное.

– Сама дура. Прежде чем Советский Союз возрождать, подумала бы, почему он от плевка развалился.

– Ты же из органов! Ты-то должен знать, что не от плевка!

– Так это смотря с какой силой плевать. Из-под ближайшего-то куста... Мировая закулиса... – Полковник слаженно стучит словами и палкой; в каждом его движении – изобретательная лень. – Похоже, впустую я с тобой разговаривал, Марья Петровна. Ну наконец-то. Эй, эй! Тормози, зараза!

Они доезжают до Соборной площади, расстаются, и Марья Петровна (мрачнее тучи) идёт к себе в библиотеку, а полковник Татев (с ясной улыбкой) – с визитом в УВД, причём на ходу бормочет: «Степень готовности? Конь не валялся. И кого это волнует? Думаю, что никого». И он начинает напевать: «Это был прогноз погоды после выпуска новостей...»

В очередной раз Саша получил по голове аккуратно в тот день, когда начал подозревать, что все, даже и филькинские следователи, о нём забыли. Но вот ударило. И никто не спас.

Да, грянул гром не из тучи, а из навозной кучи.

Перенявший у Татева привычку приходить за Wi-Fi в AMOR FATI, именно там доцент Энгельгардт узнал о своём новом статусе.

Вошёл в соцсети – и узнал.

Не скажем, что в глазах у него всё поплыло, но какое-то время Саша смотрел на экран и видел слова, не понимая написанного. Здесь было всё: что он мутный. Что он скользкий. Что он выдал режиму имена подпольщиков. Что он привёл мэра Пилькина под пули убийц. (Да не Пилькин, поправляли в комментариях, а Филькин, правда-правда, реально есть такой городок... где?.. Ну где-то здесь... Нет, не за Уралом.) Что он, Саша Энгельгардт, не разлей вода с кровавой гебнёй. (Тут он читать не стал; нет-нет, никаких подробностей.) Виталик Биркин в своём блоге защищал его так лениво и аккуратно, что любому становилось ясно, что только великодушие и жалость понуждают Биркина покрывать продажную мразь. (За великодушие Виталика и ругнули, но с пониманием.) Люди, присылавшие Саше фотографии своих детей и котиков, торопились крикнуть, что всегда предчувствовали нечто подобное. Многолетние корреспонденты и залётные правдорубы высказались, одинаково не подыскивая слов, и даже какой-то интернет-туз, прислушавшись к звону, состряпал остроумную реплику про «туриста в штатском».

Саша поглядел по сторонам. Филькинские декораторы взяли за образец стиль голой функциональности. Им очень хотелось её приодеть, и было видно, как буквально на каждом шагу они сами себя бьют по рукам: вместо репродукций Кустодиева или трёх ржавых железяк – компромиссные краеведческие фотографии; весёленький цветок, не герань и не кактус – на том месте, где в столице не поставили бы ничего. Приблудного кота никто гнать не стал. Этот кот сейчас уселся у Саши в ногах и как будто бы сморкался.

– Не помешаю?

Нехотя Саша поглядел в честные серые глаза полковника Татева. Не скажешь ведь человеку, который спас тебе жизнь, что лучше бы его и вовсе на белом свете не было.

– Что с тобой такое?

– Я, оказывается, твой агент.

– Платный?

– Это не смешно!

– Смешно, но не тебе.

Полковник заглянул в Сашин ноутбук и фыркнул.

– Как же жить? – спросил Саша, чувствуя, что вот-вот заплачет. – Как мне жить?

– Как вокруг тебя люди живут, так и ты живи. Читай свои лекции, ходи на митинги. В фейсбучок пости.

– Не хочу!

– Хочешь как я?

– Нет.

Одни верят в существование бесчеловечной и прогнившей насквозь системы, другие – в непонятных и тёмных, но всё же рыцарей, и каждый в глубине души знает, что только и хрустнут его обывательские косточки, окажись он в ненужное время в ненужном месте: чьим-то родственником, чьим-то подчинённым, владельцем не той машины, квартиры, собачки, привокзальной лавочки... Саша разделял все предрассудки своего круга и всё больше привязывался к полковнику Татеву. Расправа счёл нужным его предостеречь.

– Полковник дурной человек, держись от него подальше. Покалеченный, испорченный.

– Он испорченный, но не гнилой. Если ты понимаешь, о чём я.

– Ты сам-то себя понимаешь?

«Я, наверное, не смогу жить, если себя пойму».

– Понимаю.

Расправа тогда сказал: «Ну, смотри сам», а Саша кивнул и подумал, что не много же увидит, и какой прок в том, что – своими глазами. Теперь он смотрел на человека, из-за которого пошли трещинами и Сашина жизнь, и Сашина картина мира, и человек этот пил кофе (столик в кафе, посуда на столике – единственное, что не треснуло), улыбался. За руку – которую он, вполне возможно, к случившемуся безобразию приложил – не схватишь. Нет, не прикладывал.

– Что мне делать?

– Ничего. Ждать, пока всё уляжется.

– Но меня сексотом называют!

– Ты знаешь, что это не так.

«Не так»! Можно подумать, свет полон высокомерных удальцов, с естественностью дыхания плюющих на общественное мнение. Как же тут плюнешь, зная, что попадёшь не куда-то в пространство, на страницы социологических опросов, а в собственную френд-ленту, в друзей, коллег, студентов и аспирантов, соседей по даче, потенциальных работодателей, в конце концов. Как будут удивлены и расстроены все эти люди, какие у них сделаются лица, когда он подойдёт поздороваться.

– ...Ведь это моё честное имя, Олег. Я должен всё объяснить.

– Конечно, попробуй. Расставь точки и хвостики.

– Перекладинки.

– Что?

– Не хвостики, а перекладинки. To dot the i's and cross the t's.

– ...Но это и есть хвостики.

– ...

Объяснения привели к граду комментариев, из которых самым мягким было «вертится, гнида, как уж на сковородке».

Это была какая-то иррациональная злоба, очень личная и при этом лишённая личных мотивов – хотя бы ввиду отсутствия личного знакомства.

(Личные знакомые теперь помалкивали: если всё обойдётся, скажут, что переживали и боялись сделать хуже, скажут, что ничего не знали, экспериментировали с отпуском в Гоа, полтора месяца без спецсредств и Интернета; ничего не скажут, словно ничего и не было... Нет, на этих Саша не рассердился.)

Но общественное мнение... Попадись ему на зуб, и увидишь, какую огромную, деспотическую власть имеют посторонние; здесь свои менты, свои поборы, СКМ в сладких снах не снилось, что делают здесь со свидетелями, – в конце концов, про родную милицию граждане уже всё поняли, а вот про своих заочных друзей, про людей, о которых говорят «мы» – нет. Надругаются, запугают, растопчут, поставят к стенке ответственности и позорному – да за что же? я свой! – столбу, и в какую прокуратуру, к каким правозащитникам ты тогда приползёшь: посмотрите, что со мной сделали... а я хороший! я не предатель! Я всегда был тем, чего вы требовали! «Мы»? А твоя совесть, гнида, ничего от тебя не требует?

Забрезжила ему и такая мысль: чаще нужно было возражать, меньше поддакивать, и тогда среди тех, кто от него не отшатнулся бы, оказалось бы больше людей, ценивших в нём человека, а не направление. *(«И было бы их трое с четвертью».)* Почему-то человек не нужен, нужна только его готовность встать в строй и под знамя; поссорься с этими – и прибегут в друзья те, с кем невмоготу поручкаться... а потом и они разберутся, что к чему, останешься на гноище самый умный.

Наконец филькинская газетка опубликовала фельетон, в котором доцент Энгельгардт, единственно что не названный по имени, предстал в образе может быть провокатора и во всяком случае жулика, грамотно втёршегося в доверие к дезориентированным сменой вех воскрешённым. Стиль фельетона... «пальцы веером, сопли пузырями», говорил Расправа про нелитературные аналоги, но кто ж знал, что в печатном виде окажется так обидно, так – вот тебе сопли! – язвяще... написано было на удивление лихо, и если и мелькнуло что-то неуклюжее, выпирающее, как кости – «нигилистическая распущенность»? а так говорят? снова? – то веселой выходкой мелькнуло, никаким не уродством.

Саша посмотрел на подпись под фельетоном (Р. Сыщик) и сличил её с контактами Виталика Биркина: музейщики... краеведение... и вот – Петя Любочкин, «Филькина грамота». (Фу, да нет, конечно же, нет, газета называется совсем по-другому.)

Петя Любочкин вполне мог оказаться Р. Сыщиком, и Саша отправился в редакцию. С неясной самому себе целью: в глаза посмотреть? в глаза плюнуть? Глянул, какой у газеты адрес, уточнил у Веры Фёдоровны – и пошёл, точнее, поехал.

У газетки не было советских корней и унаследованного помещения, зато половину городских новостей редакция, втиснувшаяся по дешёвке в сарайчик между рынком и автовокзалом, видела из своих окошек. У газетки не было твёрдых убеждений (как все газетка: в девяностые – демократы, в нулевые – государственники), зато её отличал последовательный и деловитый местечковый патриотизм, так что сплошь и рядом «Филькина грамота» вела себя, как княжна Марья в разговоре с Николаем Ростовым: «Видно было, что о несчастиях России она могла говорить притворно, но брат её был предмет, слишком близкий её сердцу, и она не хотела и не могла слегка говорить о нём». Газетка была так себе газетка, но она была своя, она была нужна не только для того, чтобы в областном центре не могли сказать про Филькин «ну уж и город, листка собственного нет», – есть листок, очень даже боевой...

Первым, кто Саше попался, был Брукс: они столкнулись в дверях.

– Продёрнули вас, Энгельгардт, да? – в лоб сказал Брукс. – Ну ничего. Это ничего, крепче будете.

Саша не видел Брукса со дня знакомства. Брукс, заговоривший бесцеремонно и радостно, был уже каким-то другим Бруксом: без агрессии ловким, собранным. Пристроенным – но не к кормушке, а к делу. Рапповскую свою дурную удаль он прибрал до поры, спрятал в глубокий карман, а не по фигуре громкий голос что ли отрегулировал... ушла эта неприятная лающая интонация, привычка пригвождать булавками.

Вот Брукс. Вот рапповец, гангстер, который ценит только системность, организацию, работу бригадой. Как ОПГ – непокорных барыг и конкурентов, так РАПП калёным железом выжигал нездоровые уклоны; одних уничтожили, других подмяли под себя, всё подмяли под себя: крестьянскую литературу, литгруппы, журналы, рабочие кружки на предприятиях, собственную – «Литфронт» – оппозицию слева и, наконец, сталинский Союз писателей – потому что после разгрома, после всех чисток в СП вошли ведущие кадры РАПП: Ставский, Сурков, Ермилов, Панфёров, Фадеев.

Брукс не может сам по себе. Когда-то у него имелась целая картотека с фамилиями и обвинениями: «непролетарская группа», «упадочники», «враги революции», «гнилые перевальцы», «тупоголовые кузнецы», – и он знал о себе, что и его имя-характеристика занесены на хорошую, правильную карточку в правильном ящике правильного шкафа. Он и не будет сам по себе; его – в сущности, сошку, уровень не выше бригадира – охотно возьмёт победившая группировка.

– ...Любочкин?.. Любочкина, знаете, нет на месте.

– Вы уверены?

– Я ведь, Энгельгардт, журналист, – сказал Брукс. – Профессиональный и, поверьте, неплохой. В штат пока что не взяли... Но работаю. С людьми знаком.

– Не вспомню ваших материалов...

– А я под псевдонимом.

– Р. Сыщик?

– Нет, Фадеев. Р. Сыщика не знаю. Чего вы так разозлились? Это фельетон, а не пуля в голову.

– Фадеев?!

– В честь Саши Фадеева, знаете. Я когда узнал, что с ним случилось... Я просто заболел. Зачем он это сделал... Скольких пережил, через всё прошёл... такая, в конце концов, карьера... Может, и не сам?

– ...Рецензия на «Простей простого», значит, ваша? Про колокольный звон?

– Ну.

– А чем это плохо? В чём тут формализм?

– Формализма тут нет. Тут наплевательское отношение к читателю и странное для коммуниста любование колоколами. Что мы стоим-то посреди улицы. Вон ларёчек. Ты как..?

Саша достал кошелёк, Брукс выбрал пиво, и они уселись на скамейке.

– Что может означать это «Р.»? – спросил Саша. – Родион Сыщик? Ростислав? Разъярённый? Революционный? Русский?

– Революционный? Ну а что... Революционный Сыщик – хорошо звучит, правда?

– ...Как Бурцев.

– Это кто?

– Это человек, который разоблачил Азефа.

– Азеф, Азеф...

«Брукс, скажи, что шутишь».

– Азеф – член ЦК партии эсеров, руководитель Боевой организации партии эсеров и параллельно – самый ценный агент царской охранки.

– А, эсеры... Контрреволюционная эсеровско-монархическая террористическая деятельность...

– *Монархическая?*

– Ну. Знал я эсера с таким диагнозом. Он из дворян, вот ему в тридцать седьмом в приговор и вписали. ...Хотя ты знаешь, Энгельгардт, контрреволюционеры они были чистой воды. Чего далеко ходить – тридцать четвёртая комната. Морда на морде! Чистая савинковщина.

В 1925 году советская молодёжь о Савинкове знала в лучшем случае, что он боролся с большевиками, а о деятельности партии социалистов-революционеров до революции – в лучшем случае ничего. Ни кто такой Плеве... ни кто такие убийцы Плеве...

– Так вот, Бурцев, – сказал Саша, радуясь, что хоть эту-то страницу истории раскрыло перед ним случайным ветром. – Бурцев – это такой человек, который непрерывно разоблачал. Он, правда, постоянно жил за границей... после каждой революции приедет в Россию на пару лет – и назад...

в общем, не знаю, как он понимал, что происходит. Собирал информацию и публиковал списки доносчиков, провокаторов и шпионов. Дело Азефа его на всю Европу прославило.

Бурцев вёл охоту на провокаторов, а за ним вела слежку заграничная агентура ДП: двое сотрудников работали исключительно по Владимиру Львовичу. (Ровно столько, сколько на всю РСДРП.) Звали этих агентов Бернард и Матис. Бернард состоял при Бурцеве кем-то вроде секретаря, а Матиса, после тщательных проверок, революционный Шерлок Холмс приблизил к себе, учил искать и обнаруживать офицеров и агентов русских розыскных органов в Париже и наконец поручил следить за главой парижского бюро охранки подполковником Эргардтом, которому Матис был лично предан. При вечном безденежье Бурцева Матис старался общаться с ним по телефону, «так как Бурцев бесцеремонно достаёт у него из кармана кошелёк и берёт деньги, которых затем не отдаёт».

А каким он был? спрашиваем мы у свидетелей. (Свидетели: глупые, затаившие обиду, с дырявой головой.) Некоторые молчат, другие рассказывают. (Свидетели: лгут, не помнят, не находят слов, говорят о себе.) Бурцев-то какой? Легкомысленный, торопливый, не таящий зла, не желающий признавать своих ошибок; фанатично упорный, увлекающийся; доверчивый; благородный, идеалист, безответственный; безумный, назойливый, маниакальный; тщеславный, бескорыстный; неряха, чучело. Десять лет он преследовал Стародворского, несчастного убийцу полковника Судейкина; десять лет досаждал письмами Зубатову, требуя «разоблачить преступную деятельность Департамента полиции». Лев Тихомиров в 1916-м пишет о нём в дневнике: «Пристал, как банный лист», «какое-то шпионское нахальство». В последней эмиграции Бурцев пробует разоблачать советских агентов – но дело не пошло. Он умер глубоким стариком, в оккупированном немцами Париже, ни на минуту не усомнившись, что Россия победит в войне, выстоит.

– Не понимаю тебя, – сказал Брукс. – Где тут загадка? Чего исследовать? Беспартийные – все оппортунисты.

– ...

– Ты вообще когда-нибудь был советским человеком?

– Конечно, был, – сухо сказал Саша. – Может, и сейчас такой. Но я позднесоветский. Для вас мы такие же чужие, как старорежимные. Только хуже.

Позднесоветский человек – это такая тварь, которая хотела всего лишь колбасы, а умудрилась просрать недра и заводы. Это постыдная и болезненная тема, которая сейчас, впрочем, никого не тревожит: одни всё забыли, а другие нашли виноватых. У Саши, бедняжки, не было и того оправдания, что все эти годы он, покорный внешнему и наносному, но упрямый в главном, терпеливо, простосердечно – не без блеска порой! и всегда добросовестно – делал своё небольшое нужное дело: велика, скажите, нужность нахальных невежд превращать в нестерпимо наглых четверть-знаек. И когда он сказал Татеву: «Из-за меня, по крайней мере, никого не убили», – то так и сжался внутри, как ожидающая пинка собака. («Вас, из органов, вообще можно без суда-следствия расстреливать». – «Светлый человечек... А ты, значит, Саша, думаешь, что не такой замаранный, как я?» – «Из-за меня, по крайней мере, никого не убили».)

– Слушайте, Энгельгардт... Вы там скажите кому следует... Я могу приносить пользу. Я не последний человек на самом деле.

«Я сплю, сплю. Мне просто нужно проснуться».

– Вы так аккуратненько, понимаете? ну вот есть такой Брукс, коммунист с двадцать первого года... нет, этого, пожалуй, не говори... отрекомендуй как-нибудь по-нынешнему. Ты лучше знаешь, что сказать. Главное, пусть поймут, что я не шавка чухломская. Я с Ягодой был знаком... или про Ягоду тоже не надо? Его реабилитировали?

– Нет.

– Ну нет так нет. Я, собственно, и не сам был знаком, а так, через Леопольда. Он же родственник, шурин. Леопольд много всякого рассказывал, бесцеремонный был до ужаса на предмет вышестоящих. Ну и причастность свою, конечно, ощущал. Это не Эренбурга гонять и «Красную новь», да. Это судьба и история.

– ...И не страшно вам опять лезть в политику?

– Жить вообще страшно, – неожиданно сказал Брукс. – Страшно и весело. Захватывает. А политика – она везде. Видел я таких, которые в искусстве хотели отсидеться, как в танке. Вот их вместе с танками и спалили. Танк и сам, когда едет, давит всё подряд, об этом ты думал когда-нибудь? Не перебивай! Уж наверное послушал я разговоров про объективизм и нейтральность! Хвалёный этот объективизм, если хочешь, Энгельгардт, знать, есть самое настоящее вредительство. В материале он хочет раствориться, уйти от комментариев! Так и дорастворялись, что для них и партийное строительство, и завод, и дохлые какие-нибудь берёзки – всё в одну цену. Да не против я берёзок! Но нельзя же придавать им равное значение с насущными вопросами времени... Ну так что? Поговоришь?

– Брукс... Там, – «там» Саша произнёс с той интонацией, с которой говорят, подразумевая гениталии, – вряд ли озабочены состоянием литературы. Вообще любой.

– Да и чёрт с ней, с литературой! Литература – это инструмент жизни и политики, а иначе – либо мистицизм и порнография, либо аморальное помешательство на словесных выкрутасах. Теперь другая возможность предоставляется.

Возможность напрямую, не припутывая литературы, выйти на политику и жизнь зажгла небольшие гангстерские глазки искренним воодушевлением.

– Поговоришь?

«Разом бы вас всех одной бомбой... День-то какой хороший».

– Поговорю.

День был хороший, тихий, с робким солнцем за полупрозрачными облаками, с дымкой, фигурками людей и парчовым сиянием деревьев; с серой коробочкой автовокзала. На сером привокзальном асфальте стояли кургузые рейсовые автобусы, и у каждого за лобовым стеклом виднелась крупная табличка с названием пункта назначения: Любочкино... Успенское... Трофимки. Бабушки в платочках. Деды в кепках и кедах. *...Полутона рябины и малины...* Мирная жизнь. Родина.

– Куда это он намылился?.. Не туда смотрите, Энгельгардт. Вон, у касс.

У касс изучал расписание Фёдор.

– Ты с ним поаккуратнее, – сказал Брукс, опять переходя на «ты». – Бесстыжий человек и неуправляемый.

– Я никем не хочу управлять.

– Все их анархические принципы – разбой, безделье и обобществление женщин. Идеологи-марафетчики. До первого суда! Скоро поедет Федя, откуда приехал.

«А то ты тогда не поедешь».

– Вас самого-то спасла ваша ортодоксия?

– Мой случай – это по соображениям политики, и очень я теперь хорошо понимаю, почему так вышло. А этот паренёк – прямой уголовный. Гляди, к нам чешет. Ну всё, Энгельгардт, бывай. Держи хвост пистолетом.

Подойдя и поздоровавшись, Фёдор сказал:

– Зря вы, Энгельгардт, с комиссаром корешитесь. Огорчение будет и без пользы.

– Что он за человек?

– А не видно, что он за человек? Бесстыжий и изолгавшийся. Как смолоду пристроился на пиру победителей, так и намерен пировать... Хозяева одни, другие, – а стол-то так и стоит... под скатертью.

– Мне трудно судить. Я перед всеми вами чувствую себя виноватым.

– Да за что же?

«За недра и заводы».

– Так как-то... Не знаю.

Фёдор посмотрел на него с недоумением, но ничего не сказал.

– ...А вы далеко собрались?

Да, вот так. Очень дипломатично. В местности, где доцент Энгельгардт двадцать лет назад изучал диалекты, прямой вопрос «куда?» считался невежливым. Спросишь «куда?», а в ответ прилетит: «На кудыкину гору!»

– В деревеньку тут одну, в коммуну нашу. Давно что-то от них вестей не было.

– Один поедете?

– Ну а кто туда ещё потащится?

– Я бы мог. Если не помешаю.

– А тебе зачем?

– В поисках утраченных диалектов. – *«В поисках утраченного генофонда»*.

– Ну давай.

Купили на завтра ещё один билет и пошли пройтись по рынку.

Рынок был как рынок: не бедный, не живописный и грязный. И вроде бы понятно, откуда грязь на рынках, но почему она какая-то особенно грязная? Ходишь туда-сюда, смотришь, не прицениваясь, на корнеплоды – и такая вдруг берёт необъяснимая тоска, словно эта присохшая земля на прилавках, серые мешки на тележках, ничьи шелудивые собаки и мимоходом толкающие тебя плечо или локоть приведут прямиком в петлю, запой или истерику. (Вот прямо сейчас, в заговорщицки тёмном зале пивной или ресторана Расправа сидит за крепким столом напротив исключительно противного на вид мужичонки с когда-то острой, а ныне расплывшейся мордой хорька; они разговаривают.

Хорёк пьёт пиво, а Расправа – что-то неалкогольное.) Здесь, на рынке, трудовая налаженная жизнь; тащат мешки, волокут тележки, перебрасывают что-то оттуда сюда и пересыпают; отвешивают покупателям, даже – вон – метёт кто-то большой метлой вокруг своей палаточки с чебуреками, нельзя же сказать, что все эти люди не работают, что они нагло наживаются – ничего подобного, вкалывают сверх норм и КЗОТов... и ничего плохого нет в самом слове «рынок», кроме, конечно, родства с выражением «рыночная экономика»... *«Не могу, не могу, дышать нечем!»* (Вот прямо сейчас Климова открывает дверь полковнику Татеву, и он улыбается так, словно и не к проститутке пришёл, а она смотрит на него, словно видит нечто большее, чем условные единицы, и оба знают, чем им грозит выход за рамки товарно-денежных отношений.)

И после того, как Фёдор в пятый раз пробует чьи-то очередные творог и сметану, Саша достаёт деньги и говорит, что спасибо, берём того и другого. Анархист смеётся. Идут дальше.

– Ты кого высматриваешь?

– Ну... *крестьян.* Ты понял.

– Они сами почти не возят. Во-первых, не на чем, во-вторых – скупщики. Орудуют, мироеды, без зазрения совести.

– Обманывают?

– Это нет. Но такие дают цены, что лучше бы обманули. Обманщика хоть изловить и побить можно.

– ...А вообще-то их здесь много?

Крестьян не считал никто никогда – пока крестьяне были в наличии. (Покончила с ними не коллективизация, а Великая Отечественная война.)

Налоги и рекруты, конечно, интересны всем режимам, но режимы ведут учёт от сих до сих, не вдаваясь в прогнозы или философию: тысячу лет не скудел источник, и с чего бы это при нас оскудеет.

Есть ещё кое-что: XX век последовательно, осмысленно и во имя прогресса уничтожал главные сословия прошлого: крестьянство, дворянство и духовенство. Более гуманно (уничтожив сословие без прямого – если две войны списать на естественную убыль – истребления его представителей). Менее гуманно (и теперь у президента РФ и главы президентской администрации не сходятся в руках цифры за 1930 и 1931 годы). С отвращением, насмешкой, ненавистью и страхом город вёл ожесточённую пропаганду, изображал деревню как тёмное царство, власть тьмы, рассадник духовной антисанитарии, пещеру развращённых недочеловеков – как место обитания и ночной охоты тех животных, с которыми нельзя по-хорошему.

А что, так уж и неправда? Разве не деревня драла с города три шкуры в годы войны и разрухи? Разве после раздела помещичьих земель эта избушка не повернулась задом к стране и её задачам? Оставьте нас в покое! «Мы не Россия, мы тамбовские!» Разве хоть что-то когда-то дала деревня в общий котёл добровольно? и всё – налоги, рекруты – приходилось брать силой, с боем и зуботычинами, отнимать, выкапывать из схронов, где пусть уж лучше сгниёт. Копейку, корку сунула когда-нибудь на помощь голодающим, таким же мужикам, соседняя сытая область? Нет; помощь голодающим – дело царя, помещиков, коммунистической партии, сердобольных международных комитетов, неравнодушных граждан – не наше дело… самим не хватает… не хватает всегда и всего, и откуда что берётся, стоит прискакать казакам с нагайками.

– Да, – сказал Саша задумчиво, – вот и вернулись люди в родные места.

– Какие родные места? Неужели, ты думаешь, их кто-то сидел сортировал? Ну, прикинули на глазок, чтобы уж совсем не вышло, вологодских в Кострому… Хотя, по мне, какая разница-то? Между Вологдой и Костромой в смысле земледелия? Дядя Миша должен знать.

– Их что, не спрашивали?

– Спросили, не хотят ли в Сибири остаться, или на севере. А кто выбрал европейскую часть, так только в Нечерноземье. Кубань и без того хорошо поделена. Агрохолдингами. Так и будешь с этой сметаной ходить?

– Дяде Мише отнесу.

Филькинский криминальный авторитет, или, как ещё любят говорить, *смотрящий*, носил фамилию Сычёв – и почему он был не Сыч, а Сова, нам неизвестно. Если давать прозвище по внешности – отожравшийся хорёк, если по фамилии – Сыч, а если по статусу, то Живоглот, Тварь, Паук, Нехристь и всё, что можно придумать в подобном роде. И вот этот человек скверной известности, уверенный, что без его отмашки в Филькине не подрежут ни бумажник, ни автомобиль на дороге, ни крылья пацанской фантазии, крайне непривлекательный этот человек глядит через стол на Расправу и заявляет:

– Ладно, скажу. Эти башли взял Васька.

– Потому что больше некому?

Весь Филькин знает, что Сова, учившийся с Василием Ивановичем в одном классе, пронёс школьные обиды через всю жизнь. Теперь он теневой, ночной хозяин города, при всех цацках – но без тех регалий, которые блестят в свете дня, и некоторые считают, что цацок ему вполне достаточно, утёр он этими цацками Василию Ивановичу нос, плевать, что Василий Иванович мэр и по праздникам машет народу с трибуны, а некоторые – что нет, не достаточно, именно на трибуне Сова хочет стоять в дни народных торжеств, на трибуне и в боярской шапке.

Жизнь в городе поделили, а вопрос иерархии остался, где был.

Больно деликатный делёж: как решить, ночь главнее дня – или наоборот? Только самые отчаянные лизоблюды говорят Василию Ивановичу, что Сова – это как ещё один зам по теневой, так сказать, непарадной, подпольной – а как же? у мэра и это под контролем – части, а Сове говорят-поют, что Василий Иванович всего лишь ширма, марионетка, но как бы ни были приятны льстивые речи, и Сова, и Василий Иванович знают правду и лизоблюдов под горячую руку наказывают.

Но даже и не это главное, не вопрос, у кого сейчас толще, потому что бывшие одноклассники, сколько бы лет ни прошло, как бы всё ни переменилось, при встрече автоматически оказываются в ситуации того дня и того часа, когда Петров был центровым, а Иванов – шавкой, и вот ещё Сидоров... Сидоров наш, директор краеведческого музея... он из школы по соседству, его Василий Иванович и Сова, которые в седьмом классе ещё не были ни

Совой, ни Василием Ивановичем, где поймают, там и били, хотя Сова уже тогда не справлялся в одиночку, но умел организовывать. Расправу неоднократно предупреждали.

– Потому что это он.

– И как бы он это объяснил?

– Да никак. Чего ему объясняться, когда петлю вот-вот накинут? Взял, что смог, – и в бега.

– Но сразу он не побежал.

– Не успел. Не так предупредили. Не тогда. Не о том. А после бац! политические с пистолетиком.

– ...Значит, покушение – дело рук БО?

– В натуре БО.

– Почему тогда они не взяли ответственность? Обычно на всех углах трубят.

– Так ведь не попали. Зачем трубить, позориться.

– ...

– Теперь спроси, с чего бы политическим стрелять в мэра Филькина.

– ...Потому что он символ коррупции?

– Это Васька-то? Гы!

– Я не знаю, – говорит Расправа. – Я никогда прежде не сталкивался... с революцией.

– А я знаю? Я сталкивался? Я в политику никогда... ни-ни... На нацпроект дать, на выбора́, если сигнал будет, депутату какому поспособствовать... Строго в рамках! Всё как договаривались! А что в мозгах у тех, из тридцать седьмого года, даже знать не хочу. За какие грехи Господь послал? – меланхолично говорит Сова и, подумав, крестится. (Расправу предупреждали.)

– А вот что в мозгу у Васьки, очень хорошо знаю! Чтоб он да хабар упустил! Замутил с троцкистами, в долю вроде как взял – чтобы ихними-то, значит, руками – и кинул! Троцкисты за долей приходят – опа-жопа, какая такая доля? Марш вон из кабинетика!.. Только этих ребяток Иосиф Виссарионович не зря на пыль пустил. Им так просто «пошёл вон» не скажешь.

– Но если они исполняли, то и деньги у них.

– Счас. У Васьки всё. Не поверю, чтобы Васька перехватить не успел.

Слово «перехватить» наводит Расправу на новую мысль, и он спрашивает так:

– Элемент-то твою власть признал?

– Кто не признал, уже ушёл, откуда взяли.

Сова морщится, мрачнеет; разговор о воскрешённых уголовниках ему неприятен.

Расправу и об этом предупредили тоже; но И. П. Расправа такой человек, который не боится взять на себя и своё, и лишнее.

Он знает, что Сова врёт, что у Совы большие проблемы, Сове пришлось (пришлось! жадность заставила) открывать второй фронт, включаться в битву стервятников за наследство Василия Ивановича... бежал Василий Иванович, всё бросил, горячие теперь деньки у его друзей и недругов... битва идёт, и совсем Сове некстати Совы и графы Панельные восьмидесятилетней давности, не пожелавшие ни встать на путь исправления, ни вписаться в существующий расклад.

– Отморозки поганые... Это же не люди, а людоеды... У Потапа мать выбежала под вечер в магазин и нарвалась... от головы желе осталось, гроб не открывали... из-за двух кульков сахара... Зверьё, натуральное зверьё.

У Расправы на Сову имеется досье, и среди цифр, юридических адресов и контактов там подробно описано, как поступает филькинский авторитет с конкурентами, должниками, некоторыми кредиторами и теми несчастными, которых зацепил из каприза; есть фотографии из пыточной, отчёты, показания, перечисление фактов; грязные вещи. Расправе противно, но нельзя сказать, что не по себе. Не по себе ему будет в бесконечные минуты между прощальным рукопожатием и возможностью наконец достать и использовать влажные салфетки, на которых написано, какие они антибактериальные, антимикробные, замечательные.

– Я нашего правительства вообще не понимаю, – говорит Сова. – Уже и там разучились, падлы, работать, только бумажки друг другу подпихивают. Подпихнул – а читать кто будет? Пушкин? Костя Сова прочтёт и озаботится? Надо же думать хоть немного! Надо соображать, кого из могил выкапываешь!

Расправа доброжелательно молчит. Сова продолжает:

– Что, блядь, за власть такая? Что за власть блядская? Почему хоть раз по уму не сделать?

– ...

– ...Говорят, Сталин воскрес.

– Сталин?

– Ну чего уставился? Сталин, Сталин. Хозяин. Или кто-нибудь другой будет этот бардак разгребать?

– Так не собирались же его...

– В натуре, не собирались. Он сам собрался. Поглядел на наши песни-пляски, поглядел и – кто, если не я? Уж ему-то с чёрными списками не смарьяжить? Сталин всё-таки, а не голый винтик.

– Ты как будто рад.

– Я? – Костя Сова, мерзкий хорёк, склонил голову, и глазки его блеснули. – Да. Рад.

– ...Но что ты надеешься от этого выиграть? Тебя же – –

– Первого к стенке? Нет, золотой мой, не первого и даже не вторым эшелоном. Костя Сова своё место знает. Не наглел. Не беспредельничал. Свой интерес за казённый не выдавал и себя самого – за государева человека. Ты в зеркало сейчас глянь, какой ты серьёзный: полковник при исполнении. А прислал-то тебя кто? Такая же шушера, как я, только понты другие. Акционеры синтетические! Сова, значит, вор – а эти не воры?

– ...

– Без меня никак. Ты это знаешь, Васька знает, и Сталин знал тоже. Вопрос не в том, чтобы Совы не было вовсе, а чтобы Сова понимал, что он такое. Так это не вопрос. Один маленький правильный шажок на развилке – и ты уже Ермак, а не Стенька Разин.

– ...А что, у Ермака были проблемы с законом?

– Нет, он из любви к приключениям двинул Сибирь покорять. Адресок-то брать будешь?

– ...Чей?

– Чей-чей, Васькин. А ты что подумал? Что подумал? Ну ты даёшь, москвич.

– Я никогда не признаю́ своих ошибок. Но я их исправляю. – Полковник Татев медленно одевается, а Климова, подоткнув себе за спину все имеющиеся подушки, чистит персик узким сверкающим ножичком. – Интересно, а где мои носки?.. Ага... Ну а твоя какая позиция?

– У меня нет позиции. Только поза. Зачем ты их вообще снимаешь?

– По соображениям эстетики. Как-то не по себе с голой жопой и в носках.

– Может, тогда трусы наденешь?

– Их тоже сперва нужно найти.

– ...Сделай-ка так ещё раз.

– Вот так?

– Да. Очень смешно. Роешься, как пёс в куче листьев. Нашёл?

– Гав-гав.

– ...Ты уверен, что тебе не нужен антураж?

– Латекс, дыба и наручники? Нет.

– Наручники-то чем провинились?

– Это для ментов. Ментовское развлечение.

– Но они так каждый день развлекаются.

– Правильно. Они, а не с ними. Дай мне скидку, а я дам совет.

– Твои советы всем так дорого обходятся?

– Когда директор музея придёт, спроси у него.

– От твоего имени спросить?

– Мне всё равно, как ты спросишь.

– ...Ненавижу покер. И тех, кто в него играет.

– ...

– Ты должен был спросить, почему.

– Но не спросил же. ...Ладно. Это уже когда вернусь. Что Василию Ивановичу передать?

– Ничего. Не впутывай меня в свои дела.

– Не впутывать? Хорошо, не буду.

– Не будешь?

– Не буду.

– Хорошо.

– А если я обману?

– Верно... Ну, ты можешь дать мне гарантии.
– Гарантии? Какие?
– Надёжные. Например, слово офицера.
– ...
– ...
– Значит, покер ненавидишь.
– Ты всё правильно услышал.
– ...
– Если не хочешь наручники, тогда, может, связывание?
– Климова, я понимаю, что у тебя широкий спектр услуг.
– И?
– И всё, чего я хочу, я уже перечислил.
– А как же новые горизонты?
– ...Это в каком-то фильме было. Только там не «новые горизонты», а «новые оргазмы».
– «Щепка».
– Точно, «Щепка». С Шерон Стоун... кстати, узнаю, что у тебя здесь камера, – убью.
– Сам?
– Нет, конечно, не сам. Тебе-то какая будет разница?
– Ты знаешь, что разница есть.
– ...И в покер там играли...
– В «Щепке»? Да. Во всяком случае, они это называли покером. Шерон Стоун выиграла.
– Ты проиграешь.

Полковник Татев выходит и с холма, на котором стоит дом Климовой, спускается в чёрную ночь: скоро она станет ледяной, а непроглядная уже сейчас.

Назавтра сели да поехали, со всеми остановками. Фёдор смотрел в свой планшет, а Саша – в окно, и глаза его увидели бывшие поля (на настоящий момент в России заброшено 42 миллиона гектаров сельхозземель), бесконечно скучный и какой-то ободранный лес, а пуще всего – страницы книг, с которых косился и поглядывал, всегда исподлобья, сумрачный заповедный мир с его непролазной грязью, несчастными лошадьми, изуверством и суевериями, кабаками, враждой и взаимным презрением соседних деревень и шальным, диким, бессмысленным зверством. («Для того, чтобы не возненавидеть мужиков, – сказал вчера дядя Миша, – нужно родиться рядом с ними, жить рядом с ними, ответственность за них получить по наследству... Помещиком нужно быть, с деревней в крови. Кто у нас про мужика писать умел? Толстой да Бунин. И как написали? Ты хорошей фамилии, голубчик Энгельгардт, но нет уже этого в тебе, перетлело, умерло. Не езди. Не надо себя насиловать».)

Автобус медленно пустел, и на конечной вышли трое: Саша, Фёдор и мужчина с полосатым рыночным баулом и в дождевике чуть ли не из брезента. (На Сашу он поглядел? и как поглядел? Мнительным вы становитесь, доцент Энгельгардт.)

Выгрузившись, Саша увидел дома – от совсем новых до подправленных и развалюх, не подправленных вовсе; женщин всех возрастов – в платках; пасторальное, акварельное стадо коров на горизонте, и ещё увидел, что он, доцент Энгельгардт, поступил молодцом, купив резиновые сапоги.

– Не глазей, – сказал Фёдор. – Давай-ка вон там, сторонкой. За огородами.

Коммуна заняла брошенный хутор в паре километров от Трофимок. («А знаешь, как называется? Сашкин хутор. Звучит?» – «Звучит», – сказал Саша и пожалел неведомого тёзку, для которого злые языки сельчан не расщедрились на полное имя.)

Они дружно топали по лесной дорожке. Фёдора интересовали машины и спорт, а Сашу – Лев Чёрный, жизнь ссыльных в Нарымском крае и отношения староанархистов с современным анархо-движением, но он не умел спросить в лоб и боялся, что такие расспросы выйдут боком его бедной подмоченной репутации, новыми пятнами на её шкуре. (За что? За что?) Рюкзак, набитый консервами, сахаром и кусками мыла, тянул спину грузом настоящей, непридуманной ответственности. Густая дорожная грязь ещё не стала непроходимым болотом. От разноцветного облетающего леса хорошо пахло. Небо празднично прояснилось. (Может, и впрямь уляжется, обойдётся.)

Ближе к концу пути Фёдор стал принюхиваться. Саша поглядел на него, поглядел – и тоже почувствовал запах гари.

Выйдя из леса, они увидели всё сразу: залитое солнцем поле, догорающий сарай, повреждённый, но устоявший двухэтажный дом. Палисадник перед домом был намеренно вытоптан: нашлось же у кого-то время пройтись методичным каблуком по поздним астрам. На земле рядом с палисадником сидел, покачиваясь, пожилой блондин: окровавленное лицо, запёкшаяся в бороде кровь.

– Дядь Вань..?

– Пограбили... избили... да зачем же было жечь-то?

– Кто приходил-то? С Трофимок или Сушкина?

– Куры им нужны... лопаты им нужны... ладно... А тарелки бить? Нужны тебе эти тарелки – понимаю, возьми; бить-то зачем?

Подошли ещё двое: ровесники Фёдора, в камуфляжных куртках.

– Налили, как богатому, – сказал, ставя ведро с водой, суровый бритый парень. – Ну-ка дай, оботру.

– Устал я что-то. Устал. Спасибо, конечно, правительству, но, может, и не стоило ему трудиться, открытия научные делать. Лёня, ты помнишь того офицера, как он говорил? Всё впустую, говорил, такой народ, что с ним всё впустую: и цари, и коммунизм. И сколько раз ни воскреси – –

– Ну, ну, Иван, что за упадничество. Вспомнить нечего, так про офицеров? Вставай давай. Простудишься.

– Что ж теперь делать? – спросил Саша. – Может, полицию? Вы нашу власть... признаёте?

– Ну а что ж, признаём. Не поедет сюда полиция, – сказал суровый. – Боятся. – И, не сводя с Саши тяжёлого взгляда: – Ты кого привёз, Фёдор?

– Нормального я привёз, успокойся.

– Да, – сказал и Саша, – я нормальный, простите.

– ...

– Ладно, давайте приберёмся.

Саша провёл на Сашкином хуторе три дня, которые показались ему вечностью – а ведь было хорошо.

Нежная акварель и тушь, совсем немного чёрной туши: в такой манере нарисовал деревню этот октябрь. Так глянешь – прозрачно, хрустально, а вот так – подёрнуто дымкой, затуманено; последнее в году солнце, прощальное невесомое тепло, и поверх всего летят ясные, чистые звуки: коммунары поправляли дом, чинили, что можно, снимали и рубили капусту.

Фёдор слинял, сказав, что у него дела в городе, коммунары косились. (А может, это усталость, свою и чужую, Саша принимал за косые взгляды.) «У нас такое правило, – сказали Саше, – первые два дня ты гость: живи, присматривайся. Но если пробудешь дольше – работай вместе со всеми». «Да, – сказал Саша, – конечно. Я вряд ли надолго, но работать буду. Хоть сейчас. Зачем мне два дня? Только говорите, что делать».

– А что умеешь?

Так и вышло, что для него проведённые на хуторе дни состояли в основном из навоза. (Вот ответ на вопрос «что умеешь»: доить? плотничать? даже на огороде – только под чутким руководством.) Потомок, на которого возлагали столько надежд, обернулся белоручкой и ещё раз – чужим. (Вот что такое потомки – оборотни. Вот что такое надежды.) Наверное, за глаза его называли просто «этот». В разговорной вольной речи трудно употреблять выражение «социально чуждый элемент», но можно посмотреть, тысячей способов можно дать почувствовать.

Вечером за столом садились все вместе: обсуждали прошедший день, планировали следующий (коровы, огород, маслобойка, доски для нового сарая, не отложить ли вопрос с сараем до весны). Анархисты разных толков, два толстовца, сектант-чемрек, коммунист-самоубийца, несколько подростков и пожилой крестьянин, переселившийся в коммуну из Трофимок, решительно не желали посвящать досуги беседам о конфедерациях сельского труда и допустимой степени вовлечённости государства в процесс выращивания и распределения картошки. (Тяжёлый физический труд – хорошее лекарство от идеологических разногласий. Ещё, говорят, помогает война.) Саша от усталости почти ничего не слышал, а цель себе ставил простую и чётко определённую: не пронести ложку мимо рта; не заснуть. (Коровы, доски...) Крестьянин в роковой момент толкал его в бок.

Этому Степану Пантелеевичу, мизантропу, всю жизнь мечтавшему «уйти на отруба», а лучше того – на хутор («на хуторе хорошо: живёшь один и грешить не с кем»), даже Сашкин хутор казался излишне людным, и он ждал времени, когда жизнь наладится, и он, Степан Пантелеевич, уйдёт от всех всерьёз.

– Бедняцкое дело – побольше поспать. А чего ему? Налог платить не надо, за лошадью ходить не надо – поспал, позевал, идёт в лавочку стройно, чистенький, штанишки, сапожки, рубашка и фуражка... из-под фуражки опрятно волос торчит. Вдруг середняк, как я и даже побогаче: сапоги в грязи, голенища перекосовурились, рубаха без пуговиц, лицо, наверное, ещё в воскресенье умывал, – схватил махорку, керосину и скорее домой, чтобы лошадь не была голодной.

«Ах, Степан, Степан, – говорил тогда дядя Ваня. – Ну долгое ли дело харю сполоснуть?»

– У меня была лошадь, корова и три овцы, и за это меня беднота звала буржуем, и никто из них не обсудит, сколько приходится работать, тяжелее, чем бедняку, – и за него самого, между прочим. Я отработаю, за него и за себя, только мне обидно, что меня же ещё и буржуем называют.

«Ах, Степан, Степан. Ну какой из тебя буржуй?»

– А я о чём же?

– Если ты знаешь, что прав, так зачем огорчаешься?

Разные собрались в коммуну люди. Работали все, но многие жаловались, что хотели не хозяйства, а братской жизни. («Работай как вол с утра до вечера, некогда в руки книжку взять. Человеку читать нужно, над собой работать».) Хозяйственники таких считали не столько блаженными, сколько блажными. («Некогда сейчас читать, над собой работать. Зима на носу».) Как-то Саша примостился перекурить, и к нему подошёл Леонид – человек из старой песни. *(«Взгляни, взгляни в глаза мои суровые; взгляни, быть может, в последний раз...»)*

– Фёдор мне сказал, вы с тридцать четвёртой комнатой дружите?

– Нет, – отрёкся Саша, – только с Иваном Кирилловичем. – И, помешкав, добавил: – Но я не знаю, что он об этом думает.

– О чём?

– Ну, дружим мы с ним или не дружим.

– Да?.. Тогда тем более... Я хочу предупредить: эти люди – не то, чем кажутся. Вам нужно быть осторожным.

– ...Вы кого-то из них хорошо знаете?

– Я очень хорошо знаю таких, как они.

Доцент Энгельгардт уставился на свои заляпанные сапоги, собрал все силы и тихо сказал:

– Это не одно и то же.

– Я ведь здесь по ошибке, – сказал Леонид, глядя в пространство. (Поле, лес.) – Меня кулаки на тот свет отправили, а не советская власть. Приехал на

Орловщину агрономом... колхоз поднимать. Теперь вот... Странный выбрали принцип воскрешения, вы не находите?

– Так это, – сказал Саша, внезапно становясь косноязычным, – ну то есть... Генофонд... Покаяние...

«И хотел бы я знать, что будет с нынешней властью, если воскрешать тех, кто погиб за советскую».

– Понимаю... Я до двадцать второго года был членом ПСР. Процесс мне на многое глаза открыл.

«Какой процесс?»

– Гоц же в глаза всем врал... Глядит и врёт. ЦК всегда найдёт способ отпереться: я не я и лошадь не моя. На бумаге у них одно написано, на ушко тебе совсем другое скажут, потом они – мученики, а ты как облёванный. Генералы от революции... Что такое этот ЦК – лицемерие, малодушие и семь пятниц на неделе. Ещё и говорит: «Я вам всё прощаю». Чем я таким перед ЦК провинился, чтобы меня прощать? Тем, может, что мы, маленькие, незаметные ни для кого люди шли за ними, за ихней идеей, не считаясь ни с какими опасностями и последствиями, – а они во имя идеи и партии вовлекли нас в какую-то авантюристическую историю? Это моя вина, что цекисты вбили в партию последний осиновый кол?

Саша вспомнил странную сцену в библиотеке.

– Вы, наверное, боевиком были?

– Боевиком? Почему вы так решили?

– Лихач недавно сказал Вацлаву, что ЦК опять хочет выехать на шее боевиков... Скажите, они левые эсеры или правые?

– Не удивлюсь. Левые или правые?.. Они уже сами не знают, какие. Могли и объединиться. Как это вы присутствовали при таком разговоре?

– Я не присутствовал. – Саша покраснел. – Пожалуйста, поверьте мне, это вышло случайно.

Леонид кивнул. Ему, похоже, было всё равно.

– Я везде, всюду искал *людей*, – поведал он пространству. (Полю и лесу.) – В любую дверь толкался. Любой попрёк сносил. Когда понял, что большевики пришли всерьёз – стал работать с большевиками. Из партии вышел ещё до съезда того позорного. – *(«Какой съезд? Чей?»)* – В ВКП(б) вступать не стал – а надо было. Пусть надо, изжога у меня от партийной жизни, спасибо товарищу Гоцу и компании. Позавчера бежал на крики – знал, что бегу убивать. Если бы с Иваном что-то случилось... голыми бы руками...

– Всё-таки кто это были такие?

Мнения на хуторе разошлись: одни коммунары считали, что грабежами и набегами балуется науськиваемая мужиками трофимковская молодёжь, другие – что сбилась из отребья, хулиганья и кулаков, расстрелянных за убийства, какая-то банда – и банде этой безразлично, кого требушить.

– Кто такие? Да те же самые, которые меня в тридцатом из обреза встретили. Зажиточные мужики.

«Вряд ли они теперь зажиточные».

– Но... теперь-то их в колхоз не гонят?

– Так и в той жизни сперва не гнали. Всё равно они за вилы взялись.

– ...

– Мы, коммунары, у них как бельмо на глазу. Сами не хотят – и других лучше изведут, чем отпустят. «Серп и молот – смерть и голод», слышали их присказку? С нашим первым председателем как было? Заманили его, ещё до всякого раскулачивания, на попойку, а там вроде бы слово за слово, махач, поножовщина... Понимаете, как дело представили? Бытовой случай, пьяная драка. И активистам бумажки подбрасывали: кто возьмётся за организацию колхоза – убьём как собаку... Всех вас, колхозников, вырежем в одну ночь... Бабы что придумали: в колхозе волосы остригут, как конские хвосты, мёртвых будут сжигать, стариков убивать, мужей и жён не будет, а будут спать под одним стометровым одеялом. Да! И всем придётся есть собачье мясо. А это кто?

– Старичок какой-то.

Вынырнув из леса, к ним неторопливо хромал через лужок дед-лесовик: лохматый-мохнатый, щуплый. С огромной корзиной. Корзина оказалась полна прикрытых травкой грибов.

– Последние, заветные... пересыпать есть куда?

Подошёл Иван Николаевич.

– Ах, дед, дед. Это сколько ж ты ходил по пустому лесу?

– А чего не пройтись? Ноги свои, не купленные. На мужичков-то... того... не держи зла.

– Полюбуйся, как твои мужички дядю разукрасили. – И Леонид, покраснев от гнева, напустился уже на дядю Ваню: – А убили б они тебя?

– Пусть меня убьют, лишь бы я сам не убивал никого.

– Известно, – сказал дед, – Бога отобрали, и озверел мужик.

– Бога отобрали? А Бог это что, лошадь, которую со двора свести можно?

Сейчас принято говорить и думать, что Бога большевики отобрали как-то враз, одномоментно с революцией и конфискацией церковного имущества. Это не так. Были антирелигиозная пропаганда, изъятие ценностей, тщательно контролируемый раскол церкви, репрессии в среде высшего духовенства, а позже – непосильные налоги на сельских священников, но до середины 20-х главные церковные праздники оставались нерабочими днями и отмечались почти официально, а власть, столкнувшись со смелым и недвусмысленным народным протестом, всякий раз шла на попятный. Взрывать храмы начали только тогда, когда прихожане из них позорно бежали.

– ...Пришли в церкву... выстроили иконы в ряд... Написали на каждой, что ейный святой приговорён к смерти за сопротивление колхозному строительству... И расстреляли.

– Не ври, старик!

– Так не вру я, товарищ начальник.

– Скоморох, твою мать.

– Ах, Лёня, Лёня...

Ни блажной, ни блаженный: Иван Николаевич показался Саше самым обычным хорошим человеком. Беды и горести гнут их, как траву, но они всегда встают – и сами не видят, как распрямляются.

– Без злобы нужно стараться жить, без злобы... Мнения... принципы... Не надо этого... зачем?.. Вот человек... его свободный труд... вокруг люди такие же, как он... И начальники не нужны. Ну какие над человеком могут быть начальники?

– ...Плохо без власти... Ох, плохо...

– Ах, дед, дед. Да ты слышал, о чём я толкую?

– Что здесь происходит? – спросил Саша. – Как это может быть, чтобы власть вдруг взяла да исчезла? Особенно, гм, наша?

– А она так исчезла, что сама об этом не знает. В городе свои заботы. А из Москвы не видно.

– Ничего, скоро разглядят.

– И что тогда будет?

– Солдат пришлют?

При мысли о солдатах все на какое-то время замолчали, представляя, причём Леонид улыбнулся, а старик-крестьянин не казался испуганным. (Старик-крестьянин: отрешённый, непроницаемый статист; повисшие руки страшны, глаза бесцветны и спокойны. Сашу передёрнуло.)

– Нельзя так, – расстроенно сказал дядя Ваня. – Нельзя.

– Я не то хотел сказать, – начал оправдываться Саша. – Я не спорю, люди способны к самоорганизации, без всякого начальства. Но вы же видите... Вопрос не в самоорганизации, а в её целях. Одни делают коммуну. А другие... другие, извините, банду.

– Такая прекрасная страна. Народ... Народ такой – –

– Ну? Ну? – подхватил Леонид. – Какой такой? Живодёрский?

– Смышлёный.

– А то. Русский мужик Бога слопает.

– Чего они хотят? – спросил Саша. – Атаманов? Крестьянскую республику?

– Дед, а дед? Вы чего, мужики, хотите?

– Так чего мужик может хотеть? Земли. Воли.

– Дали же вам землю!

– Дать-то дали...

– Ах, проклятые, – сказал Леонид, явно приходя в бешенство. – Опять недовольны! Вы когда-нибудь вообще бываете довольны? Землю им не так дали! Плетей вам, а не земли! Быстро настроение улучшится!

Он сжал кулаки.

– Ну не надо, – сказал Иван Николаевич. – Не надо.

– А ты их только развращаешь своим непротивлением!

– Земля же... – сказал дед. – Нельзя с ней понарошку.

– А ты подумал, что права продажи не дали, потому что о вас же, уродах, позаботились? Чтобы олигарх какой не облапошил? Чтобы дети твои по миру не пошли?

– ...

– Чего молчишь?

– ...

– Ах, люди, люди...

Мирная жизнь висит на тонких ниточках.

Саша простился с коммунарами, без приключений дошёл до Трофимок, дождался автобуса, появившегося точно по расписанию, уселся сзади у окошка и в мыслях уже доехал до города и пил чай с дядей Мишей, когда автобус затормозил в чистом поле и съёжившиеся пассажиры узрели нарочито хмурых и неопрятных вооружённых мужчин, которые пошли по проходу.

У кого-то отобрали деньги, у кого-то – вещи, кому-то дали по зубам. Сашу осмотрели и вытолкали на дорогу. Он печально поглядел вслед старенькому автобусу... уезжает мирная жизнь, прости-прощай, помаши рученькой... потом – на своих свирепых похитителей. Те столпились вокруг, и их ухмылки не предвещали добра.

– Жить хочешь?

– Уже не знаю.

Сзади его крепко хлопнули по шее.

– Не богохульствуй.

Пошли не назад в Трофимки, а куда-то вбок, пешком по краю поля, сквозь быстро темнеющий вечер. Человек шесть-семь, а гонору, как у победоносной армии: шире шаг, выше флаги. Главарь шёл рядом с Сашей, курил на ходу. (Дорогую сигарету.) Саша осторожно его рассмотрел: сухая ладная фигура в облегающей стёганой куртке, залысины в очень коротких волосах, глаза посажены довольно-таки глубоко, губы довольно-таки узкие, по выправке – офицер, диверсант, заплечных дел мастер; и в лице, во всём облике что-то твёрдое, неуловимо насмешливое, загадочное. На полковника Татева похож, ей-богу. А ещё...

– Я вас уже видел, – сказал Саша. – Вы с нами ехали из Филькина. Вы были в дождевике. – Дождевик он тогда запомнил лучше, чем человека. Теперь будет время наверстать.

– И что?

– Ничего, простите. Но вдруг вы меня с кем-то перепутали? Смутно знакомое лицо, недавние впечатления...

«Ненужный свидетель...»

– Если перепутал – разберусь, отпущу.

– ...

– ...

– Это вы на коммуну напали? Зачем?

– На какую коммуну?

Саша прикусил язык. Вот так и сдают подпольщиков врагам идиоты.

Главарь тем временем извлёк из-за пазухи мобильный телефон, проверил, есть ли связь, отошёл в сторонку и стал кому-то звонить.

Деревня оказалась на пять домов: тихо-чёрная, без собак, освещённая луной и ничем больше. Из двух труб самого большого и кривого дома валил дым, густой и почти белый на фоне ночи, на крыльце же... в шерстяных носках и шлёпках, в чуть ли не шёлковой рубахе навыпуск, в старом ватнике нараспашку... на крыльце мирно курил Василий Иванович.

– Казаров! – в высшей степени театрально воскликнул низложенный мэр Филькина. – Родной! Кого ведёшь? Кого-кого?.. дай взглянуть поподробнее... Не, ну ты дурак, что ли? Кто это?

– Профессор с Питера, – буркнул Саша. – Я у вас был... на приёме. Здравствуйте, Василий Иванович.

– Ах, даже так...

– Не «даже так», а это какая-то ошибка.

– ...

– Вы мне сами сказали «проедь по деревням». Вот я и поехал.

– ...Вот ты и поехал... Ну тогда заходи.

Саша замешкался в сенях, пристраивая сапоги и ища рукомойник, и когда он вошёл в комнату, Казаров и его люди уже разместились за столом и деловито жевали. Василий Иванович пил чай из стакана в тусклом подстаканнике, придерживая большим пальцем ложку. Рядом с Василием

Ивановичем... Саша так остолбенел, что не увидел ни мебели, ни посуды... рядом с Василием Ивановичем сидел Расправа, а на тёмном краю стола полковник Татев как ни в чём не бывало сгрызал с костей баранинку.

– Приятного аппетита.

– Садись, профессор. Ешь, пей.

Саша сел поближе к Расправе и вопросительно на него глянул: сделать вид, что незнакомы? обменяться быстрым шёпотом? Расправа молча пододвинул к нему тарелку с мясом.

– Я человек конченый, – сказал Василий Иванович. – Все меня списали, все предали. Куда мне бежать – уж не в Лондона́ ли? В Лондона́ с другими суммами бегут.

– В Аргентину, – спокойно сказал полковник. И облизнул пальцы.

– Это ты в Аргентину побежишь, нацист недорезанный, – рассвирепел Василий Иванович. – Уж, может, и доживу я, полюбуюсь. Уселся, как прыщ, и думаешь, что навсегда? Так-таки, думаешь, не сковырнут?

– Думать стало некогда, всё пошло на уровне энергии.

– Шути, шути. Ещё пройдёшь последним коридорчиком.

– Может, и пройду. Может, и меня через сто лет воскресят. Видел из НКВД товарищей?

– А ты их видел? – спросил Казаров.

– Не всех и мельком. А что?

Василий Иванович демонстративно занялся своим чаем и разговор о товарищах из НКВД поддерживать не стал.

– Ну а ты, профессор? Как там дружки твои троцкисты?

«Они мне не дружки».

– Они не троцкисты.

– А, какая разница. Все волками глядят. Вон на Казарова погляди: троцкист он или кто, рожа разбойничья?

– Беспартийный, – сказал Казаров прохладно. – Василий Иванович, в Трофимках мужики сход собирают. Поедете?

– Поеду... скажу гражданскому обществу пару ласковых.

Василий Иванович пофыркал, и Саша увидел, насколько он здесь на своём месте: то ли степной помещик, то ли председатель колхоза.

– Что губы жмёшь? Мы сейчас приехали в такую ситуацию, когда никто не знает, чем всё кончится. И пока никто ничего не знает и все жмутся, канализация продолжает свою работу! Тихую, блядь, и глубоко нужную!

Почему именно канализация, подумал Саша. Почему всегда канализация становится последним доводом в спорах власти и граждан, придя на смену пушкам точно так же, как законно избранные пришли на смену королям.

– Не нравится Василий Иванович! – продолжал мэр со злобным упоением. – Василий Иванович коррупционер! Я хочу знать, если мы все такие продажные, почему у тебя вода из крана течёт? Почему тебя под каждым кустом не грабят? Порядок что, сам по себе на землю падает? Как снежок-дождичек? ...Казаров! Ты не забыл, завтра конвой для почты?

– Помню.

– Повезут пенсии-пособия, – объяснил Василий Иванович в ответ на вопросительный Сашин взгляд. – Так охраняем, чтобы не только повезли, но и, так сказать, вручили. Много тут удальцов.

Саша поглядел на людей Казарова и поёжился: явно не в лагерях умерли люди. *(«Казачья буйственность помешала им умереть мирно».)* Они не принимали участия в разговоре и вряд ли к нему прислушивались. А внимательный ждущий взгляд самого Казарова был устремлён почему-то именно на него, на Сашу.

Доцент Энгельгардт не выдержал, извинился и вышел во двор.

Без света от земли, с луной на небе, густая и неподвижная ночь показалась ему последней, окончательной ночью – той самой, которая поджидает всех.

Тень от стены двинулась, отяжелела и стала полковником Татевым. Полковник ходил уже не в пиджаке, а в коротком пальто с меховым воротником, и Саша подумал, что, когда настанет зима, пальто сменится шубой. И ему стало легко и весело.

– Ну и как тебя сюда занесло? – спросил Татев.

– Случайно.

– Случайно? Понимаю... Дубовый листок оторвался от ветки родимой... и кто был этим мощным порывом ветра, который тебя подхватил и помчал?

– ...А тебе зачем?

– Пока не знаю. Пригодится. ...Такие вещи рано или поздно пригождаются.

– А как сюда занесло тебя?

– По работе. А ты что подумал?

– Можно с тобой в город вернуться?

– Можно.

– Когда ты собираешься?

– Когда я собираюсь... Как только подходящий момент улучу. Я здесь, Саша, в таком же плену, как и ты.

– И Расправа?

– Расправа тоже.

– А почему за нами не приглядывают?

– А ты побежишь?

Саша вгляделся в ночь-полночь. Войти в испытания, как в кипящую живую воду, и выйти из них другим человеком. (Вздорная идея; никогда ему по-настоящему не хотелось её осуществлять.)

– Нет.

– ...

– Вы на чём сюда приехали? На машине? – (Невозможно представить, что полковник и Расправа куда-либо поедут на автобусе.) – Можно на ней назад уехать?

– Можно. Если ты заводить без ключей умеешь.

«А ты-то что, неужели не умеешь?»

– А у кого ключи?

– У Казарова.

– ...Кто он такой?

– Мне тоже интересно.

Саша, который уже придумал себе офицера, диверсанта, заплечных дел мастера, так просто с этим образом не расстанется, и всё, что он узнает о Казарове – что бы он ни узнал, – ляжет в существующую картину ещё одним гармонирующим мазком: без усилий и фальши, очень естественно жизнь примет заданные воображением цвет и форму, а недовольными останутся разве что другие рисовальщики – с другими мелками, красками и предпочтениями – и, возможно, сам Казаров, буде ему представится случай узнать, что в действительности думает о нём тот или иной дальний знакомый: но что он тогда скажет, кроме растерянного «да я совсем не такой».

– ...Олег, насколько всё серьёзно?

– Боишься, что Василий Иванович тебе голову отпилит и в Следственный комитет с приветом пошлёт? Это вряд ли.

«Ну а вдруг?»

– Я понимаю. То есть нет. Не понимаю вообще ничего.

– Глубоко разумный подход.

– ...

– ...

– Мне не нравится, когда в мясорубку государственных интересов попадают ни в чём не повинные люди.

– А на свете есть ни в чём не повинные?

– Ты прекрасно понимаешь, о чём я. Это не философский вопрос.

– Да. Но так будет всегда.

– И это всё, что ты мне скажешь?

– Я тебе уже говорил: уезжай. Это помогло?

– ...

– Глупо думать, что мясорубка остановится, если именно ты сунешь в неё палец.

«Вот и всё, что мы знаем о мясорубках».

Наконец угомонились, разбрелись. Саша с горечью признал, что уже привыкает спать на каких-то дерюжках, охапках сена – и не раздеваясь. Он свернулся калачиком и мгновенно отключился, провалился в глубокое забытьё – глубины, пучины.

– Вставай. Уходим.

Перед ними, в неверном свете луны, расстилались дебри грязи, болота и потоки, капканы грязи. И они побрели.

– Хороша дорога на Царьград, – ворчал полковник, которому приходилось хуже всех. – Пять деревень вокруг, полно народу, обживались всё лето – а дорогу не сделать. Зачем, блядь, дорога, если до кабака только улицу перейти. И сама улица такая: одно название. И перед кабаком лужа – с кабак этот величиной. Выпил, про завоевание Константинополя поговорил – и в лужу. Мордой туда, мордой.

– ...Вряд ли этим мужикам так уж нужно завоевание Константинополя.

– Им вообще ничего не нужно.

– Тогда, может, оставить людей в покое?

– А ты ещё не нагляделся, что бывает, когда людей оставляют в покое? Оставят в покое свои – придут чужие. Расправа! Ты чего молчишь?

– Под ноги смотрю.

– Хотел съездить, да проморгал, – говорит полковник, отдуваясь. – Не видать полковнику Татеву Босфора и окрестностей. Золотой Рог... акведуки... Теперь только на танке. Да, Расправа?

– Под ноги смотри.

– Олег, извини, пожалуйста, но вы, из органов, вправду теперь за границу не ездите? Честно-честно?

– А как я туда поеду?

– По фальшивому паспорту. Или, может, закон приняли, но никто его не исполняет. Знаешь, как со многими нашими законами.

– Какой ты, оказывается, хитроумный.

– ...Если бы я был тобой, у меня бы был фальшивый паспорт.

– И что бы ты с ним делал?

«Брал кредиты и ездил на Капри».

– Я бы его всегда носил с собой. Просто чтобы знать, что у меня в кармане – запасная жизнь. ...Почему вы меня там не бросили?

– Не понял вопроса. Ты что, хотел остаться? Так бы и сказал.

– Нет, нет. Спасибо, что разбудили. Но я и спрашиваю: могли ведь не будить. Ушли да и ушли тихонько.

– Мы люди чести, – говорит полковник бодро, – люди долга. Хочешь не хочешь – приходится за тебя отвечать. Потому что вы, гражданские, сами за себя когда-нибудь разве отвечали? Ты хоть знаешь, как это делается?

– ...Взял и назвал бараном.

– Что плохого в баранах? Мягкие, тёплые, шерстяные...

«Плов, шашлык...»

– А ты пастух, да? Не все хотят, чтобы их пасли.

– Не все хотят, но все потом за это благодарны.

– ...Понимаю, куда ты клонишь, и не хочу туда идти.

– А говоришь, что не баран.

– ...

– Под ноги смотрите.

– ...

– Я принял судьбу, и после этого мне стало значительно легче.

– Это какую ж судьбу ты принял?

– Как какую? Русскую.

– А что такое русская судьба?

– Ты бредёшь ночью в октябре по Нечерноземью, по рожу в грязи, и спрашиваешь меня, что такое русская судьба? Ну ты даёшь.

– ...И держу курс на Царьград при всём этом?.. Кстати, а вы знаете, куда мы идём?

– Вперёд мы идём. Ну-ка, стой.

Они останавливаются, достают мобильники и выясняют, что связи нет. Полковник Татев достаёт свой ноутбук и выясняет, что, отправляясь в поход, скачал какие-то неправильные карты. Он осторожно смотрит на Расправу.

– Знаешь, о чём я подумал?

– Я знаю, чем ты подумал.

– ...

– Нет времени реверансы разводить.

– Это церемонии разводят, – сказал Саша. – А реверансы – делают.

– Да какая разница?

– Какая разница?.. Ага! Ты трусы под джинсы всегда носишь?

– Разумеется ношу. Базар фильтруй.

– А вот ты попробуй надеть штаны на голое тело и пройти по улице. Никто не увидит, что ты без трусов. Но ты будешь чувствовать это на каждом шагу.

– ...

– ...

– Вопящий случай, – говорит полковник. – Как-то так.

Резиновые сапоги Марьи Петровны были а) красные б) в мелкий белый цветочек по краю голенища. Ведро с водой она поставила на землю, и в нём тут же заметалось золотыми рыбками солнце. (Они проблуждали остаток ночи, рассвет и утро.)

– Что ты тут делаешь?

– Скрываюсь.

– ...

– Ты же сам сказал: взять отгулы и ненадолго скрыться.

– Но почему здесь?

– Здесь дедушкина дача. А где мне ещё скрываться? На курорте в Эмиратах?

– И где дедушка?

– За пенсией в Трофимки поехал.

– Тогда, может, чайку?

Даже когда они разулись и как могли почистились, Марья Петровна не пустила их в дом, а вынесла чайник и еду на застеклённую веранду, прислонилась к стене и стала смотреть, как Расправа намазывает булку маслом.

– Ты всё так медленно делаешь?

– Не всё, но многое. Что ты хочешь, чтобы я сделал?

Саша поспешил вмешаться.

– А как эта деревня называется?

– Тихое Лето.

– Как?.. Ну, будем надеяться.

– Ничего, что уже осень? – спрашивает полковник. – А конфетки у тебя есть, Марья Петровна?

– Только пряники.

В ожидании пряников Татев включает ноутбук и рассматривает карту.

– Вот оно, Тихое Лето. А мы шли из Лютихи.

– Как это вы шли, интересно, – говорит вернувшаяся с пряниками Марья Петровна. – До Лютихи всего три километра.

– Шли не спеша. Беседуя и любуясь окрестностями.

– А в Лютихе что делали?

– Гостили.

– ...

– А что ты, кстати, знаешь про Лютиху?

– Маленькая деревня. Стояла брошенная. Теперь там живут. Мне уже можно домой возвращаться?

– Да, – говорит полковник Татев, – вот вместе и поедем. Дед на машине?

– Откуда ты знаешь?

– Предположил. У бывшего директора совхоза наверное должно что-то остаться.

– ВАЗ проржавевший?

– Я не то имел в виду.

– ...

– Марья Петровна, как ты всё усложняешь.

– Для того и живём.

– Я тоже видел этот фильм, – неожиданно для себя сказал Саша. – Это говорит продавщица в ювелирном, когда помогает второстепенному персонажу выбрать серьги для девушки. Второстепенный персонаж... ну, тоже девушка. Вообще там главный герой – брутальный пидор. – Саша подпихивает Расправе салфетку. – Разочарованный, злой, с широкими плечами. Байроническая личность. Все вокруг в него влюблены, а ему всё равно и никто не нужен. Даже та девушка, для которой покупались серьги и с которой он дружит. А она с ним тоже вроде как дружит, но на самом деле влюблена, и ей не очень хорошо удаётся держать себя в руках, учитывая, что они снимают на двоих квартиру, и он вечно маячит у неё перед носом. Особенно после душа.

– И это что, весь фильм?

– А! я забыл сказать. На самом деле это фильм про маньяка. Пока эти двое выясняют отношения, кто-то убивает по ночам проституток.

– А проститутки какого пола?

– Да обычные проститутки. Я, может, как-то неправильно рассказал, но там все со всеми либо знакомы, либо постоянно сталкиваются в одних и тех же местах. И эти жуткие убийства... в сущности, в одном кругу.

– То есть, погоди, эти герои – такие, которые водятся с проститутками? А чем они сами на жизнь зарабатывают?

– Он безработный актёр, она – кинокритик. Не то чтобы водятся. Да и проститутки не такие уж проститутки... Просто такая атмосфера восьмидесятых.

– ...

– ...

– ...

– А что? В 80-е была особая атмосфера.

Мужчины задумываются о годах, когда были детьми, подростками. Это самое безобразное десятилетие на их памяти, с особенно ядовитым неоном, дутыми сапогами и куртками, начёсами в волосах, пластмассовыми красавицами, болезненной вульгарностью во всём – от трусов до эстрады – и ветром перемен, который уже через несколько лет будет казаться чумным.

– А что не так с восьмидесятыми? – спрашивает Марья Петровна, но ей не отвечают.

– Такое чувство, – говорит Расправа Саше, – что я смотрел что-то совсем другое. Но продавщицу ты верно описал.

Саша помнит – с индивидуальными акцентами – сам фильм, а Расправа – страшный ледяной вечер и замороженные февралём стёкла случайной квартиры, в которой он сидел, уставившись в телевизор – это ли называется «прощаясь с жизнью»? – в девяносто пятом или девяносто седьмом году. Ни при каких других обстоятельствах он не увидел бы не самую популярную и не прославленную снобами кинокартину, где единственным вменяемым человеком ему, тогда и теперь, кажется несуразная тётка с начёсом и густо накрашенными глазами, превращающими её в какого-то печального зверька: енота, панду.

– И чем дело закончилось? – спрашивает полковник.

– У главного героя всё наладилось. А маньяком оказался его лучший друг.

– ...

– ...

– В общем, – говорит Марья Петровна, – я не цитировала. Я не смотрю такие фильмы.

– Ох. Простите.

Саша хотел извиниться более подробно и с объяснениями, исключающими вероятность какого-либо обидного и непристойного намёка, но пронзительные крики из-за забора избавили его от этой докуки.

– Маруся! Выходи, Маруська, погуляем!

«Нашли себе Марусю», – сквозь зубы говорит Марья Петровна. Она встаёт, выходит на крыльцо и с крыльца кричит:

– Вон отсюда! Ну-ка прочь!

За забором не медлят и не совещаются.

– Ах ты лярва! Не хочешь, корова, по-хорошему!

Тогда встаёт и Расправа.

– Не ходи, – говорит полковник. – Лучший способ победить в драке – это её избежать.

– Ну-ну.

Расправа удаляется. Шум на улице возрастает. Полковник Татев прислушивается, прислушивается и наконец говорит Саше:

– Беги ищи что-нибудь. Кочергу, лопату. Ахтыгосподи. Как же меня достали эти простые русские супермены. Всю-то мою жизнь... То одно... то другое..

Они идут к забору: впереди полковник с палкой, следом доцент Энгельгардт с наспех собранным арсеналом в охапке. Саша чувствует себя оруженосцем и старается не споткнуться.

И тут появляется дедушка.

Он вышел из покрытого грязью отечественного внедорожника – машины из числа тех, которые владелец обязан ставить на учёт в военкомат. (На джипы иностранного производства эта мера не распространяется: военкоматы мудро учитывают потенциальную невозможность достать в военное время запчасти к этим прекрасным механизмам.) Коротконогий крепкий старикашка в очках и кепке вышел, опёрся спиной о капот и задумчиво смотрел, как рассеивается, поджав хвосты, ватага деревенских мóлодцев, как кряхтят, поднимаясь с земли, Расправа и Марья Петровна, как воинственно держит грабли высунувшийся из калитки Саша.

Вместе с дедушкой приехал Казаров.

– О, – говорит Казаров. – А я вас в Трофимках искал. Что так смотришь? Я без оружия.

– Кто такие? – спрашивает дедушка у Марьи Петровны.

– Знакомые мои... Командированные.

– Кто такие? – спрашивает дедушка у Казарова.

– Московские. Дела у них с Василием Ивановичем.

– Я тебе говорил: не путай меня в Васькины дела.

– Это уже не Васькины дела, – говорит полковник Татев. – Он не удержит ситуацию, и ты не удержишь. А Маше здесь вообще лучше не оставаться.

– Деда... ну ты бы им, что ли, помог.

– Это ещё зачем?

– Теперь понятно, Марья Петровна, в кого у тебя такой характер склочный.

– Ты не слишком ли резвый, характеры наши обсуждать?

– У меня завышенная самооценка. Это делает жизнь светлой и радостной.

Двадцать пять лет дедушка Марьи Петровны волок на себе социалистическое совместное хозяйство, волок, волок... и когда ему стало казаться, что куда-то, наконец, и выволок, – снова здорово. От совхоза остались рожки да ножки, а от людей – и того меньше. И что было для дедушки самое обидное, не понадобилось даже войны. (Он родился перед самой войной и принимал как должное, что мужское население деревни составляют старики и мальчишки. Всю жизнь помнил: нет беды страшнее. Или вся жизнь – это недостаточно долго?) Теперь, значит, пришли с Москвы рассказать ему про его характер. Заходите, гости дорогие. Давно ждём.

Подоспел казаровский конвой на двух машинах, включая конфискованный у Расправы джип; привезли себя и почтальона. Саша вызвался помочь Марье Петровне наносить воды, поэтому пропустил совет в Филях, все прения. (А то бы его пригласили совещаться.) Что-то нехорошо шло; Казаров звонил, отвечал на звонки, был со вчерашними пленниками подчёркнуто вежлив. Наконец заключили перемирие и поехали в Трофимки.

Расправа садится за руль и ведёт очень аккуратно, без удивления вглядываясь в дорогу. («Я не брал это бабло! – кричал вчера Василий Иванович, глядя Расправе в глаза. – Потому что я не идиот! Мне хватает своего – и геморроя в том числе. И Зотов не брал! Потому что Зотов как раз идиот, но в другую сторону! С принципами!») Полковник Татев на заднем сиденье прокручивает в голове всё то же самое, но выводы делает другие.

– Саш! Если бы тебе понадобилось стащить деньги у мафии, что бы ты сделал?

Саша оборачивается.

– Я?.. Я бы пошёл и удавился.

– ...

– Мне бы никогда, никогда не понадобилось.

– Фу, какой ты трусишка.

– Ты это к чему? – говорит Расправа. – Считаешь, что Зотов не брал? Тогда как объяснить, что он их взял и повёз?

– Он мог их не красть, а, наоборот, спасать от кражи. Что-то случилось. Узнал слишком поздно. Никому не дозвонился. Узнал что-то такое, что не стал звонить.

– И кто нам, следовательно, нужен?

– Вот тот, кто его в последний момент предупредил. ...Саш! А ты знаешь, как, например, поступил бы я? Я сказал бы тебе, что родина в опасности... впрочем, нет, родина всегда в опасности и никого это не волнует... Я бы сказал, что лично я, твой друг Олег Татев, спасая родину от очередной опасности, очень сильно попал и подставился... и оборотни в погонах, капая слюною с клыков, бегут по моему кровавому следу... и дал бы какое-нибудь самое простое, безобидное поручение, ну там, ядерный чемоданчик перепрятать... А потом позвонил бы оборотням и, так сказать, перенаправил. Пока они тебя будут ловить да допрашивать – –

– Прекрати его пугать.

– Вы обсуждаете способ, – неожиданно говорит Казаров, – а что насчёт причины?

– Два миллиона долларов – сами по себе причина.

– Я говорю, на что эти деньги пойдут?

– Я и отвечаю: на любые личные прихоти. Хоть тебе яхта, хоть революция.

– Олег... ты ведь про меня просто так говорил? теоретически?

– Конечно, теоретически. Я не такой пижон, чтобы в глаза рассказывать человеку, как именно собираюсь его развести.

– Яхта и революция – не равноценные вещи.

– Ах, Казаров, сколь многие с тобой согласятся! Хотя и не так, как ты думаешь.

– Олег, извини... А нет ли возможности не разводить меня вообще?

– Тебе это важно?

– Да. Мы, гражданские, придаём значение таким условностям.

– Правда? Не ты ли неделю назад рыдал у меня на плече, потому что кто-то на условности плюнул?

– Ну и что. Первый я, что ли? Каждый месяц что-нибудь такое Интернет взрывает. Это всё делается по глупости. По злобе. Без расчёта. Кто-то меня не любит, кто-то просто дурак. Но они не смотрят на меня как на какой-то шуруп, который нужно ввинтить, чтобы полка крепче сидела.

– А ты представляй, что на эту полку поставят какие-нибудь хорошие правильные книги.

– Хорошие правильные книги могут и в коробке полежать. Ничего им не сделается.

Казаров сидит сзади рядом с полковником Татевым и думает, возможно, о том, что эта сказочная машина везёт его к очередной смерти, о своих людях, оставленных на раздаче пенсий в Тихом Лете. (Начал – доведи до конца.) Жизнь, которую он прожил, приучила его не уклоняться, падает на тебя ответственность с неба или сам подбираешь её с земли. Сперва он ненавидел большевиков, затем – всех поголовно; он сам не помнил, когда ненависть сменил мрачный азарт – или наслоился.

К 1929 году от семьи... зажиточная была семья и торопилась с разделом в тщетной надежде избежать конфискаций... к 1929-му от семьи он получил восемь десятин пахотной земли, мельницу, лошадь и корову, а от советской власти – срок за фальшивомонетчество. (Отбыл два года из пяти и никому не рассказывал, с какими людьми повстречался, вернувшись с Соловков, и что им пообещал.) Теперь ему всё равно, он любуется прекрасной техникой – а ведь ещё не видел ни нового оружия, ни новых самолётов, – изучает жизнь, в которой уже можно задуматься о стяжании новой мельницы или её эквивалента, – но, как видно, не все счета обнулились, и цепь превратившихся в игру предательств действительно может стать цепью – тяжёлой, кандальной, и хочет он свободы, а не мельницы, кто знает, может быть, хочет искупления, потому что XXI век – в газете и телевизоре, а люди вокруг него – сплошь привычные, прежние, и зреет у Казарова план сперва с этими людьми расплатиться, а уже потом сесть и припомнить, ради чего он когда-то собирался жить.

Они выехали из очередного лесочка, миновали луг и, на его краю, наспех сколоченную небольшую виселицу с повешенной собакой. К перекладине была прибита картонка с кривыми и нечитаемыми на таком расстоянии пояснениями.

– Жестокий народ, – сказал Расправа. – Пса-то за что?

Пёс был холёный, породистый.

– Такого, полагаю, хозяина пёс, что самого хозяина не повесишь, а повесить очень хочется. Не твои, Казаров?

– Нет.

– Кулаки? – осторожно спросил Саша.

– Кулаки, кулаки, – сказал Казаров с презрением. – Если у него в доме чисто и коровы хороши – вот тебе и кулак.

– Но тогда почему?..

– Не знаю. Не обжились пока. Обиды не забыли. По земле вопросы. Их же заставляют этими стать, фермерами. На отруба не все хотят. Кто-то хочет общину. А кто-то и к колхозу притёрся. Колхозы из трудпоселенцев хорошо поднялись.

– Почему вы сказали «их»? – спросил Саша, подумав.

– Потому что я на земле не останусь. Здесь притормаживай.

Административный центр Трофимок составляли магазин и почта, а ближайшие органы власти обосновались в соседнем селе Любочкино, и туда же перевели правление совхоза ещё в те времена, когда совхоз существовал. Школу то закрывали, то открывали, а рядом со школой лет десять назад построили церковь. («Вот и с церковью тоже: ходить ходят, но хотят своего попа, из репрессированных. Новые им не потрафили».)

Фельдшерский пункт, у которого они затормозили, стоял особняком и на другом краю деревни. Дом был старый, но поправленный, с новым крыльцом. На крыльце курил человек в белом халате: невысокий, плотный, уютный. Он пожал руку Казарову и с любопытством посмотрел на остальных.

– Ну что здесь? – спросил Казаров. – Будет сход?

– Будет. Только вам туда не нужно.

– Василий Иванович хотел приехать.

– Да какая за Василием Ивановичем сила? Шесть человек и два обреза?

– Мы пойдём поглядим. А профессора пока тебе оставим. Сохраннее будет.

– Рад знакомству, – сказал Саша. – Доцент Энгельгардт.

– Взаимно. Доктор Старцев. – Человек в халате фыркнул. – Ионыч. Шучу, шучу. Дмитрий Иванович. Милости прошу к нашему шалашу.

В фельдшерском пункте даже в сенях было опрятно и пахло какой-то прежней, из детства, аптекой. (А сейчас, неожиданно понял Саша, в аптеках не пахнет вообще, может быть, из-за того, что упразднили рецептурные отделы, и чем-то другим моют пол, и не пакуют ярко-жёлтые витаминные порошки в вощёные бумажки.)

Без суеты, точный в движениях, Дмитрий Иванович делал всё сразу: включал чайник, показывал шкафчик с лекарствами, пел хвалу антибиотикам и расспрашивал про оперный репертуар в Петрограде.

К счастью – не хватало только с оперным репертуаром опозориться – антибиотики владели сердцем доктора Старцева, оставляя очень мало места Вагнеру, и, поняв, что уже знает о них больше, чем человек нового времени, проведший рядом с антибиотиками всю жизнь – ну, антибиотики и антибиотики, – доктор предпочёл говорить, а не слушать.

– Значит, старые болезни не вернутся?

– А вы не знаете? – спросил Старцев удивлённо. – Мы все здоровы – я имею в виду представляющие общественную угрозу инфекционные заболевания. Умудрились учёные одновременно воскресить и вылечить. Потому что, признаюсь, ума не приложу, как бы вы боролись с такими объёмами туберкулёза и сифилиса. А тиф? Например, возвратный? Даже при вашем уровне развития медицины, – он едва ли не благоговейно взглянул на хранящий антибиотики шкаф, – даже при таком... Когда я, сельский врач, чувствую себя Эмилем Ру!

Доцент Энгельгардт стыдливо потупился и в очередной раз решил тайком записывать эти звучные имена, а потом смотреть в энциклопедии. Рядом с людьми, учившимися во Франции и Германии и канувшими, как в глухую воду, в Нарымский край, он казался себе столь удручающе легковесным, что даже жалость уходила на дальний план.

– Что ж их не долечили, у половины зубов нет.

– Ну что зубы... Зубы тебя тифом не заразят... особенно если их нет. Поработают, подкопят – новые вставят. А вот как мне в Парабель пришлёт крайздрав спермазарин и валерьянку, так и сражайся с чем хочешь: хочешь – с дифтеритом, хочешь – с обморожениями. Они, видимо, в крайздраве думали, что у кулаков от всех передряг развилась половая и нервная слабость. Только когда ревизор ОГПУ на Васюган приехал – как сейчас фамилию помню, Юргенс, – жить захотелось. Компетентный был человек и деятельный. Интересно, что с ним стало.

– Но ведь он же... Как же так...

– Сам удивляюсь, что такие вещи говорю, но без ОГПУ была бы Нарыму крышка. Юргенс про себя так и говорил: и дирижёр, и орган информации, и аварийный мастер, и сигнальщик; говорит и смеётся. Это правда, всё на них. Партийные органы плохо сработали, а советские – и того хуже. Ну, пришлют от окружкома инспекцию по случаю ЧП, а что инспекция может? Отчёт написать? И кто в итоге на себя ответственность брал? ОГПУ-НКВД, больше некому.

– Дмитрий Иванович... Вас же самого...

– Расстреляли? Нет, не расстреляли. Я сам. Отравился осенью 1936-го. Хорошо хоть нашлось чем, спасибо товарищу Юргенсу.

– Простите, пожалуйста.

– Да за что же? Я всем рассказываю, кто слушать захочет. Мне скрывать нечего.

Одного самоубийцу Саша уже видел, на Сашкином хуторе. Но тот был коммунист и покончил с собой в 1925-м, в год чудовищного всплеска самоубийств среди членов ВКП(б) и в армии, не совладав с нервами и новой экономической политикой. «Задачи стояли большие, – сказал он Саше, – а у меня нет нужных умственных способностей». Но не только, видимо, в задачах и способностях было дело, потому что, разговорившись, этот человек мимоходом признал, что устал жить, что у него нет родных – все погибли, что в его кругу ходили анекдоты к случаю: один помкомвзвода построил своих красноармейцев, скомандовал «внимание!» и выстрелил в себя... вот в таком роде.

В 30-е самоубийство члена партии большевиков рассматривалось как косвенное доказательство вины, а в 20-е – всего лишь как дезертирство или пораженчество, с чем Сашин собеседник полностью соглашался. («Что я за большевик, если меня тоска грызёт?») Другие революционные партии в дни своей славы вели себя точно так же – и заподозренные в предательстве эсеры, уходя из жизни, не могли быть уверены, что вольная смерть выкупит их доброе имя, – а потом они проиграли, капитулировали и стали вести себя гуманно.

– А вы эсер?

– Что, так видно?

– Наверное, я уже приноровился. («На профессора Посошкова ты похож, как родной брат».) Вы не знаете, что за процесс был в 1922-м?

Несмотря на личные мужество и стойкость, поведение членов ЦК ПСР на московском процессе 1922 года похоронило партию правых эсеров. Никакие рядовые не любят, когда их предают генералы: мы видим это на примере армий, партий и общественного движения XXI века.

А. Р. Гоц считал, что партию как раз спасает.

(«Не желая демонстрировать разброда в рядах ЦК ПСР, руководящая пятёрка обязала всех участников процесса стоять в вопросе о позиции партии в терроре на точке зрения ЦК и категорически отрицать причастность партии к терактам и покушению Ф. Каплан».) Он пожертвовал боевиками... в конце концов, у ПСР была богатая традиция смотреть на БО как на расходный – и при этом горючий – материал, и не удивительно, что Савинков, уже на Лубянке ознакомившийся с подробностями процесса, написал, что все его симпатии – на стороне не ЦК, а «предателей»... пожертвовал Гоц боевиками, но преданными почувствовали себя не только боевики и не только не входившие в сплочённую пятёрку интриганов цекисты. Именно поэтому уже в марте 1923-го, под прямым присмотром и на деньги ГПУ, прошёл легальный съезд рядовых членов ПСР, объявивший о самоликвидации партии. К этому решению в индивидуальном порядке (и без такого давления, которое следовало бы учитывать) присоединились более четырёх тысяч человек – деморализованных и оглушённых.

– Я ведь в настоящей партийной жизни, считай, что и не участвовал. Сочувствовал, безусловно. Ну а кто тогда не сочувствовал? Результаты выборов в Учредительное собрание откуда-то ведь взялись? Большевики – узурпаторы, и так на них это клеймо и осталось. А потом, после всего, отошёл. Только, конечно, значения это уже не имело. По семье, по убеждениям я, наверное, кадет. Стыдно как-то было кадетом быть.

– А теперь?

– А теперь мне пятьдесят четыре года, и если я ещё что-то могу... – Доктор повёл рукой на богатства фельдшерского пункта. – Своим делом нужно было заниматься, а не политикой. Вы пейте, пейте. Хороший чай.

– Да, спасибо. Дмитрий Иванович... Вы Казарова хорошо знаете?

Дмитрий Иванович напрягся, опустил глаза и стал взвешивать каждое слово.

– За несколько месяцев разве можно кого-нибудь хорошо узнать?

– Простите. Но он вроде как на авансцене?

– Да. Подходящее слово.

Сашу остудила очевидная двусмысленность этой реплики. Сколько слов он произнёс? И какое из них сочтено подходящим – «авансцена» или «вроде»? Казаров ещё вчера распоряжался его жизнью, и неудивительно, что о нём тянет узнать хоть что-то больше того, что говорят собственные глаза, а они – «берегись! беги!» – похоже, не лгут.

– Куда-то они запропали.

– Не беспокойтесь, не пропадут. А вы как угодили в эту компанию?

«Скорее меня угораздило».

– С хутора в город возвращался. Немножко не доехал.

– Хутор? Там, где коммуна? Как они поживают?

– Спасибо, хорошо. Их недавно пытались сжечь.

Доктор покачал головой и сделал такое движение, будто собирался развести руками, но сам себя одёрнул.

– Старая гвардия.

– То есть не горит?

– Не сгорает.

Пока Саша осознавал, что вовсе не хочет стоически шутить за счёт людей, с которыми несколько дней делил кров и пищу... пока он медленно так собирался возвысить голос и заявить позицию... вернулись полковник Татев и Расправа – хмурые и с новыми следами комьев грязи на одежде. (Полковник постучал в окно палкой, доктор высунулся, поглядел и велел идти на задворки. Саша выскочил первым.)

– А где машина?

– Нет больше машины.

– Опять конфисковали?

– Вроде того.

– Комендатуру здесь надо открыть, – хладнокровно сказал доктор. Он успел снять халат, надеть пуховик и сапоги, закурить папироску. – Солдат на постой – тоже неплохо.

– Дмитрий Иванович!

– Да тьфу, – ответил Дмитрий Иванович. – Я предупредил. Ну, как погляжу, врачебная помощь не требуется. Вон, видать лесочек? Сквозь него пройдёте и, через поля, в Любочкино. Там какая-никакая власть.

– Через поля? – переспросил полковник. – Лучше я позвоню такси вызову.

– Сюда? Из города?

– Или, может, в деревне у кого машина есть?

– Разве у дачников? – задумчиво сказал доктор Старцев. – Так нет дачников, ещё летом бежали, всё бросили. У отца Николая? Сидит отец Николай под лавкой и трепещет, как бы во что не впутаться... Думает, если не впутываться – то и пронесёт. Лошадок нанять у Парамонова? А Парамонов, часом, не среди тех ли, кто дрекольем машет?

Полковнику Татеву меж тем пришлось оставить попытки куда- нибудь дозвониться.

– Где связь? – сказал он. – Была же связь полчаса назад.

– Да, – сказал доктор, – верно подмечено. Полчаса назад была, а сейчас ой – и нет. На горочку, видимо, нужно подняться, к церкви. Руку отставишь подальше, сам отклячишься... поговоришь. Молодцы, ребятки. Какую славную вещь придумали.

– Да не то чтобы мы её придумали, – хмуро говорит Расправа.

– А тогда – тем более.

– Так что случилось? – спросил Саша, когда они зашагали в сторону лесочка. – Где Казаров?

– Вот о ком ты беспокоишься.

– Ну вы-то видно, что целы.

– А невидимые повреждения души?

«Уймись, клоун».

– Да, и что там тебе повредили?

– ...Не получилось смычки честных ребят из разных исторических формаций.

– Города и села.

– А?

– Смычка города и села, так говорить нужно. Хотя лично я считаю, что слово «смычка» какое-то не такое. Не лучшее в языке. Неблагозвучное.

– ...

– ...

– А доктор, по-моему, рассердился.

– Нет, он не рассердился. Он нас спровадил. Ещё придут, разнесут ему больничку.

– Да кто? Кто придёт-то?

– Савраска придёт, – говорит Расправа. – Поглядеть, какие мы тут сивки-бурки.

Всё сделали хорошо, с заботой о людях: пособия, льготные кредиты, полное освобождение от налогов на три года, – но ни правительство, ни президентская администрация, ни сам президент РФ не учли, что с коровой Антипа случится такое несчастье: то ли опоили, то ли сглазили.

Корова Антипа, конечно, не нос Клеопатры. (Не эта корова, так другая, не корова, так куры, не Антип, так Иван.) Однако пятнистый и довольно упитанный по осени коровий зад заслонил собой всё: небо и историю.

Случись что с самим Антипом – так ерунда; Антип, в конце концов, сам у себя не купленный; подлатать, ремешком подпоясать – и хоть паши, хоть пляши... слова бы никому не сказал. Но что же это будет, товарищи раскулаченные, если наших коров начнут опаивать? Давно ли сняли цепи, теперь наденем кандалы? В той жизни кончили реквизицией иконы, жены и коровы советскими комиссарами, а эта начинается с городских мироедов на всё том же крестьянском горбу? Ну, положим, крестьянский горб на то и предназначен, земля родит и на трудящего, и на крадущего, но корову-то сюда каким боком? коров поганить зачем?

Василий Иванович приехал в разгар истерики и быстро сориентировался. (Вот он только что был, и вот его уже нет.) Казаров растворился в толпе. Полковник Татев и Расправа деликатно протолкались к своей машине и обнаружили, что какой-то парень при растущей группе поддержки пинает их джип, пинает и твердит: «Ах, ёб вашу мать, крокодилы! за ногу бы да в канаву!»

Сказано – сделано. (И орудия попрочнее ног тотчас появились. «И нет чтобы растащить на полезные в хозяйстве части, – говорил потом полковник Татев. – Хоть бы колёса сняли, пассионарные дебилы».)

Пока доцент Энгельгардт осмысляет эту историю, свет начинает меркнуть, а совет пройти сквозь лесочек – казаться издевательским. Негустой лесок, но тяжёлый какой-то, неприятный – хорошо в нём, может быть, бродить с ружьём и собакой, задумчиво, в философском настроении и в лицо зная каждый пень... ну или заскочить пописать, но так, чтобы в пяти метрах дорога и ждущий автомобиль... а вот они идут уже главным образом для того, чтобы не останавливаться, и полковник Татев перестаёт напевать, а Саша нехорошим словом вспоминает хитрого доктора.

– Мне вмазаться надо, пока что-то видно, – говорит полковник. – Нога барахлит.

На условной опушке полковник устраивается на бревне. (Саша держит пальто полковника, свитер полковника и старается не смотреть, как тот возится с аптечкой, а Расправа курит и окурок тщательно гасит и убирает в пустую сигаретную пачку.

– Ты идти-то сможешь?

– Я всё смогу, – говорит полковник Татев, переводя дыхание. – Когда боль отпускает – это лучше оргазма.

Потом они пошли дальше.

Потом лес неожиданно оборвался, и стал виден одинокий дом в чистом поле.

– Наконец-то.

– Непохоже как-то на большое село.

– Это не село, – сказал Саша. *«Вот более иль менее приехали в имение».* – Это Сашкин хутор.

– Дед куда-то поехал и пропал, – хмуро говорит Марья Петровна. – Телефон не отвечает. Автобус ушёл. Ещё придут ночью убивать. А здесь если и убьют, то вместе со всеми.

– Не паникуй, Маня. Таких, как мы, убивать замучишься.

– Марь-я Пет-ров-на!!

– Ну да, я и говорю.

– Ах, дети, дети...

– Иван Николаевич! И вы туда же!

Саша представил своих спутников, объяснил, что случилось, и укрылся в углу за печкой. Теперь сидит там, прислушивается к разговору, молча ждёт – и кажется ему, придавленному абсурдом, что ждать можно чего угодно: возьмут да вытолкают взашей. (Плохо думаете о людях, доцент Энгельгардт.)

– Переночуем и уйдём, – говорит Расправа. – Дадите до Любочкина провожатого? – Он достаёт из внутреннего кармана куртки бумажник, из бумажника – несколько тысячерублёвых купюр и суёт их отмахивающемуся дяде Ване. – Бери, отец. Типа на общее дело.

В коммуне вопросы решались большинством голосов, это было важно: жить без вождя, без председателя. Деньги у Расправы взял и тут же припрятал Степан Пантелеевич. Отвести утром в Любочкино вызвался Леонид. Марью Петровну тут хорошо знали, на нежданных гостей смотрели смущённо, но доброжелательно.

Дядя Ваня, правоверный толстовец. (Пасовавшего перед любой грубой силой, что-то заставляло его раз за разом собирать и склеивать обломки, едва грубая сила отворачивалась.) Митя-большевик. (Самоубийца, пораженец, предатель дела революции. «Устал жить, а убивать легко».) И Митя-чемрек, которого называли так, чтобы не путать с Митей-большевиком, хотя, чуть ли не вдвое старше, он мог быть и Дмитрием. (Митя собственными глазами видел Алексея Щетинина, пророка чемреков, сватавшегося на правах живого бога к хлыстовской богородице и кончившего жизнь в сумасшедшем доме. Этот «большой мерзавец и замечательный человек» в Мережковском пробудил интерес к хлыстам, а в консисторию писал доносы на сектантов.) Анархисты. (Послушав которых Саша понял, что дело анарходвижения плохо: никогда они не выступят единым фронтом, эти рассветовцы, малатестовцы, кропоткинцы, пананархисты, биокосмисты, мистики и – путается всё в голове без шпаргалки – синтезаторы, воюющие из-за различий столь жгучих для них самих и не видных посторонним.) Леонид...

Тимирязевскую сельскохозяйственную академию закончил, между прочим, у Чаянова учился... Леониду Сашкин хутор не стоял ли костью в горле? Коммуна сосредоточила в себе всё, чего он не терпел: безначалие, непротивление, религиозные искания, – но оставался он здесь не только потому, что в любом другом месте его вряд ли бы приняли.

На кого ни взгляни – щепка от эпохи, люди, которым некуда идти. Но в них было достоинство.

Только с утра умылись, подкрепились и собрались в путь-дорогу, как с воплем «Мужики идут!» вбежали дозорные, и коммунары, признающие насилие, стали хвататься за ножи и палки, а непризнающие – за посуду. Саша посмотрел на полковника Татева, который спокойно допивал чай, и вышел вслед за всеми.

Мужиков было пятеро, они стояли молча, смирно. Доцент Энгельгардт потихоньку оглядел делегацию: вполне себе генофонд. Вид немножко... простите, пожалуйста... звероватый, но то же городской человек XXI века скажет про любого дядю с бородой, устрашающим объёмом шеи и в кирзовых сапогах. (Ещё раз спасибо Министерству обороны.) Меховые шапки по ещё осенней погоде его удивили, но не встревожили: крестьяне любят держать голову в тепле, и на исторических фотографиях это так, и в литературных описаниях. От генофонда многосоставно и густо пахло – ну что ж такого, это деревня, почва, коровы и лошади, дёготь... смазные сапоги... и, в конце концов, запахи переполненного вагона метро неприятнее. Мужиков было пятеро, они стояли молча, спокойно – парламентёры до той минуты, когда что-то пойдёт не так.

– Чего надо? – спросил Леонид, перехватывая топор поудобнее.

– К новым пришли, к начальникам, – ответили ему вразнобой. – Топорик-то убери от греха.

Леонид оглянулся на Расправу. Тот кивнул, вышел вперёд.

– Ну?

– Пусть Василий Иванович заберёт нас к себе наконец. Жизни нет.

– А я тут при чём? К Василию Ивановичу и идите.

Мужики переглянулись.

– Неловко нам самим, – сказал самый бойкий. – Малость его вчера обидели, осерчал. Не станет разговаривать.

И делегаты, помявшись, сняли шапки.

Каким чудо-ветром – не цифровым же? – разносятся в таких местах новости? *(Вестям подводы не нужно.)* Пошли в Любочкино, пришли на Сашкин хутор, продрали с утра глаза – а все окрестные деревни, пять или сколько их там, уже знают, и кто они такие, и где их искать – и о том, что случилось с их машиной, не могут не знать наглоглазые посланцы, но смотрят при этом невинно и с надеждой... к Василию Ивановичу им самим, значит, неловко, а к полковнику Татеву – ловко... будем надеяться, полковник Татев сейчас выйдет и скажет нахалюгам, что думает.

– Опять пешком? Не пойду.

– Зачем пешком, гражданин полковник? Вот лошадки.

– Это что, подвода?.. До трассы потом отвезёте?

– Да Господи!

– Прогулялись? – хмуро спросил Василий Иванович. – Нервы успокоили? – Он перевёл взгляд на топтавшихся на пороге мужиков из трофимковской делегации. – А вас сюда кто звал? – Мужиков как ветром сдуло. Он вгляделся в тень за спиной Расправы. – Машка! Ты, что ли?

– Вроде как я. Василий Иванович, деда не видели?

– И этот полез, старый пень. Куда полез? Не видел.

Василий Иванович завтракал в одиночестве и сейчас был похож на партизанского командира. (Суровый такой и в явно затруднительной ситуации – каратели наступают на партизанский край.) О мужиках он многое имел сказать («Они как говорят? Ты нас не трогай, и мы не тронем. И что? А то, что брешут!»), но говорил это почти со смехом. Не доверял он им ни на грош («Мы, говорят, во всё верим: и в Бога, и в чёрта, и в советскую власть»), в глаза назвал сбродом – и при том не сделал малейшей попытки увернуться от ответственности за этот сброд. Свалилась вот ещё такая – не первая, не последняя – забота. Что уж тут.

– Казаров!!

– Чего кричите, Василий Иванович?

– Бензин у нас есть? Люди поели? Собирайтесь, поедете.

Щёки и нос у Василия Ивановича багровые, голос сиплый, речь и повадка ужасны – а ещё Василий Иванович хапуга и взяточник, – а вот скомандуй он «в ружьё», доцент Энгельгардт первый подскочит со всей готовностью.

– Пожалуй, и нам пора, – говорит полковник Татев. – Карета там в тыкву не превратилась?

– Как это пора? А деда искать?

– Не бойся, займёмся твоим дедом, – говорит Расправа Марье Петровне.

– Кто у нас альфа-самец? – вопрошает полковник с комическим воодушевлением. – Расправа у нас альфа-самец!

– Слова правильные, – говорит Расправа, – а тон как-то не очень.

Марья Петровна хмурится.

– Ты что, серьёзно? Вот так возьмёшь и уедешь?

– Сперва попрощаюсь.

– ...

– Это мещанский бытовой взгляд. А ты посмотри государственно. С высоты стратегического бомбардировщика.

– ...

– Маш, не дуйся. Давай со мной в город. Разберутся здесь как-нибудь. – Полковник суёт руку в карман, нащупывает начальные такты мелодии «Время, вперёд». – О, заработал. – Достаёт телефон, глядит на высветившийся номер. – И до чего некстати. Слушаю, товарищ генерал!

С телефоном в руке он выходит на улицу.

– Живёте полной грудью, – довольно говорит Василий Иванович. Марья Петровна, Расправа и Саша смотрят друг на друга.

– От себя лично – ничего, – говорит Василий Иванович Саше. – Вообще ничего. Веришь?

– Верю.

– Ну вот. А госбезопасность не верит. Во всех её видах.

– В каких?

– И тех, и этих. Прицепились, чёрные следопыты. Конечно, им эти деньги из-под земли достать надо – а чего из-под земли, когда можно из Василия Ивановича. А откуда у меня? Теперь-то в особенности?

Доцент Энгельгардт кивает и гадает, спроста Василий Иванович открывает душу или с тем расчётом, что Саша перескажет его откровения заинтересованным лицам. Он, Саша, не подряжался быть пешкой в чужих играх. (Как будто его спрашивали.) Ему неинтересно знать, по какой надобности, оказывается, Расправа и Татев приехали в Филькин. (Как будто не обидно узнавать стороной такие вещи.)

Василий Иванович меняет интонацию, как гордящийся своим мастерством писатель. (Вот так могу. И так. И так тоже!)

– Ты не представляешь, профессор, – с чувством говорит он, – ты вообразить не можешь, как я старался. Что тебе какой-то Филькин – восемьдесят три тысячи населения, два нестратегических завода... фабричка с пуговицами, на ладан дышит... кредит им льготный выпросил. Тебе это фу, а для меня – вся жизнь! Я для народа работал, для них вот, – отогнутым от кулака большим пальцем он тычет себе за спину. – Я как в войну! До последнего стоял! А то, что себя не обидел, – так кто бы меня понял, по-другому-то? В том же народе? Определили бы в психопаты, маньяки... эти, знаешь, серийные убийцы... И тут, держите, политика! Вы же не людей воскресили, мозговеды московские! Вы политику воскресили.

– Я из Петербурга.

– Да, верно. Ну это я так, не про тебя. Питер уважаю. – При этом вид у Василия Ивановича был такой, словно сказать он хотел «да один чёрт». – Вы чего ночью побежали?

«А я знаю?»

– Решили, что днём вы не отпустите.

– Ну? Это типа как волк Красную шапочку? Ничего не перепутали?

– ...А Казаров меня с кем перепутал?

– Чего?

– Меня к вам привели, а вы так посмотрели, словно ждали кого-то другого.

– Серьёзно? Так и посмотрел?

– Василий Иванович!

– Наверное, не глянулся ты ему. Он тут за начальника СБ. Вот и тренируется.

– Как вы с ним договорились?

– По-быстрому. Сам видишь, что творится.

– ...А вы о нём что-нибудь знаете?

– А зачем мне о нём что-нибудь знать? Зачем мне про этих знать вообще? Глаз, что ли, нет? Глазами не видно? Нужно побежать взять справочку... в эту... в ближайшую энциклопедию? Зотов вон тоже свои корни искал. Доискался...

«Кто такой Зотов?»

– Думал, что насквозь человека знаю – и что выходит? Ничего? Потому что дружки твои и без него, и без меня так решили? Над справочками подумав и сопоставив? И чтобы не дай бог кто узнал, чего эти справочки стоят?

– Мне им так и сказать?

– Хочешь – скажи, не хочешь – нет. Они тебе всё равно не поверят. У них написано, подписано и печать стоит.

Саша представляет, как полковник Татев сидит бочком на телеге, болтает ногой, напевает... что он там напевает? – Ну вот это: «Как... я буду без тебя... с кем... я буду без тебя...» Марья Петровна и Расправа поехали с Казаровым в Трофимки – может, вернутся, а может, и нет. Ему самому уже давно пора определиться, кто он, где и с кем, и иногда Саша думает, что вроде определился, а иногда – по-другому.

– Сожрут они тебя, профессор, – неожиданно сказал Василий Иванович. – Ещё бы не сожрать.

Вместо дедушки Марьи Петровны Расправа, Казаров и Марья Петровна нашли то, что осталось от его машины.

Марья Петровна так старалась не заплакать, что у неё потекло из носа. Расправа дал ей платок, а Казаров сказал, что сейчас они пойдут к отцу Николаю и всё разузнают... дескать, не умирай прежде времени... и почему-то все сразу подумали, что время придёт, ждать недолго.

Церковь в Трофимках была небольшая, новая, а священник, над которым так небрежно посмеялся доктор Старцев, молодой и добросовестный. Семью он, правда, ещё в конце лета отправил к родителям в областной центр, но сам остался и положился на Бога. (Сам я готов, сказал он доктору Старцеву. А детьми рисковать – это уже фанатизм. И доктор Старцев ответил: верно, на Бога надейся, а сам не плошай, – не совсем, может быть, то, что следовало сказать и услышать.)

Сперва ему показалось, что обошлось; ну, приходили и сурово спрашивали: патриарха признаёшь? и отец Николай с лёгким сердцем отвечал: признаю, – а кто какого патриарха имеет в виду, не начинать же заново через столько лет дискуссию об иосифлянах и сергианстве.

Обошлось-то обошлось, но был ведь ещё и отец Павел, и глаза отца Павла были черны от безумия. (Пожил в сарайчике и ушёл в никуда, не ответив ни на один вопрос, ни о чём не спросив.) Было из-под земли, из какого-то средневековья вылезшее изуверство и дикие, страшные суеверия. Было собственное начальство, накрепко заткнувшее глаза и уши, так что в большинстве приходов воскрешённых допустили к таинствам явочным порядком. (Скоро пойдут дети, которых принесут крестить, и все затруднения сами исчезнут: где найдётся такой священник, который скажет в глаза родителям, что Церковь ещё не решила, есть у их детей душа или нет.) И страх был тоже.

– Нечем вас порадовать, – сказал отец Николай визитёрам. – Михаила Ивановича... как бы это сказать... арестовали.

– Кто?

– Парамоновские.

– Тогда это не арест.

Верно; у группы лиц, которую официальные документы, дойди до них дело, будут именовать «бандитским формированием», нет права производить аресты. И как же тогда сказать: похитили? пленили – подобно прекрасным глазам? Схватили, поволокли, бросили в подвал или сарай и там заперли; вот так будет точно.

– У меня сложилось впечатление, что им понадобился заложник.

– Посылают к Василию Ивановичу ходоков, а сами берут заложников? Запасливые.

Марья Петровна посмотрела на Казарова и увидела, что тот не шутит: возможно, и сам бы так поступил, если б додумался. Расправа посмотрел на Казарова и увидел, что тот что-то задумал.

– Это правда, что на Василия Ивановича дело завели? – спросил отец Николай.

– Правда. Он в федеральном розыске.

– Может, когда придут за ним, и здесь заодно наведут порядок.

– Отписал уже, батюшка, куда следует? – спросил Казаров и криво улыбнулся.

– Не надо ждать, пока порядок на штыках принесут. Надо самоорганизовываться, – сказала Марья Петровна и разгневалась.

Расправа не сказал ничего, и отец Николай, отвечая, обращался к нему.

– Здесь есть самоорганизация. Только я не могу утверждать, что это лучше, чем если бы её не было. Слышали, что Парамонов свой дом комендатурой называет? Он ещё летом со сходом поссорился, заявил им, что предпочитает прямое управление горлопанству. Понятно, что большаки обиделись. А теперь с Василием Ивановичем такой казус. Если Василий Иванович по-настоящему начальник, хоть и беглый, то парамоновская комендатура получается липовая.

– При чём тут мой дедушка? Он не вмешивался вообще ни во что.

– Я тоже ни во что не вмешиваюсь. Но иногда мне кажется, что этого недостаточно.

– ...

– ...

– ...

– Вам это сейчас дико, а я чувствую, что для меня всё прежнее, другое – как приснившийся сон. Может быть, так в войну люди жили; с чувством, что война была всегда. Но если бы мне хоть кто-то сказал, за что я воюю.

– Мне кажется диким многое другое, – сказал Казаров. – Я не жалуюсь.

– Они неплохие, – закончил священник задумчиво. – Работящие. Детей берут... смертность-то детская какая была, теперь не разберёшь, чьи, если только не вся семья умерла разом. В хоре есть кому петь, опять же. Плохо то, что я их боюсь. Чаю попьёте?

От чая отказались. Когда они вышли, Марья Петровна, разглядывая неказистый домик и опустившийся без хозяйки огород, сказала, что священник совсем раскис и это никуда не годится. Расправа достал из кармана влажные салфетки и, вытирая руки, сказал, что если что здесь и раскисло, так это дороги. Казаров сказал:

– Берите машину, возвращайтесь к Василию Ивановичу. Я один тут похожу, поспрашиваю.

– Я тоже хочу ходить и спрашивать.

– И какой будет в этом прок, барышня? Кто с вами разговаривать станет? Кто станет разговаривать со мной, пока вы топчетесь рядом?

– Я думала, когда человек Василия Ивановича задаёт вопросы, на них отвечают. Кто бы там рядом ни топтался.

Казаров не стал ей отвечать и обратился к Расправе.

– Ну так что?

– Номер мне твой дай, – сказал Расправа и полез за телефоном.

– Что за скотина этот Казаров, – сказала Марья Петровна, когда они покатили назад в Лютиху. – Смотрит на меня, как на предмет. Как будто не видел освобождённую женщину. Комсомолок в красных платочках.

– Ему просто нужно было нас сплавить.

– Так что, зря мы сплавились?

– Нет, не зря. Пусть сделает по-своему. То есть это если ты хочешь, чтобы вообще что-то было сделано.

– Дед им не доверяет. Никому. Всей этой своре вокруг Василия Ивановича. И Василию Ивановичу тоже. И вам, позёрам московским.

– Да ладно. Я сам с Острогожска.

– И когда ты там был в последний раз?

– Незачем ехать. Никого не осталось.

– Извини.

– Да ладно.

– ...Почему ты мне помогаешь? Полковник не стал.

– Злишься, значит, на полковника?

– Ещё чего. Ничего не злюсь. Оберст паршивый.

– Оберст – это армейский полковник.

– А наш тогда как будет? Оберштурмбанфюрер?

– Это подполковник.

– Оберфюрер?

– А это выше полковника.

– У них вообще были в СС полковники?

– ...

– Несправедливо, что нам это нравится.

– Почему несправедливо? Мы же победили. Так, приехали. Вылезай.

– А ты куда?

– Ненадолго отъеду. Вы пока с доцентом посидите, как тихие мышки.

– А Василию Ивановичу что сказать? Какие у тебя дела на его машине?

– Скажи, чтобы Казарову звонил и спрашивал.

Марья Петровна пожимает плечами, закусывает губу, выходит из машины и смотрит на кренящиеся брошенные дома, на полуголые изжелта-серые деревья, вслед отъезжающему джипу. И пока она смотрит, начинает звонить её телефон.

Саша чистил картошку к обеду, и превращение в тихую мышку полностью отвечало его желаниям. Но он раз за разом оказывался во власти людей, чья воля неизмеримо превосходила его собственную, у него был большой опыт распознавания таких людей, и теперь ему хватило одного взгляда, когда Марья Петровна появилась, размахивая телефоном.

– Наконец-то. Ну как?

– Никак. То есть съездили никак, но мне сейчас с дедова номера позвонили, сказали, что идёт домой. Я побежала. Василию Ивановичу передайте, что Расправа скоро будет.

– Откуда он скоро будет? Кто звонил? Побежала куда?

– Куда-куда, в Тихое Лето.

– ...Может, Расправу подождём?

– А Расправе какое до этого дело?

«Никакого, – хотел сказать Саша. – Видимо, поэтому он и потратил полдня на твои проблемы». Вместо чего сказал: «Я провожу».

Какое-то время они молча шлёпали по грязи, потом Саша спросил, как прошла поездка, и Марья Петровна в энергичных выражениях рассказала, как. Больше всего её оскорбил не гендерный шовинизм Казарова, а неверие отца Николая в народные силы.

– А потом наши западные партнёры пишут, что мы можем самоорганизоваться только для пьянки или погрома.

– Это пишут не наши западные партнёры, а наша пятая колонна.

– Пятая колонна, значит, самоорганизоваться смогла?

– Я всегда считал, что в данном случае слово «колонна» – преувеличение и фигура речи.

Разговор о пятой колонне оживил в уме Марьи Петровны иной предмет её огорчений.

– Он на самом деле не такой, как кажется, верно? – спросила она после паузы. – Ну, Олег?

«Верно. В разы не такой».

– Когда начинаешь доискиваться, какой же такой, каким Олег кажется, на самом деле и начинается весь геморрой.

– ...Ещё раз.

– Он необычный. Опасный. Со вторым дном. Будет крайне печально обнаружить, что никакого второго дна нет.

– Полагаете, что нет?

– Полагаю, что ничего не хочу об этом знать.

– А если бы вы были в него влюблены, тоже бы не хотели?

– Маша!.. Я не такой.

– Да я теоретически. Ну, представьте, что это женщина.

Саша попытался представить на месте Олега Татева женщину.

– Таких женщин не бывает. А если бывают, то в них не влюбляются.

– Да, пример не очень хороший.

– ...Я давно хотел спросить, почему вы так ненавидите литературу.

– И работаю при этом в библиотеке?

– Нет, это-то как раз понятно.

– ...В последней книге, которую я пробовала читать, – медленно сказала Марья Петровна, – история началась с того, что хороший парень достал из мусорного бака щенка и познакомился с хорошей девушкой, но как-то сразу было понятно, что ничем хорошим это не кончится: и девушку в итоге убьют, и собаку, и самого парня тоже. Так, наверное, и оказалось.

– Наверное?

– Ну, когда я поняла, к чему всё идёт, я не стала дочитывать. Может, там кто-то и выжил – но непонятно зачем. И у меня всё-таки была надежда, что этот подонок, автор, пожалеет хотя бы пса. Это самое плохое, когда начинаешь надеяться, что кого-то конкретного не убьют, дадут жить спокойно.

У доцента Энгельгардта появилось искушение сказать, что с некоторых пор авторы вымещают на собаках и других персонажах собственную объявленную литературоведением смерть, но он устоял.

– Ну, не обязательно читать романы и с такой эмпатией на них реагировать. Есть научно-популярная литература. Мемуарная. Или труды по истории.

– По истории? Это такие, например, где рассказывается, в результате каких причин и стечения обстоятельств одних топят, а других жгут?

– Философия?

– Это там, где объясняется, как правильно топить и жечь?

– ...Ландшафтный дизайн?

– К чёрту ландшафтный дизайн! Как можно смотреть по сторонам и не думать при этом, что посреди самого прекрасного пейзажа сейчас кого-то убивают?

– Марья Петровна. Как ты всё усложняешь.

– Мы могли бы быть людьми, – говорит Марья Петровна. – Мы все могли бы. А кто мы вместо этого?

Ни в доме, ни рядом с домом следов дедушки не обнаружилось. Что хуже того, не обнаружилось следов жизни в его телефоне. Саша, струсивший ещё до того, как пуститься в поход, вотще призывал поспешить назад, укрыться от невзгод за прочной дверью и широкими спинами. Картошка уже сварилась. Расправа уже вернулся. Василий Иванович стоит на крыльце, покуривая, поглядывая и покрикивая – крутит хвостом приблудная жучка, – и пейзаж, на который никто не обращал внимания и вот вдруг обратили, обрадованно показывает всё своё лучшее, прекрасную ясность линий.

Марья Петровна нервно кружила по двору и оставалась глуха к увещеваниям.

– Кто это?

Калитку уже выбили пинком, уже к ним шли.

– Местные?

– Нет, это не местные.

– Казаровские?

– И не казаровские.

– Может, те, от Парамонова?

– Саш, – сказала Марья Петровна. – Тьфу, Александр Михайлович. Это какие-то совсем другие. Бежим отсюда.

– Заперли меня в моей же бане. Громят дом. Что теперь делать?

– Для начала вы могли бы извиниться.

– Это за что?

– За то, что не стали меня слушать. Если бы не ваше упрямство – –

– Это не упрямство! Это твёрдость характера. Зря ты со мной пошёл, вот и всё.

Доцент Энгельгардт потёр лоб. Их не били, но пока заталкивали в маленькую баню, Саша, пытаясь защитить упиравшуюся и визжащую Марью Петровну, приложился головой к косяку. Теперь в голове гудело, и там же складывался очень чёткий ответ на другой вопрос: не «что делать?», а «что будет?».

– Лобная кость – самая прочная в организме человека, – сообщила Марья Петровна, поглядев. – Её только топором проломить можно. Или пулей.

– Рад слышать.

– Если бы они сами разобрались, кто с кем здесь воюет, всем было бы легче.

– Согласен. Всё в высшей степени бестолково.

– Олег говорит, что это в порядке вещей, и думает, что на этом разговор окончен. Это глупо. Нужно сменить порядок вещей на какой-то более... подобающий.

– Поменять порядок вещей невозможно. Можно поменять только сами вещи.

– Что-то я тебя не понимаю.

– Можно поменять людей в правительстве. Можно поменять форму правления. Это ничто по сравнению с тем, что останется неизменным.

– ...Когда я была маленькая, мне в это окошко удалось вылезти.

– Попробуй, я тебя подсажу. А стекло тогда что, было выбито?

– Ну, в результате. Давай посмотрим, может, заработали.

Они ещё раз проверили свои бездействующие телефоны. Что-то мистическое происходило со связью в этих краях.

– Бесполезно.

– Пока бесполезно. Но рано или поздно обретёт смысл. Что им, интересно, надо?

«Ничего. Убьют нас и закопают. А тебя сперва изнасилуют. А я буду на это смотреть, если будет чем».

– Тебе не приходило в голову, что в той книжке, которую ты не дочитала, мог быть счастливый конец? Ну, про собаку, парня и девушку?

– То есть я сама виновата, что не дочитала?

– ...Нет, не уверен. Если там плохой конец, твоё поведение благоразумно, а если хороший – ты ничего не теряешь. Я спрашивал не совсем об этом.

– Да поняла я, о чём ты спрашивал. ...Как хорошо ты держишься.

«Помогите! Помогите!»

– Маша, я ужасный трус.

– А, ну это не помеха.

– ...Так что, стекло выбиваем?

В эту минуту дверь распахнулась, в светлом проёме появился чёрный силуэт, и родной голос спросил:

– Как дела, шахиды?

– Олег!!!

– Тише, тише. Ты меня задушишь.

– А дедушку ты нашёл?

– Я и вас-то не искал.

– А здесь как оказался? Опять мимо проходил?

– Я сделал что-то не то?

(«Я кажусь тебе неблагодарной, – сказала потом Марья Петровна Саше, – но меня бесит, когда из меня делают дуру».)

Они выбрались наружу. После того как полковник Татев упал молодым Рэмбо с неба, Саша ожидал и боялся увидеть живописно разбросанные трупы и части тел поверженных врагов, дым над развалинами, чёрную кровь, а увидел, с некоторым разочарованием, что все враги в добром здравии, и их предводитель без стеснения препирается с Казаровым. Из дома, торопливо распихивая что-то по карманам, вышел мо́лодец в шерлокхолмсовской шапке с козырьком.

– Это Костина шапка, – тут же сказала Марья Петровна. – Дачника питерского. Убили Костю, сволочи, и шапку спёрли.

– Может, не убили. Может, он эту шапку сам обменял на что-нибудь.

– На что? На свою жизнь?

– Они ещё не начали убивать всерьёз, – сказал полковник. – Мне вот интересно, что будет, когда начнут.

Людям кажется, что всё понарошку. Что вот есть они с их огромными трудностями и богатым внутренним миром – а весь остальной мир как будто нарисованный. И трудности там нетрудные, и внутренности ненастоящие.

– Кто они такие?

– Чёрт их знает. Фрилансеры. С обычной для фрилансеров нуждой в деньгах.

Подошёл Казаров и подтвердил это предположение.

– Они хотят выкуп.

– А «тяжёлых» они сюда не хотят?

– Не знаю, о чём ты, но Парамонов сменял Михаила Ивановича на брата их вожака и теперь продаёт. Наверное, решил, что на самом Михаиле Ивановиче денег не поднять.

– ...Быстро вы включились в новое капиталистическое мышление.

– Это не капиталистическое мышление. Это деревня. Платить будешь?

– Буду, буду. Я всем заплачу. Не дави слезу, Марья Петровна. Сказал же, разрулим.

«Так ты будешь платить или разруливать?» – подумал Саша. В голове его отдалённо, застенчиво шелестело – словно уже отсчитывали купюры быстрые руки.

Ночью горел Сашкин хутор. Ночью фельдшерский пункт в Трофимках выдержал осаду. Необъяснимый разгром случился ночью в самозваной комендатуре Парамонова – и ещё один начинающий царёк, вернувшись с добычей, но на пепелище, зарёкся искать счастья на путях вымогательства и разбоя.

Утром за завтраком в Лютихе почти от всех пахло гарью, и невозможно было сказать, кто поджигал, а кто тушил, и невозможно было определить, знают ли они сами, что в точности делали. (Хотя уверены, что не делали ничего плохого.) В них было спокойствие совести, уверенность, с какой садятся за стол после рабочего дня трактористы, врачи, представители полезных и мирных профессий. Здесь же за столом обнаружился дедушка Марьи Петровны, и дедушка был разъярён и не сломлен. (Этим отважным старикам недолго осталось, подумал Саша, и будут ли старики, которые придут им на смену, такими же? Каким стариком будет он сам?)

– А где Расправа?

– Баню топит. Пойдём, подышим воздухом.

Саша потащился за полковником Татевым. Они дошли до бани, из всех щелей которой шёл дымок, и уселись на старом бревне, бывшей границе бывшего огорода.

– Чего куксишься?

– Думаю о связи литературы и жизни, – честно сказал доцент Энгельгардт.

– Есть связь?

– Вот и Марья Петровна думает, что нет. Ладно, я не так выразился. Я имею в виду связи между людьми. Родственные связи. Дружеские связи. Связи случайных знакомств. И всё это обязательно каким-то боком касается литературы.

Саша сказал «связь литературы и жизни», но думал и чувствовал – «связь литературы с жизнью спецслужб и заговорщиков», и примеры, которые он привёл, говорили именно о такой связи. Известный провокатор Дегаев – по матери внук Николая Полевого. Жандармский полковник Судейкин, который с Дегаевым работал, – отец художника Сергея Судейкина, того самого, подарившего М. Кузмину картонный кукольный домик. Разработка плана убийства Судейкина и совещания проходили на квартире библиографа и литературоведа С. А. Венгерова.

– Какая у тебя интересная специальность. И много ты такого знаешь?

– Немного. Была бы интересная, если бы её не поганили такие, как я. Рассказать, как убивали Судейкина?

Убивать полковника пришли втроём; Дегаев выстрелил ему в спину, а Стародворский добивал ломом. Лом в руках рослого Стародворского задевал низкие потолки, Судейкин поднимался, убегал и отползал; можно представить, сколько было крови. Третий участник акта, Конашевич, впоследствии сошёл с ума. Стародворский через двадцать лет вышел из Шлиссельбургской крепости и выразил желание сотрудничать с Департаментом полиции, на чём его и поймал в разгар пропагандистского – в пользу и на деньги революции – турне по Европе неукротимый Бурцев. Созванный третейский суд под председательством Мартова постановил, что улик для доказательства виновности Стародворского недостаточно. (Улики были предоставлены после Февральской революции.)

– Что он там делает в этих развалинах? Проще в ведре воды нагреть.

– Я могу вымыться и холодной.

– Я могу вообще не мыться. А что там с этим художником, сыном, было дальше?

– Ничего особенного. Он в семнадцатом эмигрировал, потом оказался в Нью-Йорке. ...Знаешь, я что подумал? Дегаев ведь тоже оказался в Америке – математиком там стал, профессором. Сергей

Судейкин вполне мог пересечься с потомками Сергея Дегаева.

«Мой друг уехал без прощанья,
Оставив мне картонный домик.
Милый подарок, ты – намёк или предсказанье?
Мой друг – бездушный насмешник или нежный комик?»

– ...А полковника Судейкина звали Георгий Порфирьевич. Забавно, да?

– Почему забавно?

– Ну, потому что можно вообразить, что он сын Порфирия Петровича.

– ...

– Извини, Олег. Это персонаж из «Преступления и наказания». Ещё раз извини, но я всегда думал, что уж Порфирия Петровича вы, в органах, должны знать. Даже, я бы сказал, им восхищаться. Как иконой стиля.

– Икона стиля, говоришь? Для нас, парней из органов? Надо будет почитать.

«Черт тебя знает. А если ты не шутишь?»

– Да, я люблю незатейливо пошутить. Расправа! Ещё не угорел?

– ...Теперь здесь уляжется?

– Какое тебе дело, уляжется здесь или нет? Какое мне до этого дело?

«Ты давал присягу».

– Ты вернулся.

– Не получилось уехать. Расправа! Знаешь, о чём я подумал?

– Уймись, клоун.

– Олег, ну в самом деле...

Продолжение фразы Саша мудро проглотил. Он мог бы, конечно, сказать: «ты офицер», а мог бы – «тебе их что, совсем не жалко?». Потом он вспомнил, как один из анархистов на хуторе сказал: «Считаю виною бед в деревне не советскую власть, а узурпировавших её коммунистов», а Леонид тогда ответил: «Мужик – вот главная вина бед в деревне».

– ...Ты бы представил, каково людям под пытками.

– Зачем представлять? Я знаю.

После ужасов деревни Филькин показался Саше сияющим столпом цивилизации – столпом и оплотом. С горячей благодарностью он смотрел на асфальт, каменные дома, киоски с цветами или газетами, сапоги на шпильках, инфантильных юношей в бушлатиках. Витрины парадной, нарядной центральной улицы отразили его потрёпанных товарищей. Вот он сам – усталый и во всех смыслах испачкавшийся. Мы так сблизились, подумал Саша, а говорить об этом или о том, что было, совсем не хочется.

Ввалились в AMOR FATI, сели у окна. Заказали столько, что Расправа показал встревоженным незнакомым официанткам деньги, а полковник Татев – удостоверение. (Перебор. Лица девушек стали неживыми, обречёнными, и да, если хотели успокоить, то какое-то успокоение мученичества проступило из-под румян и краски.)

Пока они ели, поглядывая на улицу... хорошие, широкие окна в AMOR FATI, хоть бы с таким окном и на Невский, а местные не очень любят, не хотят, чтобы те, кто пойдёт мимо, их, жующих, разглядывали, даже самые модные из местных к окну не садятся... пока они ели и поглядывали, по тротуару перед кафе прошла женщина в облегающем красном кожаном пальто.

Полковник Татев увидел Климову, Саша – девушку с фотографии, Расправа – красивую блядь, Марья Петровна – *ту самую.*

– Кто это? – спросил Саша, не удержавшись.

– Никто. Шмара наша городская.

– ...

– Образ проститутки сильно романтизирован. На самом деле это тупая жадная корова, у которой нет мозгов для чистой работы, а идти мыть полы ей лень и в падлу.

Мужчины смеются.

– Ну типа того, – говорит Расправа. – Она у тебя никак парня отбила?

– Я не дружу с такими парнями, которые ходят к блядям.

– Правильно, – говорит полковник.

Саша смотрит в окно, стараясь так, чтобы поверх голов – никаких других людей и особенно женщин он сейчас видеть не хочет, – и думает, что в жизни девушка даже красивее, чем на фотографии, на фотографии не было этой чувственной скользящей походки и до ненависти смелого взгляда. «Чувственная скользящая»? это что же, идёт и жопой виляет, если сказать проще? Какими словами подумать о красоте, чтобы получилась красота, а не дешёвая дешёвка? (Немного детский, но достигающий цели способ гиперболизации: чудовищные чудовища, скотина скотская.) Ах, никакими.

– Ну, друг троцкистов, готов к новым подвигам?.. Саша?

– Да. А, нет. Я демобилизуюсь.

– Демобилизация без приказа называется дезертирством.

– ...Ну так подпиши приказ. По армии.

– Почему это я? У нас Расправа альфа-самец. Пусть он подписывает.

– Пойду руки помою, – говорит Расправа.

– Ты их уже помыл. Трижды.

– Тебе завидно?

Они ещё немного посидели и разошлись. Расправа отправился к Сове сообщить о судьбе одолженной машины, Марья Петровна – домой, Саша, оставивший вещи и ценности у дяди Миши – в общежитие. Полковник Татев постоял на тротуаре, покрутил головой, но в итоге решил искать не Климову, а химчистку.

В комнатке у дяди Миши и Кошкина появился телевизор. Саша, который знал, что в современных обстоятельствах это последний нужный человеку предмет, растерялся и спросил, от каких спонсоров пришла такая странная помощь и нельзя ли её обменять хотя бы на велосипед.

– Сами купили.

– Зачем?

– На страну посмотреть интересно. И сопредельные государства.

– Но это же официоз, – сказал Саша. – Пропаганда фальшивых ценностей и дурного вкуса.

– Чем же эти ценности для тебя фальшивые?

Как умел, доцент Энгельгардт объяснил про зачистку политического пространства, МВД и коррупцию.

Он привык к тому, что объясняет всегда кто-то другой, а он, Саша, только согласно в нужных местах кивает, и теперь говорил и параллельно задумывался, что это он такое говорит, зачем лично ему сдалось политическое пространство и как может осуждать коррупцию лично он, который денег за оценки, конечно, не берёт, но при этом без зазрения совести ставит «удовлетворительно» и даже «хорошо» там, где нужно устраивать скандал с последующим отчислением, и делает это когда из равнодушия, когда из жалости, а главным образом – чтобы не таскаться на бесконечные, ничего не меняющие переэкзаменовки да не объясняться с деканатом, как это он так учит, что не может выучить. Небось не хирургия, пациента не зарежут.

Дядя Миша почесал в затылке, посмотрел на Кошкина.

– Ты не говорил, голубчик Энгельгардт, что коммунист.

– Я не коммунист. Я даже не сочувствую левым идеям. То есть сочувствую, но немножко. Не во всех аспектах.

– Верно, беда с этими аспектами.

– Лучше бы купили себе пальто.

– Может, шубу сразу? – насмешливо спросил Кошкин.

– Шуба вряд ли пригодится. У нас глобальное потепление.

– ...

– А вас не смущает то, что по этому телевизору говорят о вас самих?

Поскольку воскрешённые были нацпроектом, телевизор не мог вовсе не освещать их жизнь и заботы. Но всё меньше было репортажей с мест, и всё меньше в этих репортажах – прямой речи.

– О! Это, скажем так, официальная часть. Её неплохо бы знать. И она никому не страшна, в отличие от неофициальной.

– Это как?

– С людьми можно сделать вообще всё, – сказал Кошкин. – И не обязательно спецметодами. Посмотрите хотя бы, что сделали с вами.

– А что с нами такое сделали?

Кошкин небрежно взял пульт дистанционного управления и нажал кнопку.

– Что вы видите?

На экране появились две морды и несколько харь, обладатели которых, сидя за большим столом в кабинете с портретом И. В. Сталина на стене – стол покрыт красным, шляпы небрежно брошены, галстуки отпущены, – жадно делили украденное у детских домов и заводов, и камера оператора неподкупно замирала на их жирных загривках. В следующем эпизоде гражданин с умным волевым лицом и в кепке, облокотясь на стол попроще, объяснял угрюмому протагонисту преимущества воровского закона перед советским.

– Это сериал о ментах и бандитах. В стиле ретро. Время действия, – Саша прикинул на глазок, – после войны, но до 1956 года. И что?

– Какими идеями проникнется привыкший к подобным картинам молодой человек?

«Никакими».

– Молодые люди телевизор не смотрят.

– Неужели?.. Между тем, это мощная идеологическая обработка: представить партийное начальство, от секретаря горкома провинциального городка и выше, шайкой бессовестных алчных воров; воров, уголовное отребье, представить последней опорой порядка в хаосе беззакония; советскую власть – то ли неспособной с этим справиться, то ли прямо поощряющей... и при всём том ни у кого не возникает вопроса, как под руководством невежественной мрази страна выиграла войну, восстановилась и покорила космос?

«Боже мой. Где сейчас ты и где – покорение космоса?»

– Может быть, авторы таким образом намекают на современную ситуацию? И обличают не советскую власть, а преемственность поколений?

– Неправда. Про вашу современность я посмотрел тоже.

Да; и как же изображают современность?

Родную милицию со всей очевидностью отдали киноискусству на откуп – и порою доходит до жертвоприношения, – зато нет ни одного сериала о чиновниках, о тихих буднях какой-нибудь московской префектуры, не говоря уже о Госдуме и президентской администрации. (И как подумаешь – собственный «Карточный домик» это единственное, чего стране не хватает.) Но почему МВД? именно МВД, а не ЖКХ, РИА новости или повседневная жизнь крупного рынка?

Уже лет десять никого не удивляет, что из фильма в фильм органы охраны правопорядка с волшебной свободой, будто и не предстоит за каждый патрон отчитаться, лупят из табельного на оживлённых улицах и в помещениях торговых центров по убегающим подозреваемым, – а попробуй кто изобрази в том же виде ребят из ФСО? и даже если признать, что и одного ужасного пугала достаточно над огородом, иначе это и не огород будет, а паноптикум, то всё же с какой целью драпируется оно именно в милицейский китель? и именно скандалы с этими майорами и подполковниками прямиком из газеты попадают в новый телесезон?

– ...Может, вам попробовать смотреть сериалы на других каналах? Про молодёжь? Или американские?

– Да, наверное. Американское – это то, чего мне не хватает.

«Вот если бы ты в тридцать седьмом выпутался и пережил войну, то смотрел бы после войны трофейные и союзнические фильмы, а теперь не судил, о чём не знаешь».

– Простите.

– Прощаю. И перестаньте вы всё время извиняться, Энгельгардт, институткой себя чувствую.

– Ну, – сказал Саша, – это не страшно. Никто другой перед вами всё равно не извинится.

Когда Кошкин, допив чай, ушёл по своим делам, дядя Миша хитро улыбнулся и сказал:

– Демонстрацию готовит. К седьмому ноября.

– Нелегальную?

– Да зачем же. Показывал мне бумажку с разрешением.

Саша представил Кошкина скучно возящимся с разрешённой демонстрацией и усомнился.

– Ничего странного. Ты хоть понимаешь, в каких чинах этот человек был? А человек в больших чинах, скажу тебе по себе, видит ситуацию im Grossen – если, конечно, он способен что-то видеть – и никогда не видит частностей. Для небольшого настоящего дела капитан нужен, майор, а генералы смотрят на карты сражений... На таких картах небольшие дела неразличимы. Зато общий план как на ладони.

– Так уж это и генеральное сражение, разрешённая-то демонстрация. Скорее дымовая завеса.

– Плохой симптом, голубчик Энгельгардт, когда заговоры всюду мерещатся. Это означает, что ты поверил в их действенность. Того гляди, станешь заговорщиком сам.

– Мне нет ради чего.

– ...Давай-ка мы пройдёмся краны проверим. Чинили на днях, погляжу, как работает.

– ...

– Идём, говорю. Где маленький порядок вокруг себя, там и чувство большого порядка. Что-то вроде готовности к самообороне при всяком бедствии.

Седьмому ноября, как известно, предшествует четвёртое, и в город Филькин, в преддверии даты, прислали из Москвы нового мэра.

Филькинская общественность – частью раскатавшая губу на пустое кресло, а частью свои ожидания и проплатившая – встревожилась, и даже те, кто ни за что не платил и ни на что не претендовал, хмурили лбы: ну не любят в провинции эффективных московских менеджеров и загодя ждут от них всякой пакости и начинаний не столько в дурном, сколько дурных. Когда же новый мэр оказался либерал и красавец, с молодой холёной бородкой и умными глазками, местные, от госаппарата до таксистов, перевели дыхание и стали гадать: на кормление его пустили, в ссылку или прямо в расход.

Как Ивану-царевичу, мэру предстояло пройти заколдованными дорогами тридевятого царства...

железные сапоги истоптать... каменные хлебы сгрызть... одних чудовищ перехитрить, с иными сразиться, и первым в череде испытаний должен был стать День народного единства, праздник, предъявляющий миру нашу консолидацию вокруг национальных интересов и фундаментальных ценностей.

Несчастливый этот выходной не заладился с самого начала: настоящим днём консолидации население считает 9 мая, а в пику на митинги под красным флагом всё чаще ходят не только старички, на которых можно положиться, что они невдо́лге естественным образом перемрут. И даже те, кто к седьмому ноября равнодушен, ликовать четвёртого не спешат. Вот и посмотрим, сказала Москва своему эмиссару, как ты умеешь консолидировать, а в особенности – предъявлять: чтобы утром помаршировали на свежем воздухе, днём вспомнили о связи времён, а вечером выпили, закусили и посмотрели трансляцию торжественного приёма в Кремле.

Делать нечего; каменный хлеб сам собой не съестся – а эффективный менеджер потому так и назван, что накрывает стол не себе, а другим. Игорь Львович Биркин (двоюродный брат Виталика, кипучему легкомыслию Виталика и всей его деятельности явно и подчёркнуто неблаговоливший) поскрёб... нет, про такого не скажешь «поскрёб в затылке» или «почесал репу», даже и не смешно, достаточно поглядеть, как он отдраен, отполирован, и при этом смотрит славянофилом... да! это славянофилы новейшей, наконец-то, формации, чистюли и франты... в общем, провёл Игорь Биркин рукой по пробору и созвал жителей Филькина, и чудовищ, и сказочных животных, посовещаться.

Нежданно-негаданно совещаться пригласили и Сашу: так он узнал, что стал фигурой филькинского ландшафта. (Фигурой, но не персоной. Персоны собирались без огласки, в кабинетах, на дачах и в банях, их общение состояло из отрывочных, вроде бы и не к делу, слов, перемигиваний, жестов – всё на дуновениях... на эманациях...)

Встречу назначили в библиотеке, библиотека предоставила малый конференц-зал. Там, за большим овальным столом, обычно собиралась литстудия, и Игорь Львович, знакомясь с площадями и пространствами, как глянул, так обомлел: настоящий дубовый стол, не то что прежних времён, а времён плюсквамперфекта; барство за ним сиживало, земство, рыцари короля Артура, глянешь, дотронешься – и сам ты барин, рыцарь, под рыцарем конь... скачи... бей копытом... и сопровождавшие Биркина заведующая и Вера Фёдоровна обомлели тоже: положил москвич зоркий глаз на библиотечное добро, перетащит к себе в мэрию, если не сразу на квартиру... из краеведческого музея вещи только так пропадают, чекистский генерал ходит туда, как к себе в кладовку... Ну нет! пусть только попробует! И пожилые женщины переглядываются – грозный огонь в глазах! – а новый мэр, даже не подозревая, что докатился до кражи библиотечного имущества, просит провести заседание именно здесь.

Когда Саша пришёл, стол был на месте, и вокруг него уже рассаживались.

С Сашей поздоровалась Вера Фёдоровна. (Приятная женщина со стальными душой и нервами.)

Его познакомили с директором краеведческого музея. (Приятный мужчина с бесконечно усталыми глазами.) Ему показали главного редактора филькинской газеты. (Бодрый, быстрый. Не Сыщик и не Любочкин; сам вообще не пишет.) Большинство воскрешённых он знал. Вот профессор Посошков: чем-то озабочен, но не забыл кивнуть и улыбнуться. Вот Брукс: тоже кивнул, удивлённо и свысока. Кошкин, серьёзный и сдержанный, с разрешением на демонстрацию в кармане. Тридцать четвёртая комната почти в полном составе. Дядю Мишу почему-то не пригласили: видимо, маленький порядок вокруг себя – это для становления гражданского общества несерьёзно, а серьёзно – громкие речи, газетные фельетоны и толкотня на митингах. Брукс был – а дяди Миши нет, не было.

Ну, стало быть, расселись. (Не без вежливой борьбы за место рядом с мэром или прямо напротив.) Игорь Львович приветливо смотрит на присутствующих и говорит, что присутствующие наверняка понимают, каким необычным получится четвёртое ноября на этот раз. (Саша смотрит в окно; за окном стоят человеконенавистнические дни октября с их тяжёлой серой мглой, грязью дорог и осклизшими от ливней и мокрых вьюг деревьями.) Подлинное единство, говорит Биркин, заключается в том, что все мы, столь разные по жизненному опыту и устремлениям, готовы сплотиться, когда речь заходит об основных, базисных условиях существования государства – перед лицом кризиса, внешней угрозы и иных вызовов времени. (Вот прямо сейчас бледный красивый парень из тридцать четвёртой комнаты, боевик, бывший Марьи Петровны, идёт, аккуратно озираясь, по аллее центрального парка к ротонде, творению ссыльного архитектора, а из ротонды ему навстречу выходит полковник Татев и показывает удостоверение.) Когда-то, говорит Биркин, великой России предпочли великие потрясения. (Вот эти самые люди, думает он. Рехнуться можно.) И лишь зайдя в исторический тупик, мы осознали, насколько пагубен был путь бескомпромиссной вражды, революционной ломки устоев и отказа от наследства. Устои – это устои. Наследство – это наследство. Вы согласны, Александр Михайлович?

Подлинное единство, говорит Саша и задумывается. Что такое подлинное единство? Наш язык? Наши могилы? Слёзы на Девятое мая? Как мало в России бесспорного, и всё-таки кто осмелится сказать, что его нет? Да, говорит Саша, я согласен. (Вот прямо сейчас фон Плау мечется по съёмной комнатке в кособоком старом доме, а Казаров смотрит на него, прислонившись к стене, и опускает глаза каждый раз, когда тот оборачивается.)

Кошкин замечает, что у него есть дозволение властей провести коммунистическую манифестацию в день годовщины Великой Октябрьской социалистической революции, и ему не очень понятно, о базисных основах какого государства идёт речь.

Да, говорит Игорь Биркин, да, безусловно. (Моральные уголовники, думает он. Это просто моральные уголовники.) Для того мы и собрались, чтобы обсудить...

– В Центральном комитете ПСР приняли решение идти под национальным флагом, – говорит профессор Посошков. – Но мы категорически против черносотенных флагов и не станем участвовать, если власти их разрешат.

Какое же это будет единство, думает Саша.

– Какое же это будет единство? – говорит кто-то.

– Единый фронт врагов революции, – говорит Кошкин.

– Мы, партия социалистов-революционеров, никогда не были против советской власти! Не подменяйте советскую власть большевиками!

– Анархисты пойдут оба раза под своим флагом.

– Что, и анархисты четвёртого пойдут? Отчего же это черносотенцам нельзя, а анархистам можно?

– Не смейте сравнивать!

– ...Одну минуту...

– Отребье уголовное!

– ...Одну минуту...

В поддержку мэра нужно сказать, что он и не подозревал, что вопрос о флагах превратится в центральный. Он-то думал, что заартачатся из-за даты, из-за лозунгов. Оказывается, нет: с удовольствием пойдут и седьмого, и четвёртого, особенно если намекнуть, что без четвёртого никакого седьмого не будет. Никаких претензий к национальному единству. Полное неприятие экстремизма. (Власти по инерции придерживаются мнения, что красные флаги безопаснее русских маршей.) Всё было хорошо, пока не начали выяснять, кто под каким флагом пойдёт, не пойдёт или лучше умрёт, чем окажется рядом.

Для профессора Посошкова триколор – это русский национальный флаг, флаг Временного правительства, Учредительного собрания. Для Кошкина, левых эсеров, анархистов это символ Добровольческого движения, символ контрреволюции... национал-предателей, чего уж там. (Но, с этой точки зрения, кто из них не национал-предатель? Одни подписали Брестский мир. Другие содействовали интервенции. Россия XXI века пытается – отделив хорошее от хлама – наследовать и тем, и другим... Россия XXI века ласковое теля, она даже Первомай празднует под знаком растущей солидарности трудящихся и эксплуататоров... наследует и не желает знать, что тогда, сто лет назад, Россию предали все. Вот поэтому у нас День единства – 9.05, а не 4.11. Поэтому почти нет вопросов к дедам и очень много – к прадедам.)

Саша не успел улизнуть и попался: прямо к нему шёл Вацлав, человек в сером, человек с глазами серийного убийцы. Не дёрнешься. Не побежишь. Даже если побежишь – догонят.

– Мы до сих пор не знакомы, – сказал убийца, протягивая Саше обезображенную руку. – Иван Кириллович считает, что я вас напугал. Понапрасну обидел... Если так, сожалею.

– Нет-нет, ничего. Ничего страшного.

«Ещё как страшно! Ещё как!»

– Наслышан о ваших приключениях.

– Да какие там приключения...

Доцент Энгельгадт в отчаянии оглянулся: помощь идёт? Никому не было до него дела, одни расходились, другие отворачивались. Профессор Посошков говорил что-то мэру, и тот покорно слушал.

Сзади его тронули за плечо. Он обернулся и увидел Кошкина.

– Смешные вы люди, – сказал Кошкин. – Думаете, что поставили памятники государю императору, Деникину и кому там ещё и перечеркнули тем самым прошлое?

– Но ведь и Ленину памятники стоят, – и Саша махнул рукой предположительно в сторону Соборной площади. – Вы сами видите.

– Вижу. А также вижу оболваненную молодёжь, которая эти памятники снесёт по первому знаку.

– Здесь? В Филькине?

– А что же Филькин, вне процессов?

«Вот именно. Здесь процессы – только природные».

Ещё прежде Саша заметил, что профессор Посошков при всех поздоровался с Кошкиным – сухо, но поздоровался, все прочие делали вид, что этот одноглазый внимательный человек находится в какой-то другой реальности – рядом, говорите, сидит? нет, никого не видим, – и чем больше Кошкина игнорировали и сторонились, тем сильнее проглядывали сквозь показную отчуждённость непоказные страх и ненависть.

Вацлав сейчас смотрел с нескрываемой ненавистью.

– Когда пролито столько крови, – сказал Кошкин в ответ на этот взгляд, – наступает минута, когда уже невозможно признать, что кровь была пролита зря. Да эта кровь к небесам завопит.

– А так она не вопит?

– А так можно делать вид, что не слышно, – сказал Вацлав.

И опять эта всёсжигающая ненависть. Как же ты умер? подумал Саша. Как ты жил до того, как? (А Кошкин молчит, молчит и улыбается, если это улыбка.)

Классический образ левого эсера – это авантюрист без твёрдых убеждений, преступно легкомысленный, герой беспардонной партизанщины; в его деяниях – гремучая смесь удали, наглого счастья и неприязни ко всякой дисциплине. Это и Д. Попов со своим «лихим, но очень распущенным» отрядом, и расстрелянный после июльского мятежа зампредседателя ВЧК В. А. Александрович, и куриозный полковник Муравьёв, на предупреждения о вредной деятельности которого Ильич отвечал: «Ерунда, ему уже некуда переходить, кто его примет». В большинстве своём эти люди полегли на полях революционных битв и заговоров либо, как ренегат Г. Семёнов или фальшивый убийца графа Мирбаха Блюмкин, перешли к победителям-большевикам на закордонную работу. Никто из них не представим в мирной жизни. Никого из них, кстати сказать, и не воскресили.

Лихач был точно таким же, но не с таким громким именем и не с таким багажом. В 1923-м он из тюрьмы попал в ссылку, в 1924-м из ссылки бежал и скитался по стране – нелегальный, без фамилии. Он мог погибнуть при подавлении восстания Ускова в тридцать первом. Он мог погибнуть при подавлении одного из тринадцати тысяч крестьянских бунтов в тридцатом. (Около тринадцати тысяч бунтов за один год, более двух миллионов участвовавших, волна поджогов, самосудов, убийств местных чиновников и активистов. Первый секретарь обкома ЦЧО Варейкис пришёл к выводу, что «там, вероятно, существует определённый эсеровский центр, который руководит этим делом».) Он погиб, хорошо зная, за что именно, и только в XXI веке почувствовал себя сломанным.

Будь он настоящим бешеным, он бы знал, что ему делать. (Бешеным и вдобавок неграмотным.) Будь он полностью предоставлен себе, ушёл бы по стране скитаться. (Один-то раз получилось, и неплохо: с бродягами, голытьбой, с живыми богами сектантов, с анархо-подпольниками, которые в 1925-м массово выходили из тюрем и быстро оказывались на нелегальном положении.) Как-то он не успел, не просчитал, слишком скоро попался под руку... в умелые руки... и теперь проходит предопределённый путь от конференций старых партийцев до ротонды в центральном парке города Филькина, где вместо назначившего ему встречу человека видит полковника Татева и его удостоверение.

– Знаешь, кто я? – Полковник вгляделся в ставшее замкнутым лицо. – Знаешь. Давай поговорим.

– С чего ты взял, что я буду с тобой разговаривать?

– Выбора у тебя нет. ...Улыбаешься?

– Вспоминаю, сколько раз за эти месяцы я слышал эту фразу.

– И от кого же?

– Нет, господин полковник, я не доносчик.

– Товарищ полковник.

– Мне ты не товарищ. Что-нибудь ещё?

– Личный вопрос. Зачем такому герою подставлять девушку?

– Девушку? Ах, девушку... И чем она так тронула сердце полковника из охранки?

– Это в мои обязанности входит. Таких девушек защищать.

– От них же самих? понимаю... Знаешь, Татев, ты впустую тратишь казённое время. Если тебе *сотрудники* нужны, ты сейчас не по адресу. Поскреби, поищи... Может, найдёшь каких жандармов бывших. А я с охранкой не стану... сотрудничать.

– Да и не надо. Своим коллегам по-любому будешь объяснять, как ты здесь оказался. У социалистов это типа спорт, поиск провокаторов.

– ...

– ...

– ...Тот человек... От которого пришло сообщение... Он...

– Человек, от которого пришло сообщение? А, он ни сном ни духом. Сейчас не обязательно кого-то заставлять посылать сообщения. Даже телефон его у него из кармана вынимать не нужно. – Полковник Татев достаёт собственный мобильник и с любовью его рассматривает. – Дивные в XXI веке технологии, правда? Но у всяких дивных технологий есть оборотная сторона. – Он смотрит Лихачу в глаза. – А самое дивное в том, что ты теперь своего товарища – он-то тебе товарищ? – будешь подозревать, подозревать и мучиться. Правду я тебе сказал или нет? Поверить охранке или не поверить? А товарищу ты своему поверишь, когда он тебе скажет то же самое, что я? Понимаешь меня? Чуешь, чем пахнет?

Он дружески, со смехом треплет Лихача по плечу, и тот настолько ошеломлён, что даже не сбрасывает руку. Потом Лихач делает шаг назад, поворачивается и молча уходит. Обождав, полковник свистит. Из скрытых ротондой кустов выбирается Зоркий. (Кусты почти полностью облетели, но если не обойти ротонду кругом, не изучить всё внимательно, не заметишь, что в кустах всё это время сидел человек с камерой.)

– Ну что, всё заснял? Покажи.

– Только не знаю, как со звуком.

– А звук нам ни к чему, звук мы уберём. Вот так... И так... Отлично. Встреча на Эльбе.

– Товарищ полковник..?

– На Эльбе, на Эльбе. Займись наконец историей, Зоркий. Тебе что, совсем не интересно?

– Да какая это история, товарищ полковник. Сплошные буржуазные фальсификации.

– Например?

– Ну чего например... Дело же в общем подходе, а не в примерах. А общий подход – махрово реакционный!

– ...Это ты про государя императора?.. Или, там, генерала Власова? Власов-Власов, так и есть. А что флаг... флаг, конечно... Нужно абстрагироваться. Тот, да не тот. Но при чём тут Второй фронт? Погляди на фотографии с Ялтинской конференции: Черчилль, Рузвельт и Иосиф Виссарионович... в креслицах... на терраске... Всё путём.

– С империалистами-то!

– Империализм, Зоркий, в настоящий момент реабилитирован.

– ...

– Не веришь?

– ...

– Имеешь возражения?

– ...

– Вот и хорошо.

– ...И мы ведь не деревянные, товарищ полковник.

– Конечно, не деревянные. Вы стальные. Меня так учили.

– Сколько лет мы знакомы? – спрашивает фон Плау.

Казаров хмурится и считает:

– ...С Вильны. Шестнадцать.

– Семнадцать. И сколько раз за это время я тебя обманул?

– Ты имеешь в виду, сколько раз мне удалось схватить тебя за руку? Ни разу.

(Разбита моя жизнь, думает Казаров. И даже не на осколки, которые яркие и блестят и могут порезать, а в пыль и прах... мелкую бесцветную пыль.)

– Не прими за угрозу. Прошлое есть у всех. Я просто знаю, каким было твоё.

– Новым на это плевать. По-моему.

– Плевать не плевать, а вопросы будут. И не только от новых.

День, но в комнате полутемно, на хмурый ноябрьский лад. Из окна видны соседний дом, облетевшие деревья, купол церкви. (Вот прямо сейчас Игорь Биркин с задавленным ужасом оглядывает сборище за дубовым столом малого конференц-зала библиотеки, Саша Энгельгардт мимо Биркина смотрит в окно, Марья Петровна с той стороны двери идёт по коридору и не останавливается.) Тёмный мокрый купол блестит, размыто блестит золотой крест над куполом. Казаров стоит с видом побитого пса – всерьёз он это? придуривается? – и смотрит куда угодно, лишь бы не на своего мучителя. (Вот прямо сейчас полковник Татев смеётся Лихачу в спину, а Зоркому – в глаза.)

– Тебе не приходило в голову, что можно остановиться?

– Остановиться?

– Ну вот люди... Живут, как умеют... Спокойная жизнь... сытая... Тебе их совсем не жалко? Людей этих?

– Кисляйничать ты начал, Казаров. Сам-то раньше жалел?

– На то нам и новая жизнь дана. Для второй попытки.

– Не будет ни у кого второй попытки!

– ...

– Что ты там начудил? В деревне этой?

– В Трофимках? Ничего. Сработал, как договаривались.

– Плохо сработал.

– Я один, помощи ни от кого. Новые мешают.

– Один. Как это один?! Все мужики за тобой!

Очнись, думает Казаров. Не за мною мужики, и не за Василием Ивановичем, и не друг за друга. А такого, как ты, живым сожрут.

– Прежде у тебя ловчей выходило. Забыл, как правую оппортунизьму организовывал, с печатями-списками? Партийные взносы брал... На учёт ставил... Недотыкомку из соседней деревни в Бухарина переодел и подбивал мужиков на демонстрацию. Как ты его нарядил-то?

– Как обычно. Шляпа, очки – вот тебе и Бухарин.

– Колей называл... По-свойски...

– Прежде у мужиков ненависть была. И страх тоже.

– По тем твоим спискам их и брали. Альбомом пошли.

На свете есть люди, которых нужно просто давить, думает Казаров. Давить, как клопов.

– И имущество переписывать ты хорошо придумал. На случай, если конфискуют, а по итогам демонстрации будут возвращать – так, что ли? Честно написали. Знаешь, что такое альбом?

– ...

– Это когда фотография, состав преступления – страничка на человека в тетрадочке, а приговор один на всех. Ну, в конце концов, не самые те тетрадки толстые. Обычно так белоказачьих карателей расстреливали.

Всё и всегда прилетает обратно: государствам, народам и отдельным лицам. Прошлое возвращается – уже и думать о нём забыл – и выбивает ногою дверь.

– Давай, топчи.

– Не огрызайся. Или ты возомнил, что у меня сил не хватит тебя растоптать?

– Ну, растопчешь. Зачем? Ты всё равно проиграл. Фон барон.

От оплеухи Казаров отлетает в угол, падает и, не поднимаясь, поднимает голову. Фон Плау ждёт и смотрит.

– Это ты предатель и двурушник, Казаров. Ты, а не я.

– ...

– Есть у меня данные, по которым выходит, что ты новой власти помогаешь. Много и от души.

– Ради конспирации.

– Врёшь. Ради конспирации в петлю не лезут. С кем твоя душа, Казаров?

– Душу не вы ли отменили, гражданин товарищ? А!.. ногами-то… И что? И что? Ты всерьёз думаешь, что меня мало били?

– А ты хоть понял, почему тебя били?

– …Отпустил бы ты меня.

– Не могу. На баррикадах уголовник полезнее Плеханова.

– Будут баррикады?

– И баррикады.

– Зачем? Зачем?

Фон Плау подходит к окну, встаёт спиной к Казарову и задумчиво разглядывает церковный крест – сквозь туман, сквозь мелкий дождичек.

– Ведь не по моему мановению они воздвигнутся, – говорит он, не оборачиваясь. – Мы это называли силой исторической необходимости. Они это называют судьбой. Да хоть Божьим Промыслом назови: что такое один человек перед мощью процессов? Ничто. Растирать нет необходимости. Кстати, почему ты не пробуешь меня убить?

– А поможет?

– Молодец.

– …А я ведь тебе жизнь спас.

– А я тебе разве нет?

– Всё думаю, не зря ли.

– Дурак ты, Казаров. Жизнью разбрасываться.

– Сам ты сильно за свою жизнь держался?

– Моя жизнь, – говорит фон Плау, – была не моей. Что ж ты за болван такой, что никак понять не хочешь.

То ли утешительную чепуху сказал полковник Татев, сказав «обожди, всё уляжется», то ли обождать нужно было не две недели, а два года, но Саша, разговаривая с Игорем Биркиным, отчётливо понял, что Биркин прекрасно осведомлён о всех грязью выплеснутых на него обвинениях, и попытках очиститься, и неудаче этих попыток, – и как раз такой, замаранный, он Биркину зачем-то и нужен, Биркин вот-вот намекнёт, что лично не только не верит в клевету, но и считает себя чуть ли не ответственным – сакральные тяготы власти, Александр Михайлович, – за то, что клеветники распоясались... довольно забавный обычай, когда оскорбления публичны, а извинения приносятся наедине в тёмном уголку... намекнёт, а потом и про дым от огня что-нибудь скажет, впровброс так как-нибудь и по другому вроде поводу... и он, Саша, сделает вид, что не понял, тем более что и сделать-то больше ничего нельзя: только сесть поровнее и сосредоточиться на созерцании того, как свет падает от окна на длинный полированный стол бледными неуверенными полосами: меркнущий, полуживой осенний свет.

В кабинете Василия Ивановича, но без самого Василия Ивановича (как-то он там сейчас, бедный?) Саша почувствовал себя, как в дому у покойника. Всё на своих местах – но четвёртого отпразднуют и сразу затеют ремонт... вот и в приёмной вместо верной секретарши сидит стальная московская барышня, для виду прикинувшаяся оранжерейным цветком...

Фотография со стола, конечно, пропала.

Саша здесь чужой. Биркин здесь чужой. Государю на портрете – и тому нелегко.

Поговорив о сакральных тяготах власти, Биркин сказал:

– Я высоко ценю вашу готовность помогать воскрешённым. Очень хорошо, что вы стараетесь с ними сблизиться. Понять. Принять. Адаптировать. Но надо!.. – Он попытался не произнести слово «обуздывать», и оно осталось только что непроизнесённым. – Надо как-то направлять. Пробудить встречное желание вписаться в общество. Это необходимо. Это, в конце концов, наш долг.

– О да.

«Невыплаченные долги. Неоплатные».

Саша разглядывает Игоря Львовича: приятный человек, культурный. (Так теперь стараются не говорить, скажут: «образованный», «приличный» и даже «светский». Скажут «приличный» – и вроде как всё обозначено, а «культурный» обозначает что? «граждане, будьте культурны, плюйте в урны»? Люди чувствуют, что имеют дело с анахронизмом: с тех пор, как общественное сознание притерпелось к песням о смешении высокого и низкого – причём местом их встречи неизменно оказывался супермаркет, – а слово «культура» перешло в ведение этнографии).

Саша разглядывает Игоря Львовича и видит человека, мало чем отличающегося от людей в его окружении. (С поправкой – да, да, существенной – на московскую прописку.) На госслужбу такой мог прийти из бизнеса (но не из бизнеса 90-х), из науки (с любой административной должности), это человек с грамотной речью, с манерами, из плеяды ещё молодых, бессознательно подражающих бюрократам какой-то далёкой прекрасной эпохи – Александра Третьего, например. Он именно что хочет быть бюрократом, кем-то, кого вычитал из дневников и мемуаров царских сановников, кто его очаровал щегольством хорошего чиновника, могуществом хорошего чиновника... холодным совершенством имперских канцелярий.

– Вам не кажется, Александр Михайлович, что большинство из них так и осталось в плену прежних предрассудков?

«Кажется».

– Смотря о каких предрассудках речь.

– О самых вредных, прекрасно вы меня поняли.

– ...

– Я думал, что правых будет больше, – говорит Биркин со вздохом. – Что вообще больше будет людей, которые примут нашу жизнь с радостью... хотя бы не в штыки. А пока радуются только уголовники. Начальник полиции мне такой доклад представил... Я уверен, он ещё не всё сказал.

Игорь Львович этого не знает, Саша этого не знает, но начальник полиции действительно не сказал главного: полиция дала карт-бланш на решение вопроса Сове и его подручным. Наши тюрьмы и зоны и без того переполнены.

Саша (нет, он не забыл те глаза и кепки) выражает сочувствие и напоминает новому мэру о добропорядочных гражданах и их надеждах. Профессор Иван Кириллович Посошков – знаете такого? он в библиотеке на встрече был – ценнейший специалист. Люди из его окружения – безусловные профессионалы. С кем ни столкнись в коридорах отданного под нужды воскрешённых рабочего общежития, это будет учёный, врач, администратор.

Человек, который только и просит, чтобы его привлекли к работе.

– Как вы ошибаетесь, Александр Михайлович, – мрачно сказал Биркин. – Не скажу обо всех, но вот люди, с которыми вы сдружились, работать совсем не желают. Увидели, что им эти пособия до второго пришествия платить будут, и всё.

– Да какие это пособия... Слёзы.

– Тем не менее. Как-то выкручиваются. Общественники. Старые партийцы. Нет, эти работать не станут.

– А вы предлагали?

– Представьте себе, предлагал. И знаете кому? Вот Ивану Кирилловичу Посошкову и предложил. И хотите знать, под каким предлогом он отказался?

«Я хочу знать, от чего именно он отказался».

– Да?

– Он считает морально недопустимым сотрудничество с существующей властью! Я уже ждал, что он начнёт выговаривать в моём лице антинародному режиму! Мы все надеялись получить Россию, которую потеряли, – и что же, прошу прощения, получили? А ведь он даже не большевик, он умеренный социалист. Как тогда большевики должны выглядеть?

– Тогда, наверное, вам нужен дядя Миша. Простите, Михаил Алексеевич. Он у них комендантом.

– Большое спасибо за такое черносотенное знакомство.

– Ну какой же он черносотенец? Бывший кадет. Признал Временное правительство.

– Да? А я вот не далее как вчера разговаривал... и он меня предостерёг...

– С кем, простите, вы разговаривали?

Тут раздался телефонный звонок. Биркин посмотрел на дисплей мобильного, нахмурился, извинился и вышел, а Саша посмотрел ему вслед и подумал, что где-то... как же, прямо здесь, вот в этих интерьерах... он уже такое видел.

Он подошёл к окну, уставился на понурившегося под дождём и ветром Ленина и стал ждать. Но история не повторилась. (Тогда день был тёплый и тихий, а сейчас тусклая дождевая вода заливает Ильичу глаза.)

Дождь и ветер ощутимо стучат в стекло. (Это ноябрь уже пришёл, он стоит на пороге и переводит дыхание.) Спутанные мысли того же размазанного серого цвета, что и площадь перед глазами: кто-то наплёл Биркину небылиц про дядю Мишу; жить в «Престиже» становится накладно. Интересно, сколько ещё простоит этот памятник? Может быть, Кошкин прав: либо у вас Ленин на площади Ленина, либо у вас Соборная площадь с каким-нибудь другим монументом. Или право новое поколение, для которого в Ленине посреди Соборной площади нет ничего странного; им что Ленин, что Пушкин... придут под вечер в хорошую погоду со своими скейтами, гаджетами и напитками, будут шутить и переговариваться... Ленин за спиной... собор за спиной... Мирная жизнь. Родина.

Вернулся Биркин, целый и невредимый. Саша едва на него взглянул, как тут же спросил, что случилось.

Ответ звучит истерически.

– Да что же им надо? Всё же пообещали! Договорились! На уступки пошли! Это какая-то провокация!

– Да?

– Да! Да! Только что.

Вбежала секретарша – с бутылочкой минеральной воды, стаканом и пальто.

– Хотите быть полезным? Тогда поезжайте, поговорите с ними. Неофициально.

– С радостью. Но о чём?

– Совершён теракт, – убито сказал Биркин. – Взрыв в государственном учреждении. По всей вероятности, есть жертвы. Я сейчас еду туда.

– Но... почему такая уверенность, что это именно они?

– Потому что один из исполнителей лежит там в виде трупа. С документами в кармане. С набором улик в руках. Потом, Александр Михайлович. Всё потом.

– Даже неудобно спрашивать, – говорит толстый майор из УФСБ, – но ты у нас что, поселиться решил?

– Подумываю, – говорит полковник Татев, – подумываю. Грибы, рыбалка... Люди хорошие. Вы провокаций на четвёртое-седьмое ждёте?

– Провокаций? От кого?

– ...

– Если ты сюда приехал за провокациями, – «или с ними», добавляет майор мысленно, – так дела не делаются. И есть у меня на этот случай и своё начальство, и от начальства предписания. А на тебя бумага если пришла, так уже где-то потерялась. Мы люди простые... сам говоришь, хорошие. Но не до потери субординации... товарищ полковник. Ты же Климова приехал валить, верно? Вот и вали.

– Одно другому не мешает.

– ...

– Ну а как там эти, троцкисты-анархисты? Контакты у вас с ними есть?

– Присматриваем.

– И что?

– И ничего. Детский сад, штаны на лямках. Даже труп организовать не смогли.

– Или не захотели.

– Или не захотели.

– Если это они.

– Если это они. Чёрт бы их... Как будто без этого мало... цивилизационных проблем.

В спрятанном от посторонних глаз кабинетике на двух стенах, напротив друг друга, висят портрет Дзержинского и икона с Георгием Победоносцем. (Огненно-красный фон, сияющая белизна коня, золото доспехов. У придавленного конским копытом змея растерянные глаза. А какие глаза у Феликса, пепелящего икону с противоположной стены?) Полковник Татев смотрит не видя, как на самую привычную вещь.

– Всё здесь было в жёстком симбиозе.

– ...

– Живи. Дыши. Встроился – и порядок. Хоть на роль городского сумасшедшего – но встроиться надо. Никто не один. Никто не в безвоздушном пространстве. На Соборной поперхнулся – в «Шанхае» по спине постучат. И от этих, Татев, ждали, что они впишутся, когда в сознание придут. Долбануло людей, кто спорит. Людям дали отдышаться. И какого чёрта они теперь – –

Раздаётся звук взрыва, дребезжат стёкла. Айфон выпрыгивает из руки майора и забивается под стол.

– Я не понял, – говорит майор. – Граната?!

– Ага, – говорит полковник Татев. – Вписались.

– Сам видишь, – говорит майор из горотдела Расправе, – расклад у нас поменялся. По-ме-нял-ся расkладец... Столько лет под Василием Ивановичем... а теперь... Мужики прям растерялись. А мутили-то, планы строили... Не знаю, как сказать. Словно ты на берегу речки не трупа врага дождался, а своего собственного. Типа плывёт враг, а приглядеться – вроде он, а вроде как с твоей мордой. Какая-то, бля, философия.

Этого майора можно принять за брата-близнеца майора из УФСБ – габариты, осанка, хитрые глазки, – не отличишь, кто белая кость, а кто не белая. Вместе они не пьют, на рыбалку не ездят – ну и достаточно.

– Расклады меняются, игра всё та же, – говорит Расправа. – А новый что?

– С новым пока непонятно.

– Значит, Сове всё отходит?

– Ну-у... если удержит. Нет, вряд ли.

Разговаривают они, сидя за столом какого-то неопознаваемого заведения: смутный интерьер и сумерки. Это может быть та пивная у Центрального парка, которую облюбовали полковник Татев и Зоркий. Это может быть тот мрачный ресторан или бар, где Расправа встречается с Совой.

Майор пьёт пиво, Расправа – минеральную воду. Из соседнего зала доносится неохотно агрессивный перестук шаров.

– Плохо играет. И со злобой.

– Ты же спиной сидишь.

– Так всё слышно.

– ...

– Да не, я добрый.

– В свете новых раскладов, – говорит майор, – полномочия твои... ну, они уже малость не такие... генеральские.

– Ну.

– А без генеральских полномочий... всё будет зависеть... от отношений.

– ...

– Я как-то помогу от себя... если край. Лично от себя. Ты мне шаг навстречу... Я тебе шаг навстречу...

– Говори.

– Да насчёт полковника этого, к которому ты прибился. Он говорит, что из собственной безопасности?

(Вот прямо сейчас Вацлав взбегает по лестнице общежития и, налетев на профессора Посошкова, хочет проскочить, но тот крепко удерживает его за плечо и что-то кричит. Человек в сером не остаётся в долгу: он вырывается и отвечает ядовито и гневно.)

– Да, говорит.

– А может, он из службы «М», а не собственной безопасности?

– А вы здесь уже наработали на полковника из службы «М»?

– Думал, что нет, – хмуро говорит майор, – а теперь уже не знаю. Может, и вообще не в нас дело, может, им всё равно – мы, другие... определили себе стратегический узел и шпарят. Хотелось бы, ты понимаешь, понять. Хотя бы в таких параметрах.

Да? – Он отвечает на телефонный звонок. – Да. Что стряслось? Что-о-о?!

(Вот прямо сейчас Саша ещё только входит в приёмную мэра, и с полчаса пройдёт, пока Биркину доложат новости – и не один месяц пройдёт, а возможно и год, пока наступит – если наступит – такой день, когда Филькин признает в Игоре Львовиче человека, которому нужно докладывать первому.)

– Началось, – говорит майор.

– Это не началось. Это продолжается.

Сперва кажется, что началось с того, что члены ЦК ПСР переложили ответственность за Азефа с себя на Боевую организацию, а потом видишь, что началось, как и положено, с самого начала: как БО образовалась, так и началось. На «революционных кавалергардах» оттоптались все и за всё: высокомерие, «моральный откол от главной части партии», дух исключительности и «душок обособленности», игру в ницшеанство и даже богоискательство (особенно после того, как Савинков «взорвал свой имидж этическими поисками»).

К 1910 году ЦК выставляет БО как еретическую организацию, приносящую в стройные партийные ряды только раскол и смуту, а рядовые массовики не могут простить им ауры нескрываемого превосходства и трагедии. Одиночество террористов дошло до последнего предела, и их война с правительством превратилась в их личное дело, отмеченное больше провалами, нежели успехами.

Все успехи остались в эпохе Азефа.

Ни одно из предъявленных обвинений нельзя назвать клеветой. Высокомерные, неподконтрольные, оторванные от всего на свете? увы, вот именно такие. Прибавить сюда искреннее непонимание узкопартийных дрязг. Прибавить издержки нелегальной жизни. Прибавить и подчеркнуть несопоставимость рисков: люди, которым в худшем случае грозили несколько месяцев ареста и последующая ссылка, требовали всех знаков уважения от людей, в лучшем случае пойдущих на каторгу.

И на что, вообще говоря, рассчитывала партия, одной частью тела заседающая в Государственной Думе, а другой – на конспиративной квартире?

Если на фоне партийных идеологов и бюрократии члены БО выглядят молодцами и трагическими героями, означает ли это, что они на самом деле герои и молодцы?

Тот, кто марает собственные руки, суёт в петлю свою голову, не вызывает такого нравственного отторжения, как чистая публика, в день убийства достающая припасённое на случай шампанское; означает ли это, что он не вызывает нравственного отторжения вообще?

В разгар террора, когда в газетах публиковались весёленькие шаржи с изображением привязанных к министерским портфелям бомб, террористами были убиты 2691 человек, а со стороны правительства приговорены к казни 4680. (Казнено из них 2390.) Говорить об этой гражданской войне до сих пор мало желающих.

Общество из неё вышло насквозь прогнившим, а боевики и боровшиеся с ними полицейские агенты – искалеченными. «Жизнь травленого волка», как увидел это ещё Лев Тихомиров, когда всех поголовно нужно обманывать с утра до ночи, всякого подозревать – возня с фальшивыми паспортами, конспиративными квартирами, засадами и бегством – отупляет и растлевает одновременно.

«Иногда мне кажется, что белое не белое и красное совсем не кровь», – но это Савинков, герой, генерал от революции, душа с запросами; другие глаза увидели интриги, подвохи, враньё, хватание денег где попало и «вообще всякую бессовестность». Верхушка БО в дни её славы – это два дельца, Гершуни и Азеф, оба в ореоле святости, и один – самолюбивый позёр, а второй – двурушник; впоследствии мемуаристы охотно пользуются словами «надувательство», «бесстыдство» и «беззастенчивость в выборе средств». «"Поднести Плеве жареного! Хорошо!" – любил повторять Гершуни. И говорилось это с таким пошло-сладострастным выражением лица, что становилось противно. Точно какой-нибудь департаментский гнуснец устраивает другому заористую, необычайную пакость и заранее с восторгом смакует все детали её». (Этого Мельникова, единственного, кто пошёл против Гершуни, спасибо что не убили. Когда он бежал с каторги, вдогонку ему полетело письмо в ЦК с просьбой к заграничной делегации отказывать беглецу в содействии. Мельников требовал разбирательства, но ЦК на это не пошёл.)

Рассудив, что труп не оживёт, а антинародный режим от получасового промедления не рухнет, Саша отправился за угол в библиотеку: взять для дяди Миши Эрнста Никиша и рассказать Маше и Вере Фёдоровне про теракт. (Когда он успел стать вестовщиком: за месяц в провинциальном Филькине? за десять лет в соцсетях?)

Вера Фёдоровна и Маша уже знали. (Страшно вымолвить, а как будто бы из первых – со следами крови и пороховой гари – рук.) Побольше знали, чем он. Они уселись в подсобке при абонементе, где сотрудники библиотеки обычно занимались обработкой новых поступлений, и Саша, поглядывая на празднично свежие стопки книг, узнал подробности.

– Я ничего не понимаю. Зачем же подрывать налоговую?

– Там не только налоговая.

– Органы, – бесстрастно уточнила Вера Фёдоровна.

Напряжённое, несчастное лицо Марьи Петровны стало совсем больным.

– А как же... Олег-то жив?

«Что ему делать в местном управлении?»

– Жив, я позвонила.

(Вот прямо сейчас Олег Татев трясёт за шиворот Зоркого – но что из того выбьешь, мелкого винтика. Он и не сопротивляется.)

– Что теперь будет?

Саша старается смотреть на Марью Петровну уверенно и как взрослый. Он хочет ей сказать: не бойся. Хочет сказать: всё наладится. (Что теперь может наладиться и как не бояться?) События похожи на тропических паразитов: окунулся беспечно в прозрачную вроде бы воду, а они уже проникли тебе вовнутрь, присосались и отравляют, кружа голову, своим ядом.

(Вот прямо сейчас крадутся по коридору этажом выше мрачные тени, и вместе с ними, шарахаясь от них, идёт Лихач. Что там у него в руке поблескивает, пистолет или телефон? Спорим, что телефон?)

– Найдут виноватого, – отвечает на вопрос Вера Фёдоровна. – Пришлют следственную бригаду из области. Усилят, проверят. Попутно перессорятся. Нас это никак не коснётся.

Саша смотрит на Марью Петровну и видит, что та сидит как на уроке, прислушиваясь к внутренним часам: прозвенит ли звонок? Её от событий уже не спасти.

(Вот прямо сейчас фон Плау в своей тёмной комнатке подходит к окну, смотрит, смотрит, говорит: «Комедия», – а сидящий за столом Кошкин, не отрываясь от бумаг, подтверждает: «Конечно, комедия. И удобный случай. Звони». Фон Плау достаёт телефон. «А как мы ему это объясним?» – «Ему это надо больше, чем нам, – говорит Кошкин. – Он сам себе всё объяснит».)

– Allen und jeden denen daran gelegen, – говорит Саша. – Как стихи звучит, правда? Или заклинание. С бюрократической речью такое бывает. Лично я никогда не был тем, до кого касается.

– Зря этим гордишься, – говорит Марья Петровна, не выдержав.

– Я не горжусь. Я просто никогда не считал себя причастным. И если меня пытаются заставить, я чувствую вовсе не то, что должен бы чувствовать.

– И что вы чувствуете? – спрашивает Вера Фёдоровна. – Страх?

– Нет, не страх. Огромную пустоту, потерянность. Как будто открыл глаза, видишь себя одного посреди огромного снежного поля и думаешь: так зачем, собственно, было ехать открывать Северный полюс?

– ...Понятно. И что дальше?

– Дальше только замерзать.

(Вот прямо сейчас у Лихача, который покидает библиотеку с парой журналов, звонит телефон. У Вацлава звонит телефон. У всех звонят телефоны, по всему городу.)

Марья Петровна молча встаёт и выходит.

Вместо Никиша он раздобыл Юнгера и Карла Шмитта. (Зря старался. Дядя Миша поблагодарил с улыбкой, и это была улыбка человека, который ничего не хочет добавлять к уже полученным знаниям о жизни.) Была бы честь предложена, подумал Саша. И брякнул:

– Дядя Миша. Меня прислали разведать, какие у вас тут настроения. Вы ведь уже знаете?

– Настроения?.. Настроение у каждого своё. Как они тут спорят, голубчик Энгельгардт! Разбредутся вечером по углам и давай глотки драть. – Дядя Миша занялся чайником. – Я кричать, может быть, умею и погромче ихнего... когда надо. И молча умею тоже. Не вижу сейчас необходимости.

– То есть вам всё равно?

– Нет. Я полностью лоялен по отношению к действующей власти.

– ...Почему?

– Потому что вопросы внутренней политики не могут быть важнее национальных интересов. Врангеля умоляли не нападать большевикам во фланг, пока они изгоняют из России поляков... Он, впрочем, всё равно не послушал. Интересно мне знать, как бы всё обернулось...

– Ладно, – сказал Саша, – Врангель. Когда интервенция – это понятно, с кем быть. Лично мне понятно. Но, дядя Миша, сейчас национальные интересы требуют чего? Разве не внимания к внутренним делам?

И он рассказал о деятелях конструктивной и непримиримой оппозиции, предпринимаемых ими усилиях, о Барабанщике, о горячем желании людей жить не по лжи. (Говорил и думал: тону.)

– Политика – эфемерная вещь, – сказал дядя Миша. – Поэтому и сами политики – эфемериды, сиречь бабочки. Всё в этом мире делается само собой, с Божьей помощью. Ну или по Его попущению.

Исполняя принятое поручение, Саша хотел поговорить с Посошковым, с Бруксом – чтобы ну так... репрезентативно, – но знакомые шишки отсутствовали, а люди с семинара разводили руками, как все маленькие люди, и спешили улизнуть, отводя глаза, и многие не выдерживали, сообщали на ухо радостную весть о том, что господ из охранки размазало по стеночке. Ничего подобного, сказал Саша сердито – один раз, другой, – так что на него стали коситься. (Да, было в атмосфере что-то такое, приподнятое.)

Уже в дверях он столкнулся с единственным человеком, которого всячески избегал, и тот сказал: «Пришло время объясниться».

Они отошли за угол и натянули капюшоны под крапающим дождиком. Как будто я один из них, подумал Саша. Как будто я тоже. Господи, пронеси.

– Я начинал в БО, – сказал Вацлав без предисловий. – Поэтому имею право говорить о них так, как скажу. Это игроки. Рано или поздно азарт вытесняет в них все остальные чувства – и чувство ответственности в первую очередь. Они либо выгорают, либо гибнут, но сами никогда не остановятся.

– Я видел.

– И подумали, что это дело моих рук? Нет, такого топорного исполнения я бы себе не позволил – ни себе, ни людям, которым давал бы инструкции. Вы понимаете, что произошло?

– Нет.

– Они вышли из-под контроля.

– И вы не можете на них повлиять?

– Не могу. Зато власть может их изолировать.

«Вот те раз».

– Вы... дадите показания?

– Не я. Но показания будут.

– ...Я бы не хотел быть в этом посредником.

Саша от испуга поторопился, отказался ещё до того, как было предложено, – и человек в сером тут же его подловил, состроил гримасу недоумения.

– О чём вы? Как университетский преподаватель может быть посредником между революционерами и охранкой?

– ...Теперь это называется спецслужбы.

– Я знаю, как это теперь называется.

– ...

– Я слышал, и на вас было покушение.

– Ерунда это какая-то была, а не покушение.

– Вовсе нет. Вас приняли за провокатора, решили устранить. Но сперва вам повезло, а потом вмешался я.

– Вы?

– Не хотите быть обязанным именно мне?

– Вацлав... – Саша помедлил, ожидая, что человек в сером подскажет своё отчество, но не дождался.

Очень хорошо, не могло быть у такого папы, мамы и дедушки тоже; мировая закулиса его в пробирке вывела, под кодовым многозначным номером, для своих чёрных нужд. То-то неприятно произносить «Вацлав» – это всего лишь фальшивка, обманка, подлый трюк. – А вы признаёте, Вацлав, приоритет национальных интересов над внутриполитическими?

– Признаю, Александр Михайлович. Или вы думаете, что в противном случае этот разговор бы состоялся? Вы думаете, я по трусости товарищей предаю?

«Ну и предавай сам. Меня не втягивай».

– Нет, думаю, что из высших соображений. Чего вы от меня хотите?

– Я вам продиктую фамилии. Что с ними делать – решите сами. Я знаю, что вы станете медлить и оттягивать... и потом пожалеете, что медлили, но убедить вас в этом сейчас не удастся. И запомните: я не хочу, задним числом, делать вас во всём виноватым. И я не змей-искуситель. И вы не дитя.

В детстве Саша думал, что «в противном случае» – это когда будет очень противно. И не зря он так думал, думает он теперь. Доцент Энгельгардт, как правило, имел дело с вкрадчивыми людьми; сейчас к нему обращался человек откровенный.

– А кто писал ту записку?

– Записку? Была записка? Не знаю. Посошков обычно записки пишет.

– Иван Кириллович неспособен на подлость.

– Это верно. Я один здесь подлец, все чистые.

Человек в сером почти прошептал эти ужасные слова, и как Саша ни старался убедить себя, что это всего лишь горькая шутка, у него не получилось.

В книге, от которой, назвав её автора «очередным немцем», отказался дядя Миша, Карл Шмитт комментирует Гоббса и пишет об одномоментном существовании и готовности к борьбе Левиафана и Бегемота, государства и революции. Сам Гоббс видел в Бегемоте безусловное воплощение зла, но к XXI веку привыкли говорить о равенстве не только сил двух чудовищ, но и их, так сказать, платформ.

Со скрежетом зубовным доцент Энгельгардт достал телефон и приготовился вносить данные. *«А Фёдор там окажется? А Посошков?»*

– Лучше на бумаге.

– Вы напрасно думаете, что клочок бумаги скомпрометирует меня сильнее, чем телефон.

– Смотря в чьих глазах. Перестаньте. Если клочки бумаги аккуратно хранить, они будут в разы безопаснее ваших новых устройств. Уж это я понял.

Саша пожал плечами и подчинился. Бумагу действительно можно спрятать. Или съесть.

В списке, помимо трёх неизвестных, оказались Фёдор и Кошкин. Ты б ещё дядю Мишу приписал, сердито подумал доцент Энгельгардт.

– Большевики никогда не признавали индивидуальный террор.

– Мало ли чего они не признавали. А как же Троцкий?

– Да вот так. Это была казнь, совершённая действующей властью. Спецоперация. Боевики-террористы спецопераций не совершают.

Государство проводит *спецоперации*, боевики устраивают *акт*, а *на дело* идут уголовники. Какое бы попутное зло ни нёс Левиафан, именно с ним связано представление о порядке и ответственности за порядок. Именно Левиафан получает удар каждый раз, когда порядок оказывается в оппозиции не хаосу, а ценностям.

– У них всё наперекосяк. Они ни для кого не могут представлять настоящей опасности.

– Ничего, научатся. Войне учишься быстро.

Порядок может оказаться одной из ценностей, или будет им подчинён, или, напротив, окажется важнее; но Сашу Энгельгардта в любом случае не ждёт ничего хорошего.

Климова, босая и в чёрной кружевной комбинации, сидит в кресле и читает журнал «Эксперт», а полковник Татев лежит на полу, положив голову ей на ногу, курит, просматривает сообщения в телефоне. Откладывает телефон. Гасит сигарету.

– Климова, что у тебя на втором этаже?

– Ничего. Я там живу.

– Можно посмотреть?

– Ты уже спрашивал.

– И что ты ответила?

Полковник дотягивается до своей аптечки, хозяйственно перебирает её содержимое. Не может выбрать. Задумывается.

– Не скажешь, что тебе не хватает боли.

– Эта боль другая.

– Как ты ухитряешься покупать медкомиссию?

– Зачем? У меня голова рабочий инструмент, а не ноги.

– И в твоей голове всё в порядке?

– Не всё. Только ходовая. Нам больше и не надо.

Климова переворачивает страницу.

– Примерно то же самое говорили фондовые рынки. Ты мне ногу отдавил.

– Извини.

Полковник Татев садится, придвигается, кладёт голову ей на колени, одной рукой обнимает её ноги.

– Интересно бы знать, что они понимают под словом «дно».

– Ты ещё спроси, что с нами будет.

– Что с нами будет, Татев?

– Подробностей не знаю, а вообще-то умрём как миленькие.

– А как умирают миленькие?

– Наверное, обнявшись. Я бы выпил чаю.

– Перестань. Ты всегда пьёшь «Лафройг».

– Да, но это all inclusive «Лафройг», для клиентов. А я хочу чай. Из чашек. И чтобы мы оделись, и сели за стол, и всё такое. – Он проводит пальцами искалеченной руки по ноге Климовой, от щиколотки вверх. – Я уверен, что у тебя есть хороший фарфор, и серебряные ложки, и небумажные салфетки, и чай не в пакетиках.

– Ах ты проныра. А если окажется, что в доме вообще нет чая? Я пью только кофе? Растворимый? Из китайской кружки с цветиками и сердечками?

– ...Может, это хотя бы черепа и скрещённые кости?

– Нет. Цветики и сердечки.

– Да, сердечки – это стрит-флеш. Если он у тебя, конечно, есть.

Когда четвёртого ноября Саша увидел цветущую сложность, то не сразу её узнал.

Он и ноябрь-то не узнал – потому что кто и когда в Петербурге видел в начале ноября, будь то четвёртое или седьмое, на небе солнце. Детские воспоминания о ноябрьских праздниках неотличимы от прошлогодних: тяжёлое небо, тяжёлая морось или тяжёлый мокрый снег, набухшие полотнища флагов, нахлобученные над опухшими лицами тяжёлые шапки вождей, – а что там за флаги, что за люди на трибунах, оказывалось мелким и незначительным обстоятельством.

В Филькине солнце появилось с утра.

Этот слабый, но отчётливый свет, размытая голубизна неба придали происходящему оттенок чего-то потустороннего.

Саша стоял у окна в зале приёмов мэрии и смотрел вниз, на площадь. Все здесь были: и триколор, и красные флаги, и чёрный флаг анархистов, и чёрно-жёлто-белый имперский, и георгиевские стяги, и другие, Саше не известные и, как он подозревал, фантастические. Мягкий свет приглушал всё слишком яркое, размывал чётко-чёрное, и над движением, над блистанием флагов выступили из золотого марева Левиафан и Бегемот, божественные чудовища.

– Хорошо картинку склеили, ага?

Саша обернулся.

Как водится – и за что эффективных менеджеров дополнительно не любят – Биркин привёз из Москвы собственую команду, включая специалиста по связям с общественностью: упитанное существо в простецком свитерке. Расчёт это был или просчёт, но специалист всем не понравился. Одни, ждавшие увидеть, коль скоро мы играем в Александра Третьего, лощёного бюрократа, осудили свитерок, других покоробило то, что под свитерком скрывалось.

Будь он равнодушным технократом, манипулятором – всё бы обошлось. Но специалист имел мнение – и довольно горячо отстаиваемое, – которое никак ему не следовало иметь, а Биркин хоть и давал понять, что специалиста ему навязали, крайне аккуратно закрывал глаза и уши на все его выходки.

– Это не картинка, – сказал доцент Энгельгардт без всякой надежды на понимание, – это зрелище.

– И – я так понимаю – высокое?

Когда Левиафан и Бегемот вот так появляются в небе над площадью, пусть это не Дворцовая, не Сенатская, не Красная, а просто ещё одна площадь с собором и Лениным, на краю географии, когда заливает всё бледно-золотой свет и мы видим единство красоты, величия и опасности – в движении, в блистании флагов, – когда перестаёшь думать и беспокоиться и смотришь, просто как дурак улыбаешься – то да, всё это можно назвать высоким зрелищем, но вряд ли в беседе с человеком, который смотрит на символы и мифы, а видит рычаги, пружины, круговую поруку, биохимические реакции.

– Да.

– Вы в Питере все ненормальные, – сказал специалист дружелюбно. – Наверное, климат влияет. Знаменитые дожди-туманы, да? Надышитесь... гм... испарений, начнёт мерещиться... рука к перу, перо к бумаге... рецепт мироустройства... а потом вся страна хлебает и давится.

Он вплотную подошёл к окну – приник, можно сказать – и с улыбкой удовлетворения стал разглядывать толпу под флагами, людей, которые, подумав, вряд ли бы захотели собраться иначе как для мордобоя.

– И чего стоят? Сами-то знают? Дали им тряпки на палки, буквы на картонки… Ах вы, котики мои. Быдло беззаветное. – Специалист оглянулся на Сашу. – Это я всё сделал.

– …

– Что это вы морщитесь?

«Потому что от тебя воняет. Ты бы хоть мылся почаще, демиург».

– В глаз что-то попало.

Красные флаги, чёрные, чёрно-жёлто-белые, триколор, андреевский флаг… откуда бы это военный флот на речке Филе… двуглавые орлы – прежние орлы, в коронах, «За веру, царя, отечество». «Пролетарии всех стран» стояли поближе к «Родись на Руси, Живи на Руси, Умри за Русь», «В борьбе обретёшь ты право своё» – бок о бок с «Кровь и почва». А вот и пятая колонна задорно поднимает свои наименее одиозные плакатики.

– Вы поглядите! и усатого притащили!

Портрет Сталина, подскакивая, как воздушный змей на старте, маневрировал в задних рядах.

– Тоже ваша работа?

– Вот уж это чистая самодеятельность. Представляете, несут и несут, каждый раз.

– Говорят, он воскрес.

– Ерунда. Он первым номером в списке неподлежащих.

– Ну да, и я так отвечаю.

– Как он мог воскреснуть, если никто его не воскрешал?

– Что за народ блядский, – говорит специалист. – Что за народ! Увидимся на приёме?

На приёме, ближе к вечеру, ответственные лица ощутимо расслабились. Прошёл день – тьфу-тьфу – по плану и без эксцессов, накричались, проголодались, разбрелись, теперь и натруженные вожжами руки могут принять бокал с шампанским.

Канализацией и то легче управлять, чем народным единением. Василий Иванович, говорят, в этот день в прошлом году, с утра поддав, скувыркнулся с трибуны и двинул в толпу, хлопая компатриотов, сообразно полу, по плечам и задницам, – и сошло с рук. Вот неприятное открытие для Игоря Биркина: Василия Ивановича в Филькине любили. Мыли кости, кляузничали, норовили надуть и подсидеть – и никто, чего уж там, не встал на его защиту в трудный час, – но зла не держали и с гордостью говорили «а наш-то» при каждой неприличной выходке. Про Игоря Львовича «наш» разве скажут? По заднице себя хлопать позволят? И Игорь Биркин с завистью косится на доцента Энгельгардта: этот в свою чужеродность облачён, как в доспех какой, чем и гордится: питерская марка, спесь на ровном месте; глазом не моргнул, когда приглашали, как будто так и надо... а как не пригласить? Человек органов, и что-то там с РЖД... Виталик все уши продудел. Умеют питерские, будучи замараны по макушку, ходить по свету бледным ангелом.

– Александр Михайлович! Спасибо, что пришли. Всё, конечно, очень провинциально... И лично я не уверен в необходимости манифестаций, подобных сегодняшней... наследие советской власти, что тут скажешь.

– Мне очень понравилось.

«Лицемерная лягушка», – подумал Игорь Львович.

– Тогда жду совместной работы.

– Угу. – И Саша почувствовал, как углём прожигает его пятку проклятый список Вацлава, спрятанный в ботинке под стелькой. В то же время сзади его сердито и настойчиво дёргали за рукав, и кто-то шипел: «Энгельгардт, да представьте же меня!» Он обернулся и увидел Брукса.

– Знакомьтесь, – сказал Саша машинально. – Игорь Львович, это Брукс из РАПП.

– Уже нет, – сказал Брукс, – давно нет. Что мы будем ворошить эти старые дела, когда предстоит делать новые. Самый сейчас серьёзный вопрос – о будущем. Правильно я говорю?

– Хгм, – сказал Биркин. – Да. Вы военный?

Игорю Львовичу в аббревиатуре послышались какие-то пулемёты, что-то, связанное с армией.

– Военный? Нет, не военный. Вам нужны военные? Я кое-кого знаю, могу – –

– Ох, нет. Спасибо.

– Брукс – журналист, – сказал Саша. – Сейчас сотрудничает с местной прессой.

– Уже в штате, – сухо уточнил Брукс.

– А! Это важно. Пресса – это очень важно. Вы меня извините?..

И Биркин заторопился навстречу какому-то пухлому дяде с низким лбом второгодника.

– Ладно, – сказал Брукс, – начало положено. А чего он так армией интересуется?

– Просто перепутал.

– Ну, не знаю, из каких полей такая путаница. Армия – это не шутки. Я теперь подробности посмотрел и могу сказать, Энгельгардт, что определённо нечто затевалось. Красными маршалами.

– Доказательств нет.

– То-то и оно. Доказательств нет, потому что нужно успеть что-то сделать, чтобы доказательства появились. Только если б инстанции сидели и ждали, пока они появятся, так ещё неизвестно, до чего бы тогда дошло и кто что кому доказал. Смотрите, кто это вам машет? Вон тот, с тростью?

Саша тоже поднял в знак приветствия руку.

– Так, знакомый.

– Что за знакомый? Чем занимается?

«Брукс, отцепись».

– Безопасностью он занимается. Вы-то сами как? В штат, говорите, взяли?

– Безопасностью в каком смысле? Замки-засовы?

У вежливого человека нет способов осадить беспардонного, поэтому Саша сдался и рассказал, какие замки и засовы находятся в ведении полковника Татева.

– Ого! А! Слушайте, Энгельгардт. Хочу вас предостеречь.

– Я уже и сам, – сказал Саша уныло. – Остерегаюсь.

– Ну правильно. Он чертовски хитрый человек. Такой, ты понимаешь, развращённый человек, с гнилыми наклонностями. Исключительный двурушник и лжец.

– ...Нет, я бы так не сказал.

– Ты бы так не сказал! А что ты скажешь, если я скажу, что он ещё с тех пор с товарищами из органов знаком? И когда из второй ссылки вернулся и его нигде не хотели брать на работу, он пошёл за помощью к следователю, который вёл его дело?

– Да вы о ком?

– О Посошкове, разумеется; говорю же: предостерегаю.

– ...И что тот следователь? Помог?

– Помог. Эти ребята вообще многим помогли, и несправедливо, что их вот так всех подряд облили грязью. Собственные-то дружки его, надо думать, в подворотни убегали, чтобы с ним на улице не столкнуться.

Саша вспомнил, как на встрече в библиотеке Посошков сухо поклонился Кошкину, и подумал: неужели?

– А вы знаете, кто это был?

– Нет, откуда. Но, сам понимаешь, неспроста всё это. И связи у твоего профессора наверняка остались.

Брукс замолчал и уставился на Сашу, явно ожидая благодарности за сделанное предостережение. Куда ты лезешь, дурень, подумал Саша.

– Не торопитесь, Брукс, – сказал он. – Помните, что с Леопольдом случилось? Всё из-за таких знакомств.

– Нет, ну Леопольд же был шурин.

– Из-за знакомств и семейных связей.

Многих погубили семейные связи, знакомства и выбор покровителя. Полетели головы политического руководства – и вместе с ними головы их клиентов.

Агранов был патроном театра Вахтангова, Енукидзе и Ягода – Мейерхольда, Тухачевский – Шостаковича, Бухарин – Мандельштама, и если по-настоящему копнуть, очень мало среди советской творческой и научной интеллигенции наберётся таких, кто не выклянчивал квартиру и телефон, не молил о защите и не просил вмешаться в профессиональные споры. Как сказал Мандельштам жене, «нельзя не ходить, все ходят».

«Патрон – клиенты» очень древняя схема, разумная во многих отношениях схема, и она исключает такие понятия, как честь, верность или даже благодарность, причём это очевидно для обеих сторон. Клиент не видит себя в позиции соратника, рыцаря-вассала, самурая или скифской лошади. Несправедливо ждать от него, что его зароют вместе с патроном, а он примет это как должное!

– Давайте я вас лучше с пиарщиком познакомлю? Видите вон того? С бородой и толстым задом?

– Имеет смысл?

– Брукс! Да вы вообще знаете, кто такие пиарщики?

Саша представил Брукса специалисту и почти со злорадством стал наблюдать, как эти двое отчаянно вычисляют, какую пользу могут извлечь друг из друга. Его поразило простодушие, с которым собеседники изобличали себя, и он не мог сказать, кому желает победы. Брукс был противный человек – и специалист был очень противный человек. Брукс отчаянно пытался пробиться наверх в этом новом мире – вернуть себе в новом мире то, что утратил в старом. Специалист рассчитывал как можно скорее вернуться в Москву – как можно скорее и с фанфарами. Обоих ждал успех, потому что в XXI веке к успеху приходят не тонкие интриганы, знатоки подстав и наветов, а люди наиболее – можно даже сказать триумфально – бесстыжие.

– Что, товарищ Брукс, ходили сегодня с красным флагом?

Брукс и глазом не моргнул.

– Дело не в цвете флага, – нагло сказал он. – Раз уж вышла такая осечка с мировой революцией, глупо за цвет цепляться. А значение флага как такового – признаю. Сильную то есть государственную власть на мировой арене.

У него зазвонил мобильный, и Саша криво улыбнулся, услышав новый рингтон – это был Свиридов – и вспомнив предыдущий. «Занят, перезвоню», – бросил Брукс в трубку. А у специалиста требовательно спросил:

– Про взрыв-то что думаете? Принимают власти меры?

– Меры? Меры? Разумеется, они их принимают. Это последнее, о чём вашим друзьям нужно беспокоиться. Чем больше *мер* от наших властей, тем легче террористам. – Специалист напоказ задумался. – Наверное, я должен называть их *комбатанты.*

– Какие они мне друзья? Явный подрывной элемент. Фашиствующие дегенераты. А такие, как из тридцать четвёртой, – ну это уж прямо пора сигнализировать. Да, Энгельгардт?

– Боюсь, что это не так.

Это вежливое обвинение во лжи Брукс пропустил мимо ушей и, может быть, даже не понял. Зато в смеющемся взгляде специалиста Саша прочитал понимание, которое его не обрадовало.

– А ещё говорили, что попутчик может идеологически измениться к лучшему, если оказать на него товарищеское воздействие, – ядовито сказал Брукс. – Докатились в итоге до совместной работы с врагами народа. Нет никаких попутчиков, есть либо друзья, либо враги.

Специалист хохотнул и изобразил аплодисменты.

– Я смотрю, вы всё ещё с головой в прошлом.

– Почему это в прошлом? С какой ещё головой? Абсолютно применимо к ситуации сегодняшнего дня. – Он повернулся к Саше. – Улыбаешься, Энгельгардт? Потому что ты не смотришь марксистским взглядом. Вот скажи, кто сейчас класс-победитель?

– У нас – крупная буржуазия. А в мировом масштабе – транснациональные корпорации.

– Ну это ещё можно оспорить, – сказал специалист. – Насчёт крупной буржуазии.

– Ну так говори, тебе с этим классом-победителем по дороге?

– ...Там, Брукс, такие дороги, которые просто не предусматривают, что по ним пойдёт кто-нибудь ещё. Точнее говоря, поедет.

– Но ты в ту же сторону движешься? Вперёд?

«Капитализм и коммунизм одинаково нежелательны», – как-то сказал дядя Миша, и уже тогда Саша подумал, что агрессивное стремление вперёд было среди роднящих их черт. Теперь он не знал, как сказать о своём отвращении, о нежелании подчиняться столь перекликающимся стратегиям успеха.

– Я не хочу двигаться. Я хочу расти. Как дерево, подальше от обочины.

Специалист хохотнул.

– В этой стране, дорогуша, вы дорастёте разве что до травы под копытами.

Даже при том, что Саша был сыт специалистом по горло, он бы не сорвался. Специалист был бесконечно грязный человек, но не столько лживый, сколько бесчестный. Все знали, и он сам первый давал это понять, что всё, что он говорит и делает по обязанности, противоречит его настоящим убеждениям, и его начинали уважать за смелость открытой и уже ритуальной проституции.

Публично он цитировал Константина Леонтьева и Победоносцева и с большим сочувствием говорил о Плеве; «быдло», «гебня» и «эта страна» были его любимыми выражениями за сценой. Никому не приходило в голову, что это могло быть психическим расстройством.

Внимательно поглядев на Сашу, он сказал:

– А деревья, какие есть, – это только до ближайшего пожара. Или несанкционированной порубки. Или санкционированной. По пьяни и по лицензии. В русле традиций и в рамках государственности. С одобрения широких народных масс и провластных структур. Что лицо-то такое, тошнит? Эту страну принимаешь как рвотное.

И вот тогда это случилось. Без особого, приходится повторить, повода.

– Да! – закричал доцент Энгельгардт. – Я её принимаю! Эту страну! С милицией, оппозицией, коррупцией и нефтезависимостью! С государем! С народом! С интеллигенцией! С советским прошлым! С имперским прошлым! С самодержавием, православием и народностью! С КПСС! С КГБ! и с тремя разделами Польши!

«Польшу-то ты зачем приплёл?» – спросил потом полковник Татев.

Саша оглянулся и увидел, что вокруг столпились, и бесконечная враждебность написана на лицах. Это были тупые лица – без мысли, без огня. Наступила тишина. И в тишине прозвучал отчётливый, ясный голос специалиста:

– Во всяком случае, свои деньги он прекрасно отрабатывает.

После скандала Саша хотел одного: убежать, спрятаться. Он притащился в деревянный двухэтажный дом, в котором пару дней назад с помощью дяди Миши снял комнатку, не раздеваясь сел на стул. В доме с печным отоплением и отсутствием водопровода человек твёрдой воли нашёл бы чем себя занять в этих печальных обстоятельствах, но доцент Энгельгардт не был человеком твёрдой воли. Его глаза останавливались на взывавших о действии предметах, но мозг не делал никаких выводов. День начался так хорошо, а закончился кошмаром: многие дни так начинаются и заканчиваются, многие жизни.

В дверь постучали.

Саша встал, пошёл, открыл.

– Казаров?!

– Войду?

Вместе с Казаровым вошёл клетчатый баул, который Казаров сразу же затолкал под кровать.

– Подержи у себя пару дней.

– А что там?

– Не боись, не бомбы.

– ...

– Если я куда пропаду, – поколебавшись, сказал Казаров, – отвези Василию Ивановичу. Или полковнику своему отдай. Только не нашим, не бывшим. Никому из них. Вообще никому. Ты понял?

– Понял. А как ты меня нашёл?

– Ты ведь не прячешься. Все знают, где тебя искать.

– Может быть и прячусь, – сказал Саша мрачно. – Какая разница, прятаться или нет, если всё равно находят. Как там Василий Иванович?

– Что ему сделается? Воюет с кем может. Ты, главное, не проболтайся. На тебя никто не подумает.

(Вот прямо сейчас уходят из мэрии последние гости, и кто-то спрашивает Биркина о перспективах питерского доцента, и Биркин отвечает: «У меня репутация честного человека, и я хочу, чтобы она такой и осталась».)

– И долго мне молчать?

– Два дня, три дня. Ты спокойно молчи, не трясись. Занимайся своими делами. Выйди-ка в коридор, погляди.

– Пусто, – доложил Саша, открывая дверь и выглядывая.

– Лучше я, пожалуй, в окно.

– ...Если тебя случайно увидят вылезающим из окна, то запомнят гораздо лучше, чем если бы увидели идущим по коридору.

– Случайно не получится. Посмотри, какая темень.

(Вот прямо сейчас, прямо здесь пусто и тихо, как в самом глухом медвежьем углу, но в других кварталах, на других улицах появляются из темноты мрачные тени.)

– Смотрю.

Они погасили свет, открыли окно, а потом Казаров растворился в темноте, а Саша остался, прислушиваясь... ах, до чего тихо! до чего темно и холодно... прислушиваясь и чувствуя, как отпускает его собственная боль. (Так отступают, чтобы перегруппироваться для нового удара, непобеждённые войска.) Когда в дверь снова постучали, он возился с дровами и щепочками.

За дверью стоял человек совершенно ему не знакомый: среднего роста, плотный, со светлыми широко поставленными глазами.

– Ромуальд фон Плау, – сказал он, представляясь. – Ваш сосед. Вы ничего подозрительного не видели?

Необходимость лгать одних бодрит, а других деморализует. Прежде чем ответить, Саша неуклюже отступил в сторону. (И ему показалось, что этот посетитель, хотя и стоит сейчас, спокойно опустив руки, войдёт в комнату вне зависимости от того, дадут ему дорогу или нет.)

– Не видел. Но ведь меня и не было, я только недавно вернулся. А что случилось?

Вопрос «что случилось» человек по имени Ромуальд пропустил мимо ушей. Он вошёл, прошёлся по комнате, быстро глянул на стол, по углам. На столе были свалены Сашины вещи, по углам – хозяйские тюки.

– И где вы были?

– В мэрии.

– Весь день?

– Утром и вечером на приёме.

Саша сердито запнулся. Ему не хотелось, чтобы его допрашивали – как школьника, как подозреваемого, –

и он не понимал, как так вышло, что этот человек, со всей очевидностью, его допрашивает.

– Простите, я не вполне понимаю, кто вы такой и что вам нужно.

Незваный гость как-то машинально, привычно сунул руку в карман и тут же что-то вспомнил... там, в кармане, пальцы нашли пустоту... вспомнил и с досадой нахмурился. В его светлых и довольно бесхитростных глазах промелькнул гнев, промелькнуло, может быть, даже желание всё объяснить зуботычинами. Но ничего такого он не сделал. Подхватил – с вежливеньким «разрешите?» – стул, прошагал с ним к окну, установил, уселся, достал (ещё одно «разрешите?») портсигар и, закурив, поинтересовался:

– Насколько издалека я должен начать?

«Просто начни».

– Как вам удобнее.

И Саша подал гостю пепельницу.

– Я ищу вора, – сказал Ромуальд. – Грязного вора, который выломал мою дверь и взял то, что принадлежит не только мне одному. Это делает разницу, когда вор крадёт не у одного, а у многих. У всех.

«Ну гад же ты, Казаров, – подумал Саша. – Ну гад».

Впервые увидев своё новое временное жильё, Саша подумал, что предпочёл бы голые стены и раскладушку, но теперь, с ужасом следя, как перемещается от коробки к узлу внимательный взгляд светлых глаз, порадовался. В таком нагромождении хлама мало ли что ещё торчит из-под кровати. Тем более что и не торчит.

– Мне очень жаль. Я ничем не могу помочь. Меня здесь не было.

– Мне тоже жаль, – сказал Ромуальд фон Плау монотонно. – Мне тоже. Вы тот самый человек, который читает в библиотеке лекции? Это про вас рассказывают, что вы ходили просить за эсеров?

Саша покраснел, не зная, радоваться ли этой растущей популярности.

– Ну, читаю лекции – громко сказано. Это всего лишь семинар. Я думал, что принесу пользу.

Чужое, ободранное и с нечистым хламом место, чужой, враждебно настроенный человек, тусклый свет, чёрный холод за окном, холод от чёрного неба и застывшей земли, чужие тайны, собственная усталость, собственные несчастья, чувство потерянности – привели доцента Энгельгардта в состояние какого-то тупого спокойствия. Это не был тот покой, которого он искал – тот покой был лёгким, мирным, полным света и воздуха, – но это было уже что-то. Начать с того, что он перестал волноваться. Фон Плау смотрел на него и видел уставшего, отрешённого, погружённого в какие-то свои далёкие мысли человека, очевидно равнодушного к любым происшествиям за дверью его комнаты – может быть, и внутри тоже, – к любым вопросам, которые будут заданы в связи с этими происшествиями; он отвечал на вопросы медленно, без сопротивления, без лукавства и с таким безразличием, словно спрашивающий был чужим настырным ребёнком, которому приходится отвечать, потому что нельзя одёрнуть. Потом этот заторможенный человек что-то вспомнил и спросил:

– Хотите чаю?

Как только Ромуальд фон Плау ушёл, Саша запер дверь, вытащил казаровский баул из-под кровати, раскрыл его и долго смотрел на стянутые резинками в разноцветные брикеты пачки купюр.

Вот они, в целости или почти в целости – грязные деньги, из-за которых одни погибли, другие погибнут, третьи лишатся сна, которые ищет Расправа, которые ищут местные уголовники, которые нужны слишком многим. Но он даже не сразу понял, что это за деньги.

К этому моменту Саша знал уже достаточно – с ним говорил Василий Иванович, при нём, почти как при собаке, говорили полковник Татев и Расправа, – он вспомнил и статью в филькинской газетке, вспомнил, наконец, где ему попадалось имя Зотова – и никак не смог увязать с этим Казарова. Казаров в его представлении был человек, который ни при каких обстоятельствах не мог пересечься с украденными деньгами мафии, каким бы путь этих денег ни был, начиная с той минуты, когда управляющий сетью ювелирных магазинов «Алмаз» достал их из сейфа в магазине и отнёс в собственную машину, чтобы неведомо куда отвезти.

Без сомнения, это был извилистый путь. Содержимое клетчатого баула переходило из рук в руки, и сам баул, возможно, появился на каком-то более позднем этапе, и подозрения и догадки различных лиц, причастных либо заинтересованных, тоже петляли и вились, далеко не всегда повторяя его крутой маршрут. Может быть даже, деньги и подозрения путешествовали настолько разными дорогами, что для них уже не осталось надежды на встречу.

Саша никого не подозревал. Саша никогда не интересовался тем, что для него ещё час назад было абстрактным «громким делом» и столь неожиданно – свирепо и неожиданно – приняло вид грязноватого, с каким ездят челноки, баула, оставленного под его собственной кроватью. Любой, кто заглянет под эту кровать... Тут доцент Энгельгардт малодушно напомнил сам себе, что кровать, строго говоря, принадлежит не ему. Любой, включая приходившего только что человека, может заглянуть под эту кровать и сделать какие-то выводы, и приходившего только что человека не назовёшь ни безобидным, ни глупым.

К кому ему было обратиться? Он представил, как взвалит на плечо этот куль и пойдёт по тёмным улицам – в общежитие к дяде Мише или в гостиницу к Расправе, – а фон Плау будет смотреть из окошка и удивляться. (Фон Плау, человек в некоторых отношениях гораздо более опасный, чем Вацлав, не напугал его и вполовину так сильно. Вацлав был, по его глубокому убеждению, истерик – и ничто не пугало доцента Энгельгардта так, как истерия. Он боялся сцен, как другие боятся крыс, змей или светопреставления. Он узнавал своё несчастье, как другие узнают дату последнего дня – и он твёрдо знал, что этот новый человек светопреставления не устроит. Кто из нас не разбирается в людях? Все разбираются.)

Саша совершил ещё одну ошибку: он принял фон Плау за белого офицера. Ну а как? Кем ещё может оказаться человек с такой фамилией и осанкой – секретарём горкома? Белый офицер тоже, конечно, мог впутаться не в одно, так в другое, но понятно, что впутайся он даже и в уголовщину, его мотивы, его поведение не будут мотивами и поведением уголовника... уж этого-то мы от белых офицеров вправе ждать. (Бедный Саша Энгельгардт. Бедные мы.)

Он хотел позвонить полковнику Татеву, но понял, что выложит ему всё и сразу. Он хотел позвонить Расправе, но понял, что не сможет ни сказать правду о главном, ни говорить о чём-либо другом. Отчётливее всего он понимал, что не в силах оставаться один – в этой комнате, с этим баблом под кроватью и этим фон Плау за стеной. Тогда он позвонил Марье Петровне и позвал её в AMOR FATI.

Он прошёл полдороги до библиотеки, прежде чем поймал машину. Где-то впереди были сперва пожарная каланча, потом – библиотека; где-то по правую руку, за полоской частного сектора, река и полуразрушенный монастырь на берегу.

В этом всегда тихом, безлюдном районе не дул ветер, не бродили хулиганы, и собаки гавкали сквозь сон, и даже звук шагов подавляла сила общего оцепенения.

Таксист, который его наконец повёз, был мрачный и дёрганый и не поехал прямой дорогой, через Соборную площадь, сказав, что в городе неспокойно. Он не произнёс слово «беспорядки», но всё, что он сказал, можно было выразить одним этим словом. Где-то жгли, где-то разбили витрину, никто в точности не знал, что и где происходит и каков размах происходящего. Они увидели, как полыхает какой-то ларёк, и сбежавшиеся добровольцы оттаскивают припаркованную в опасной близи машину. (Сашу поразила бодрая слаженность их действий, бескорыстие этой скорой помощи, вид молодых парней – одни в домашнем, другие с праздника.) Они увидели, издалека, что-то очень похожее на баррикаду, что-то очень похожее на камни в руках прохожих. Саша смотрел с ужасным, холодным чувством одиночества, как будто он мог посмотреть на себя с небесной высоты и из небесного холода и увидеть, как незлые, но безответственные демиурги наклоняют сейчас озадаченные лица над несчастным городком, по которому так медленно, из переулка в переулок, пробирается синяя «девятка» и пассажир смотрит в ночь расширенными глазами. И потом он подумал, что если бы он ехал сейчас – в этой же машине, по этим же улицам – в другом состоянии, с друзьями или девушкой, подвыпивший и счастливый, то всё, им увиденное, этот огонь, эти камни, эти мрачные тени, засияло бы в свете радостного возбуждения, и он увидел бы приключение, чары опасности, жизнь.

Ближе к AMOR FATI улицы стали не такими зловещими, лучше освещёнными, погромщиков сменили шумные компании, и здесь же наконец появились силы охраны правопорядка.

Марья Петровна терзала телефон, сидя в углу над чашкой чая. Был десятый час вечера, выходной, и посетители кафе, вооружённые самыми свежими сведениями о столичных вечеринках, старательно не смотрели друг на друга. Их было десять человек на весь Филькин, модной молодёжи, и все они были налицо.

– Что там происходит? Ты видел что-нибудь?

– Один пожар и две толпы.

– И что эти толпы делали?

– Мы их стороной объехали. Они какие-то недружелюбные. ...Ты вроде как не радуешься?

– Я буду радоваться, когда увижу, что это революция, а не погром.

– Зачем тебе революция, Марья Петровна?

– Это Филькин. Ты не поймёшь.

– Мне нравится Филькин. Нравится, что я здесь чужой. Что все знают, что я здесь временно. И каждый спрашивает меня: когда ты уедешь? Почему ты не уезжаешь?

– Почему ты не уезжаешь?

– Потому что у меня нет сил уехать.

– Это то, что Олег называет «затягивает».

– Нет, это не то. Это его затягивает. А меня выталкивает. Невыносимо чувствовать себя чужим там, где ты, собственно говоря, дома.

– ...Саш, послушай... А правда, что ты сегодня в мэрии вино в лицо Биркину выплеснул?

Ну ничего не скроешь, подумал доцент Энгельгардт.

– Нет, не правда. Я на него прыгнул и впился зубами в горло. И это был не Биркин, а биркинский пиарщик. Скотина.

– Саша!

– Не делал я ничего. Сказал пару слов.

– Так, а из-за чего?

– Да знаешь, из-за ничего. Нервы, наверное, не выдержали.

– Этого не достаточно.

«Мне достаточно того, что человек урод. Это вы все считаете, что если у урода правильные, с вашей точки зрения, политические взгляды, он уже не такой уродский».

– В ноябре-то? Очень даже достаточно.

– ...А я люблю выраженную смену сезонов. Наступает ноябрь, и зима, и у тебя появляется цель:

дожить до весны. Не хочу умереть, когда на деревьях нет листьев. А раз есть цель, есть и планы: то к весне сделать, другое. Но ради чего жить в вечной весне, где-нибудь на Канарских островах?

– Зато там умереть можно в любой день. Раз всё всегда зелёное.

– Вот именно.

– ...А ты чего помирать собралась?

– Да это так, к слову. На этот случай лучше иметь план заранее, правда? Ты Олега сегодня видел?

Они, как это уже вошло у них в обычай, поговорили о полковнике Татеве. (Вот прямо сейчас полковник Татев, на зловещей чёрной улице, еле успевает свернуть в закоулок, и осторожно выглядывает, и видит мрачные тени.) Они не замечали, как много они говорят о полковнике Татеве. Крайне непривлекательным... по меньшей мере, полностью лишённым воображения, со скудной душой, жалкими мечтами, мышиным расчётом... крайне непривлекательным нужно быть человеком, чтобы успешно противиться обаянию, особенно обаянию зла.

То, что Олег Татев представляет собой зло, было между Сашей и Марьей Петровной своего рода презумпцией. Они не могли привести примеры его злодейств и меньше всего хотели колоть ему этими остающимися за сценой злодействами глаза – но, как понимали ещё во времена Аристотеля, убийство, совершённое за сценой, тревожит зрителя гораздо сильнее. Они почти ждали появления вестника с подробным и леденящим душу отчётом. И они были полностью во власти очарования самого человека. (Его шутки, его песенки, его серые глаза.)

– Где он сейчас?

«В бане с проститутками».

– С Расправой, наверное, на бильярде играет.

– В городе переворот!

– Я бы не питал таких сильных надежд. Да и зачем тебе переворот, Марья Петровна?

– Вокруг посмотри.

Саша посмотрел. Хипстеры Филькина делали свой the best.

– Я бы не стал ничего переворачивать только ради того, чтобы счастливые дураки стали дураками несчастными.

– Ты бы по-любому не смог ничего перевернуть.

(Вот прямо сейчас полковник Татев, держась стен и закоулков, доходит до библиотеки и, оставаясь в тени, прислушивается к звукам со стороны Соборной площади. Потом он поворачивает назад.)

– Не обязательно мне об этом напоминать.

– Нет, – говорит Марья Петровна мрачно, – не обязательно. Это по желанию.

Она переворачивает чашку.

Полковник Татев поворачивает назад, перелезает невысокий забор, падает, поднимается на ноги, проходит на задний двор библиотеки и видит Кошкина, который сидит на перевёрнутом ящике и спокойно на него смотрит.

– Рад встрече, – говорит полковник.

Генерал Герасимов, последний куратор Азефа, так и не поверил в его двурушничество и в мемуарах явно берёт его сторону. (Но не себя ли он таким образом пытается обелить?) Как мог генерал Герасимов признать, что в случае с Азефом и со всеми подобными Азефу сокрушительное фиаско неразрывно связано с громкими успехами, что успех и поражение приходится брать в комплекте, и в самом колченогом, убогом успехе здоровая нога – это нога поражения, что уж говорить о триумфах, триумф оборачивается катастрофой сразу после того, как проступает его природа, – и Департаменту полиции, под двойным обременением враждебности общества и щепетильности собственных инструкций, остаётся лишь уповать, что это случится скорее поздно, чем рано. (Инструкции: секретному агенту запрещено входить в революционные организации и непосредственно участвовать в их деятельности. Инструкции: абсолютно исключается участие агентов в центральных руководящих органах революционных партий. Инструкции: агент должен использовать в частном порядке свои личные знакомства, точка.)

ДП и политическая полиция в особенности остаются местом печального расхождения инструкций и практики – пока инструкции будут той данью, которую порок платит добродетели. Когда руководить спецслужбами приходит человек, этими спецслужбами брезгующий, он оставляет после себя скандалы, деморализованных сотрудников и паралич всего ведомства.

Люди дела заботятся о деле и вверенных им винтиках механизма; люди инструкций в первую очередь заботятся о собственной чести. Роман Малиновский, член ЦК РСДРП, депутат Четвёртой Государственной Думы и личный осведомитель директора ДП Белецкого, сложил с себя депутатские полномочия по прямому требованию генерала

Джунковского, назначенного товарищем министра внутренних дел в 1913 году и с ходу занявшегося санацией Корпуса жандармов и ДП; и тот же Владимир Фёдорович Джунковский, либерал и любимец публики, любимец мемуаристов, человек чести и «исключительных нравственных правил», человек, который произвёл столь глубокое впечатление на Льва Разгона, повстречавшего его, уже старика, в советской тюремной камере, проболтался об этом, под честное слово, председателю Думы Родзянке – и давший слово молчать Родзянка через два года проболтался Бурцеву – и Бурцев молчал, но недолго – и после революции это стоило Малиновскому жизни, которую, возможно, и не жаль.

(А партийное следствие РСДРП в 1914-м, в последние перед войной месяцы, закончилось ничем: и меньшевики в Думе, и большевики за границей так и не выяснили истинной причины ухода Малиновского из Думы. Белецкий тогда же был отправлен в отставку.)

После революции. Полковник Мартынов, последний начальник Московского охранного отделения, злейший недоброжелатель генерала Джунковского, в феврале 17-го жёг, рискуя жизнью, служебные архивы, агентурные списки – возможно, опять-таки, что и эти жизни не жаль, но раз уж заговорили о чести... (Генерал Джунковский. «Показной либерал», «падкий на лесть», «абсолютно бездарный», «чванливый дурень со связями», «царедворец, который не понимает самой сути политического розыска и брезгует им». Генерал Джунковский и та ненависть, которую люди инструкций возбуждают в людях дела, вплоть до того, что Мартынов, не довольствуясь «дурнем» и «царедворцем», обвиняет генерала во «вполне известных сексуальных уклонах».) Генерал Джунковский остался в России, помогал советской власти реанимировать Московский уголовный сыск и впоследствии был репрессирован. Полковник Мартынов бежал, налаживал контрразведку у Врангеля, а впоследствии – службу безопасности американских частных кампаний. Оба оставили мемуары. Малиновского расстреляли в 1918-м по приговору Верховного трибунала при ВЦИК. Чрезвычайная следственная комиссия Временного правительства (и Александр Блок, икона стиля, не усомнился в ней заседать), под видом расследования злоупотреблений царского режима, повела себя жестоко, несправедливо и безответственно. (Из анекдотов: когда генерала Герасимова арестовали в марте 17-го, Бурцев взял его на поруки.)

А ведь был ещё случай Азефа, был сам Азеф.

– Это игра, – говорит Кошкин. – Мы играем с ними, они – с нами. В шахматной партии есть чёрные фигуры и белые фигуры, но нет правил для чёрных и правил для белых – правила одни. И когда кто-то меняет сторону... это просто удивительно, как мало, в сущности, для него меняется. Жизнь заговорщика так схожа с жизнью агента... Это такая непрерывная цепь нарушений заповедей во имя службы... все эти интриги, подвохи, враньё, хватание денег где попало и вообще всякая бессовестность... С переменой убеждений ничего не меняется. Это то, чего не понимает фон барон. То, чего не понимают рядовые и пешки по обе стороны.

– Теперь назови мне имя. Кроме тебя, есть ещё один человек, который всё понимает в совершенстве. Человек из БО.

– «Ещё один»? Всего один? Ты уверен?

– Мне хватит и одного.

– ...

– ...Удивительно, как такие вещи происходят, правда? Сидел, слушал про полковника Судейкина – знаешь эту историю про полковника Судейкина? у него ещё сын художник и всё такое, – и вдруг меня осенило. Если уж у жандармских полковников есть дети и внуки, то отчего бы... Нет, ну вот фон Плау твой, бедняга, один как перст... А у многих такая родня, такая... Хотя они сами не знают. Ну, мне и проще. Всё, что мне нужно было сделать – поднять анкету.

– Чью?

– Зотова, конечно. Вернее, его родителей и так далее.

– ...

– Он, наверное, сперва в ужас пришёл. Потом ему стало стыдно. Потом он увидел, что прадедушка у него очень умный человек, и с биографией, и с принципами, и с даром убеждать. Хотя лично я думаю, что дело не в этом. Он к тебе просто привязался. Просто поверил. А ты действительно очень умный. Умный и удачливый.

У Кошкина звонит телефон; он отвечает, слушает и несколько меняется в лице.

– Что-то пошло не так?

– Всё пошло не так.

– Вот так замыслишь переворот, а потом видишь, что это не переворот, это гопота громит магазины.

– А тебя учили, что перевороты делаются как-то по-другому?

– Вокзал – водоканал – телеграф, как-то так... Ты бы сейчас в мэрии сидел, а не со мной под кустом, пойди всё по плану.

– Сидел бы в мэрии, тебя допрашивал...

– Пальцы ломал...

– Тебе их скорее отстреливали, чем ломали. Кроме шуток, господин полковник, не пора ли этим развлечениям положить конец? Так ведь к утру камня на камне не останется.

– Наверное, пора. Позвони в полицию.

– ...Ты недоволен из-за этого последнего акта, я понимаю. Ты меня винишь. Я имею влияние на ЦК, хотя и очень ограниченное, и я могу узнавать, что в ЦК происходит, хотя часто с опозданием. Но что касается БО... Я их не контролирую и никогда не контролировал. У нас разное видение исторического процесса.

– А! Это называется «рейдерский захват истории». Сперва школьные учебники пишут, потом пытаются взорвать налоговую инспекцию.

– Повторяю: я ничего не знал.

– Это говорит не в твою пользу.

(Вот прямо сейчас Саша и Марья Петровна, выйдя из AMOR FATI и обнаружив, что на центральной улице довольно безлюдно, совещаются и идут ловить машину на Малую площадь, к краеведческому музею.)

– Что за люди в ЦК?

– Жалкие люди. Они постоянно совершают одну и ту же ошибку: думают, что могут кого-то использовать и при этом уберечься сами. Такие люди, которые принципиально отказываются признавать, что за всё нужно платить.

– Да, революции стоят дорого. Кстати, у кого сейчас деньги?

– ...

– Ну же, скажи. Это, конечно, не моё дело, но мне интересно.

– Не знаю. Деньги пропали.

– Даже так? Когда?

– Сегодня.

(Вот прямо сейчас фон Плау отдаёт приказания посреди тёмной улицы и говорит «наконец-то» подошедшему Казарову. Вот прямо сейчас на одних улицах – сыплется разбитое стекло витрин, на других, почти бесшумно, перекрываются выходы на Соборную площадь.)

– Бедный Расправа, – говорит полковник Татев меланхолично. – Опять ему с нуля начинать. Ну и как ты думаешь, это возвращает нас к вопросу о предателе?

У полковника Судейкина были *сыщицкие* глаза, а у Азефа – *необычайно добрые*. Савинков не мог поверить в его предательство, генерал Герасимов не мог поверить в его предательство, а мы сейчас не можем поверить, что эти двое, столь хорошо его знавшие, оказались столь слепы. Алданов, по уже остывающим следам, написал прекрасное эссе и тоже всё ломал голову над загадкой «иронического человека». Только ли в деньгах было дело? Нет, не только; что-то было помимо денег и в первую очередь, чем деньги. Полковник Мартынов смеясь говорит о скопидомстве Департамента полиции – «охали и кряхтели, когда платили Азефу пятьсот рублей в месяц», – но ведь была ещё касса ЦК ПСР, из которой БО до поры до времени давали не считая, сколько попросят. Тридцать тысяч на «дело Плеве»; на террористическую группу М. И. Соколова эсеры-максималисты истратили за полгода сто пятьдесят тысяч рублей. (А откуда брались деньги в кассах? Все приложили щедрую руку: меценаты-миллионщики, модные писатели, иностранные правительства.)

Если бы эти рассуждения предложили Саше Энгельгардту, попросив выбрать Азефа из числа известных ему лиц – обитателей тридцать четвёртой комнаты, фигурантов списка Вацлава, слушателей его собственного семинара, – то Саша Энгельгардт не смог бы ответить. Даже Вацлав, совершивший явно предательский по отношению к межпартийной БО поступок, руководствовался мотивами более высокими, чем хватание денег где попало, – и так же он не был игроком, насколько мы вообще в состоянии вообразить игрока. Вацлав, этот паук – потому что Саша уже назвал в своих мыслях человека в сером пауком – мог запутаться в собственной паутине, но не мог оказаться иудой на постоянной основе. Может быть, Фёдор? Парнишка Фёдор, который никогда не придерживает свой язык и начинает осознавать, что он говорит, сильно после того, как начинает говорить? Такой честный, такой резкий, с такими детски грубыми и всем видными хитростями. Лихач? Саша встречал красивого-бледного несколько раз, всегда случайно, ничего о нём не знал и в глубине души верил, что молодой человек не в себе. Профессор Посошков? Саша содрогнулся бы от отвращения к самому себе, приди ему мысль, что профессор Посошков в чём-либо может быть непорядочен. Кроме того, Посошков не имел с боевиками ничего общего – кроме общего прошлого, и то под вопросом. Кошкин? Кошкин, коммунист, которого Вацлав внёс в свой список исключительно по злобе, по каким-то личным мотивам, с паучьей ли своей целью впутать и замарать, чтобы обезвредить сейчас или как-то использовать впоследствии. Бессмысленно так гадать. И даже, почувствовал бы Саша, подло.

Мы забываем, что каждый новый Азеф не похож на предыдущего. Забываем, что на разоблачение одного настоящего Азефа приходится дюжина псевдоразоблачений – *«тот у них Иуда, Азеф и злодей, кто задумался над своей жизнью и спросил себя, был ли прав»*, – дюжина исковерканных душ, сломанных жизней... и что на одного разоблачённого настоящего приходится несколько неразоблачённых, чьи кодовые имена и деяния выплывут из архивов после февральской революции. (Какими страшными были эти первые месяцы; может быть, и пострашнее октября.) Если ловля провокаторов – не спорт... а она для очень многих спорт, и для Бурцева, например, стала спортом, хотя сам Бурцев, услышав такое, набросился бы на нас с кулаками... если ловля провокаторов не спорт, то в какую низость она превращается, гаже и ниже самого предательства, эта любительская контрразведка с огромной претензией на чистоту рук и безграничным доверием к собственной святости.

Саша и Марья Петровна дошагали до краеведческого музея, и всё впустую. «Всегда здесь стоят», – сказала Марья Петровна, обозревая пустую площадь.

– Ты где живёшь-то?

– На той стороне я живу, за садом.

– За садом?

– Мы так называем центральный парк. Чтобы не было, как в Нью-Йорке.

«Да, как в Нью-Йорке не будет».

(«Полиция тебе, как же, – вот прямо сейчас говорит полковник Татев Кошкину. – Мероприятие провели, усиление сняли, всё начальство в бане с проститутками. Никто ничего на себя не возьмёт».)

Саша смотрит на музей: неосвещённый, и в темноте... ничего не осталось от русского стиля в темноте... в темноте ужасно готический. Дом с привидениями. Замок сумасшедшего норманнского барона. Замок Отранто.

– Это и есть городской музей? Как приехал, всё собираюсь сходить.

– На что там смотреть, после Эрмитажа и всего такого.

– Я думал, ты гордишься.

– Я горжусь. Я только ненавижу, когда умные из столиц приезжают бросить взгляд на туземное искусство и объясняют нам значение наших сокровищ.

– Уверяю тебя, я даже не знал, что здесь есть какие-то сокровища.

– Разумеется, нет. У нас нет ничего, что можно назвать сокровищем в национальном масштабе. Только местные ценности. Рутлевский фонд. И Рутлева-Бельского, даже после того, как Эрмитаж половину себе выгреб. И, между прочим, подлинники Крамского.

«И палка-копалка».

– ...Расправа очень много знает про Крамского.

– Ну да, он же из Острогожска.

– ...Может, ему позвонить?

– В музей позовём?

«Я не знаю ни одного русского романа, в котором герои посещают картинную галерею».

– Ты читала «Записные книжки» Сомерсета Моэма?

– «Записные книжки»? Сомерсета Моэма?

– Извини. Я вспомнил, как его удивляло, что герои русских романов не ходят в музеи.

– ...

– ...Но это не так.

– Что не так?

– Во «Взбаламученном море» Писемского герои, попав в Дрезден, идут в Дрезденскую галерею. Это очень подробно описано, со всеми картинами, стульями, смотрителями и посетителями.

– ...

– Не то чтобы меня это удивляло. Читать Писемского никто не обязан. Сомерсет Моэм-то уж точно. Ты знаешь, что Моэм тут у нас разведкой занимался в годы революции? У английских писателей какая-то необоримая тяга к шпионажу. Посчитай: Моэм, Грэм Грин, Лоренс Даррелл, Комптон Маккензи. Хью Уолпол, наверное, тоже. Я не уверен, что Красный Крест не даёт возможностей.

– Саша, с тобой всё хорошо?

– И заметь, я не назвал Флеминга, Ле Карре и других в том же роде. Только серьёзные, диссертационнопригодные авторы. Страшно здесь, да?

Нужно учесть, что Саша и Марья Петровна смотрят на одно и то же, но видят разное, и Саша Энгельгардт, конечно, не ходил в этот музей (и во втором классе, и в пятом, и в шестом, каждый год, одним словом, организованно приходят на Малую площадь филькинские школьники), он не знает – ни наизусть, ни приблизительно – последовательность экспозиции и залов; для него это довольно безобразное (помножить на поздний ноябрьский вечер), довольно отталкивающее (помножить именно на этот поздний ноябрьский вечер) строение... да, строение, несмотря на русский стиль, прямо сейчас выглядящий готикой, строение номер такой-то, готов Саша сказать в своём несправедливом гневе... и что угодно может храниться за толстыми стенами, любые ужасы.

Марья Петровна всё знает и про соседние дома, дату и цель постройки, вид изнутри, состояние лестниц, имена жильцов, здесь жили девочка из параллельного класса и её такой красивый старший брат... всему Филькину известно, что с ним случилось, как он кончил... здесь до сих пор живёт старенькая мама закрепившегося в Москве – уже вросшего в Москву – шарлатана, и в Филькине считают, что с мамой можно было и побережнее, хотя даже самый злой язык не скажет, что старушка перебивается с хлеба на квас. За толстыми музейными стенами... Марье Петровне и в голову не придёт подумать, что кому-то они кажутся безобразными и замком Отранто... спрятаны за толстыми стенами местные ценности, от схемы расселения по области праславянских племен до карты с линиями фронтов последней войны, и сидит на страже ценностей преступный директор (для Марьи Петровны он дядя Лёша). Всё вокруг порождает чувство – во многих отношениях ложное, – будто знаешь каждый камень, будто каждый камень в крайнем случае поможет, чего закономерно ждёшь от родных камней.

– Лучше бы, конечно, они вообще туда не ходили.

– Кто и куда?

– Персонажи Писемского. В Дрезденскую картинную галерею.

– Мы вроде бы пили один и тот же чай, – говорит Марья Петровна.

Подобравший их дядя на «ниве» ехал домой в сторону автовокзала и был полон самой чёрной меланхолии. Чем дальше они продвигались через второй мост и кривые улицы, которых Саша прежде не видел и теперь не сумел разглядеть, тем больше он мрачнел, и облегчил наконец душу двумя-тремя словцами, из которых стало ясно, что дома дядю ждёт нечто похлеще революции. «Побыкуют и к утру разбегутся, – сказал он уныло. – Мне-то куда бежать?» Саша подумал, что дядя кажется ему давно, хотя и смутно, знакомым, словно это один и тот же человек, в разном настроении, но в одной и той же одежде, день за днём возит его по улицам городка, рассказывает новости и случаи из собственной жизни, сегодня у него усы, завтра – подозрительная, нарочитая плешь или волосы топорщатся, как дешёвый парик, словно не справляется заваленный работой гримёр, словно закончилось, и уже навсегда, человеческое разнообразие.

Марья Петровна заставила Сашу выйти вместе с ней и, показав свой дом, повернула в противоположную сторону. *(«И почему меня это не удивляет».)* Позвони хотя бы, сказал Саша. Я sms отправила, сказала Марья Петровна. Ничего, не маленькие.

– А мы куда?

– А мы через сад аккуратненько пройдём на Соборную.

– Напомни, зачем нам на Соборную?

– Поглядеть, как делают историю. Тебе что, неинтересно?

Они спускались с холма, внизу лежал растворившийся в черноте парк, по сторонам мерцали светлыми стенами и окнами небольшие особняки, двух- и трёхэтажные аккуратные дома – старые, приведённые в порядок, и новые, выстроенные как будто под попечением Михаила Филиппова, с фонтанами в собственных садиках за коваными решётками, с фасадами, обещающими ясную, классическую чистоту. (Вот прямо сейчас Саша смотрит на дом Климовой и не знает, что это дом Климовой, что Климова – это Климова, и никогда не узнает, проходит мимо.)

– Парк-то, наверное, закрыт?

– Я знаю, где пролезть. Давай быстрее.

Они почти бегут, потуже затянув шарфы, глубоко засунув руки в карманы. Больше не будет дымной мягкости в ночах, туманное сменится ледяным. До того, как выпадет снег, всё будет чёрным и ледяным, фонари не справляются с такой чернотой.

Посмотрев на то, что получилось у Писемского, вряд ли какой другой русский писатель захочет повести своих персонажей в Дрезденскую галерею, но усадить их у костра на Соборной площади, перед памятником Ленину... тоже, знаете ли... Саша Энгельгардт представил себя таким персонажем и решительно не поверил, хотя пожалуйста: вот костёр, вот Ленин, вот собор и чёрные правительственные окна. Это отсюда несколько часов назад он бежал с таким позором, задыхаясь, а сейчас движутся фигуры на фоне пламени, зловещие вспышки освещают то одно знакомое лицо, то другое, и клумбы вокруг Ильича, полумёртвая земля поздней осени, уже, конечно, захарканы и вытоптаны.

Саша покосился на Марью Петровну. (Но в сознании некоторых людей нет слова «извините». В сознании некоторых людей нет слов «я был неправ».)

«Шпиков поймали! – ликующе рассказывал карикатурный человечек (криво сидящие очки, нос пятачком, усики) всем желающим, в том числе, увы, Вацлаву. – Смотрю: в кустах шарятся, и рожи такие – ну натурально вражеские. Я им: стой! кто идёт! А девка эта бешеная – камнем в меня, потом ногой, палкой! Ребятки, молодцы, подоспели, повязали. Я вам, товарищи анархисты, уже неоднократно говорил, что в нашей борьбе главное – дисциплина и бдительность! А вы меня слушали и смеялись!»

К Вацлаву подошёл Брукс и стал что-то шептать ему на ухо.

– Я знаю, – сказал Вацлав нетерпеливо и не снижая голоса.

– Что вы собираетесь делать? – гневно спросила Марья Петровна. – Магазины зачем громят?

– Так заведено, – сказал Вацлав. – Разъярённая толпа всегда первым делом громит винные магазины и полицейские участки.

– Я не вижу нигде разъярённой толпы.

– Вы бы лучше задали себе вопрос, кого в настоящий момент вижу я.

– Мы не шпионы, – сказал Саша. – Вы прекрасно знаете, Вацлав, кто я такой.

– Неужели?

«Я мог бы тебе кое-что напомнить, – подумал Саша. – Вот прямо сейчас, при всех. Но ты отопрёшься, и тебе поверят. Даже если я разуюсь, достану этот проклятый список и начну им размахивать. И те, кого ты назвал, будут думать, что это провокация».

– А вы, мадмуазель? Пришли с дружком повидаться? Он занят.

– Мадмуазель я или нет, – сказала Марья Петровна с достоинством, – это мой город. Нечего здесь командовать. И моя личная жизнь вас тоже не касается.

(Вот прямо сейчас, на другом краю площади, фон Плау подзывает к себе Казарова. «Это Вацлав, – говорит фон Плау. Он смотрит на Казарова, но разговаривает сам с собой. – Вацлав, больше некому. Лихач слишком тупой, Посошков слишком трусливый. Больше никто не знал». – «Зачем было забирать эти деньги?» – «На всякий случай. Если сегодня не выгорит, наверняка будут обыски. В тридцать четвёртой их держали в коробке от телевизора». – «...Ты кому-нибудь из них уже сказал?» – «Я скажу всем сразу. Посмотрю, как отреагируют». – «Может, лучше пока не говорить?»)

– Конечно, касается, – говорит Вацлав. – К сожалению, касается. Я сам не рад. – Он кивает карикатурному человечку. – Я отойду. Пригляди за ними.

Саша смотрит на карикатурного человечка: гитлеровские усики, пустые глаза за стёклами очков. Смотрит на Брукса, который прячется за спинами, но далеко не уходит. Перехватив его взгляд, Брукс попытался улизнуть, поэтому Саша сказал очень громко:

– Интересно, а Брукс что здесь делает?

– На полслова, – говорит Вацлав Лихачу. Он достаёт телефон, не торопясь показывает красивому бледному фотографии в телефоне. – Как вы можете это объяснить?

– Что здесь объяснять? Кто вам их прислал? Полковник этот прислал?

– Вы знаете этого полковника? И что он полковник, тоже знаете? Видите, как странно.

– Вижу, что это провокация.

– Но фотографии вряд ли сделал он сам, правда?

– Их мог сделать сообщник. Их могли из дальнего бункера сделать.

– Со спутника...

– Да, со спутника. Не надо цепляться!

– Зачем вы с ним встречались?

– Вацлав, я шёл на встречу с другим человеком. С нашим товарищем.

– И товарищ может подтвердить?

– Нет. Потому что он мне встречу не назначал.

– Вы шли встречаться с человеком, который встречи не назначал?

– Это было подстроено.

– Понимаю. Однако... Взгляните повнимательнее. Это выглядит очень *дружеской* подстроенной встречей, не так ли?

– Да, выглядит. Если хотеть, чтобы так выглядело.

– Понимаю. Вы считаете, что всё, что я говорю, – придирки. Я вам не нравлюсь. Мне, наверное, вы бы не позволили вот так себя приобнять.

– Не позволил бы, если бы успел.

– Ммм... Да. По всей видимости. Что это за место? Какой-то парк?

– Городской сад.

– Удивительное место, правда? Даже для подстроенной встречи... удивительное. Так... уединённо, вы не находите? Как у Василия Розанова...

– Не знаю я никакого Розанова. Что вы душу из меня тянете? Есть вопросы – собирайте следственную комиссию.

– Следственную комиссию? Следственную комиссию... Вы знакомы с историей партии? Это поколение наших отцов, а как будто про древний Рим читаешь. Вас это не удивляет? Меня всегда удивляло. *Преданья старины глубокой*... Вам сколько лет было в семнадцатом? Пятнадцать? Ну, мы почти ровесники... Только мне сейчас тридцать семь, а вам – двадцать восемь. Это тоже... удивительно, да? Не могу от этого слова отвязаться. Мой старший брат хорошо знал Савинкова... Нет, увы. Нет у нас времени для следственных комиссий.

– Тогда ничем не могу помочь.

– Ваше слово против моего, правильно? Моё слово и вот эти фотографии. Ваше слово и любовь, которую товарищи к вам питают. Всю жизнь, постоянно я задавался вопросом, почему меня никто никогда не любил, как любят таких, как вы. Это вопрос обаяния? Да, это вопрос чего-то такого... чего-то, что заставляет... Вам не следовало сходиться с женщиной из новых. Наверное, это не моё дело?

– Не ваше.

– Она ведь, вы знаете, сотрудничает с охранкой.

– Я не знал. Я в это не верю.

– Да. Тоже, по всей видимости, расскажет, что по чистой случайности...

– И что случилось с вашим братом?

– А, ну он так при Савинкове и остался. Растворился где-то в Польше... Не знаю. Сейчас, полагаю, мог бы узнать.

– Савинков – белогвардейская сволочь.

– Может быть, может быть... Вы больше не выступаете за широкую коалицию?

– У самой широкой коалиции есть какие-то пределы.

– *Мы не доносов хотим,* – говорит Вацлав с почти неприметной улыбкой, явно цитируя, – *мы не спрашиваем, у кого какая рожа...*

– Мои слова, не отпираюсь.

– Почему? Отпереться всегда возможно. Если захотеть.

– Я не очень умный. И не доучился.

Лихач никому не признаётся, но всё это время он чувствует себя так, словно не оживал. Он прочёл учебник истории как фантастический роман – появление советского народа, ещё одна война с немцами, уже не империалистическая, великое строительство, победа социализма, полёты в космос. У него не укладывается в голове, как мог советский народ без сопротивления от всего отказаться и куда этот советский народ делся. И куда делись советы? Как сквозь сон, он вспоминает программу партии:

децентрализация и принцип самодеятельности. (И он вспоминает случайную встречу в Орле с учеником Чаянова, и как этот человек, чьё имя забылось, давал ему написанное Чаяновым «Путешествие моего брата Алексея в страну крестьянской утопии», и они смеялись, читая о крестьянском правительстве России и декрете 1934 года о сносе всех городов с населением свыше двадцати тысяч «как рассадников умственной лени и социальной заразы». Как же его звали?) Ему, члену ПЛСР с 1918 года, уже не кажется, что городами, космосом и большими стройками можно легко пожертвовать. Теперь, когда он знает о войне, он знает, что был неправ, что не следовало ему кричать на митингах «не нужно нам никаких декретов о строительстве государства». (Как бы мы выиграли войну против чужого сильного государства без собственного своего?) Фон Плау – единственный, кто его поймёт, и они никогда ни о чём сверх необходимого для их секретных планов не говорят.

Они просчитались; ему не нужно ждать утра, чтобы увидеть это. Всё кончится пшиком, Вацлав выставит его предателем или авантюристом. Вацлав, с его холодной гадючьей кровью, вывернет наизнанку любые слова и свидетельства, не даст оправдаться до того, как за ним придут, и даже этот арест, следствие безответственной, наудачу, выходки, не очистит его от подозрений. Может быть, ЦК ждёт, что он пустится в бега. Такой радости он цекистам не доставит.

– Я буду требовать разбирательства, – говорит он.

Брукс, когда понял, что доцент Энгельгардт не собирается его стыдить и жучить, нагло разговорился.

– Ну вы, Энгельгардт, и начудили, – с удовольствием сказал он. – Вот что значит нервы и мировоззренческое отставание. Как ни хоронятся некоторые под маской политически нейтральных, а всегда выдают себя с головой. Потому что маска – она маска и есть.

– Вы тоже, Брукс. Вы тоже.

– Ты это о чём? Я здесь по редакционному заданию.

– Разумно. Ещё неизвестно, как всё обернётся.

– ...Ты что-нибудь знаешь? Ну-ка, отойдём в сторонку. Я, Зоркий, извиняюсь, – кинул он запротестовавшему человечку в очочках, – но это не ваш, как они сейчас говорят, уровень. Пошли, Энгельгардт.

Они отошли и сели на свёрнутую палатку. Саша попытался представить, как кто-то собирается жить в этой палатке на площади, прижиматься через все подстилки к земле: асфальт, а поверх асфальта лёд.

– Это моя работа, – сказал Брукс, – понюхать, чем пахнет в сферах. Там бываю, тут. Собираю информацию. Знакомлюсь. Исключительно с информационными донорами. С этой вот целью.

– Брукс, мне всё равно. Если не будете ко мне цепляться.

– Что значит «не цепляться»? Это жизнь. Жизнь к тебе прицепится в любом случае.

«Уже прицепилась».

– И что говорят информационные доноры? Объясняют как-нибудь, что здесь происходит?

– Трудно сказать. – Брукс посмотрел на Сашу с обескураживающей искренностью. – Главное, нет воззвания. Этого я вообще не понимаю, как такие вещи без воззваний делать. Кто такие? Чего хотят? К кому, в конце концов, обращаются?

– Да, верно. Обывателю всё нужно растолковывать.

– Обывателю? Да кого интересуют обыватели? Обыватели ещё ни одной революции не сделали, ни единого переворота. Никого не поддержали в момент, когда требуется. Пустая это трата бумаги – воззвания для таких писать. В газете о новом правительстве прочтут, и хватит с них. Не знаешь, кто это? Вон, на тебя смотрит.

Саша повернул голову и увидел Казарова. «Бандит, хулиган, диверсант», – подумал доцент Энгельгардт.

– Я с ним встречался в Трофимках.

– ...Не похож на мужика. Наверное, каратель из альбома.

– Неправда.

– Не наш ты человек, Энгельгардт.

Что было толку защищать доброе имя человека, который действительно мог оказаться карателем в прошлой жизни и вором в этой. Что толку защищать кого бы то ни было перед таким, как Брукс? Только чтобы не промолчать? (Этой ночью, улучив минуту, доцент Энгельгардт схватит Казарова за рукав и прошипит: «Казаров, вам придётся мне всё объяснить». – «Я же сказал, потерпи, – ответит Казаров. – Через два дня заберу и исчезну». – «Ко мне сосед из-за стенки приходил». – «И что сказал?» – «Сказал, что печень у вора вырвет и съест». –

«Да, этот может».) Саша, тем не менее, сделал, что мог, а именно: не стал слушать.

– Слушай, а эта девка из библиотеки – –

– Марья Петровна.

– Я и говорю. Девка тут зачем крутится?

– Марья Петровна считает, что при развитии истории лучше присутствовать лично.

– Понятно, сведения собирает.

– Не сведения, а свидетельства.

Саша обернулся, ища среди силуэтов застывшую угловатую фигурку, и подумал, что ничего Марье Петровне не должен, но если вдруг всё же что-нибудь должен, то вот это: не обсуждать её с Бруксом. Ни её надежд, ни её побуждений, ни её дружка. (Что, интересно, имел в виду Вацлав? И с каким презрением он процедил сквозь зубы это ласковое безобидное слово, сразу же превратившееся в «дружка» из дешёвых переводов слащавой американской эротики.) Марья Петровна не распространялась о своей личной жизни, и доцент Энгельгардт привык думать – если он вообще когда-либо об этом думал, – что полковник Татев упал с неба на пустую землю ожиданий, и ему не приходило в голову, что ожидающая земля, особенно такая богатая, непременно чем-нибудь, пока суд да дело, зарастёт, хотя бы бурьяном.

Саша неохотно смотрит по сторонам... охотнее всего он закрыл бы глаза и оказался в каком-нибудь другом месте... и вспоминает стихи, которые Леонид читал на Сашкином хуторе: «Мы шагаем через бездны к солнечным краям, Мир откроется чудесный радостным очам». Эти очи, простодушно выбранные пролетарским поэтом для красоты, торжественности и рифмы, тогда его тронули, а теперь раздражают. По крайней мере одной революции никогда не совершат широкие массы: в искусстве.

– Я ведь, ты знаешь, не привык среди статистов, – сказал Брукс. – Я тебе рассказывал.

– Помню.

– И конкретно тебе, при ответном движении, могу помочь. Чем бы сегодня ни кончилось – –

– Вы меня, пожалуйста, извините, Брукс, – сказал Саша. – Никаких ответных движений я делать не буду. Чем бы ни кончилось.

– Ты уверен, что сегодня четверг?

– Ты на звонки не отвечаешь.

– Ну и что?

У полковника Татева руки, лицо и пальто чистые, без повреждений, если он и приложился плечом или коленом о забор и стену, следы не видны. Он стоит спиной к входной двери, привалившись к двери, опираясь на палку, а Климова стоит перед ним, не предлагая пройти, и он пытается вспомнить, в этих ли джинсах и белом свитере она была, когда он пришёл сюда в первый раз, в её нерабочую, как выяснилось, среду... выходной день, нерабочая одежда... пытается вспомнить и думает, что его учили запоминать такие вещи, и он их всегда запоминал, на всякий случай, он всегда обращает внимание на одежду, детали и теперь понимает, до чего расслабился. И говорит:

– Слишком этой ночью будет неспокойно.

– И ты прибежал меня спасать?

– Скорее спрятаться у тебя под кроватью. Дай пройти.

– Это всё чепуха, – говорит Климова. Она пожимает плечами, делает шаг в сторону, помогает полковнику снять пальто. – Сюда не придут. А если придут, меня не тронут.

– Вот и в семнадцатом буржуи так говорили. Толпа что сперва громит? Ментов и винные лавки. А потом бежит в богатые кварталы. Так, для революционного фасона.

Не спрашивая дороги, он идёт не направо, как обычно, а налево и обнаруживает кухню: блестящее, чистое, холодное пространство. Ни одной розовой ленточки. Никаких кастрюлек на виду. Кактус на столе.

– Кровать не там.

– Действительно. Ну, обойдёмся чем есть. Попить-то дашь?

Он садится за стол, спиной к стене, быстро озирается. Климова достаёт из холодильника стеклянную бутылку минеральной воды.

– Нет, хочу горячего. Ты знала, что у Зотова родственник воскрешённый?

– Да. Он много о нём говорил.

– И фамилию называл?

Климова включает электрический чайник.

– Фамилию?.. Сначала он говорил «этот человек». Потом – просто «он». Он был очень... расстроен?.. скорее, выбит из колеи. Да, сперва разозлился, потом растерялся. Как будто вся его жизнь развалилась. Как будто он узнал, например, что приёмный сын у родителей. Взятый в детдоме от каких-нибудь алкашей. Я говорила тебе, Зотов всегда очень старался, чтобы всё было по правилам. Чтобы всё было опрятно. У него был идеальный порядок –

в документах, в жизни. Если бы Василий Иванович отпустил, он бы ушёл в настоящие структуры.

– Сбербанк-Газпром? Конечно. С распростёртыми объятиями. Василий Иванович, значит, не отпускал? Ага, а говоришь, пакетики. Нет, нет, только не зелёный. Я его видеть уже не могу.

– А потом, когда он привык и пригляделся... Это нельзя назвать смирением. Нельзя сказать, что он решил, что вот, прадедушка, какой ни есть... не отнесёшь на помойку. Он стал его... уважать? Нет, не знаю. Он стал о нём очень много думать. И под самый конец он перестал рассказывать.

– До чего он скользкий, этот Кошкин! – говорит полковник Татев с восхищением. Он проверяет, как заварился чай, кивает. – Всё сделал чужими руками – и от всех избавится. Даже меня обдурил. Я ему, конечно, не верил, но я не думал, что он так резко подставит эсеров. Кто же избавляется от эсеров, пока они добывают для тебя власть? – Он вертит в пальцах тяжёлую серебряную ложку. – Нет, я пью без сахара. Значит, пошли вопросы про деньги. Как они поделили эти деньги, Климова? Конфеток у тебя нет?

– ...

– А теперь он говорит, что деньги пропали.

– Почему ты мне всё это рассказываешь?

– Наверное, потому что тебе это неинтересно. Так и тянет открыть душу. Почему ты мне соврала?

– Я тебе много врала. Что именно ты имеешь в виду?

– Директор музея к тебе давно не ходит. А вместо себя привёл нашего генерала.

– Он был не в форме. Так сразу и не скажешь, что генерал.

– Очень всё хорошо вышло. Так удачно всё вышло. Это лучше, чем музейные кражи и даже наркотрафик. У него террористическая сеть под носом, а он с блядьми прохлаждается. Вооружённый мятеж прямо за окошком. И предупреждали ведь, взрывчатку подбрасывали, в мэра стреляли... Может быть, это уже пособничество, а не простое служебное несоответствие? Я тут подумал, если мне родина на радостях отпуск даст и премию за проделанную работу, мы, может, съездим куда-нибудь? Белое море? Чёрное море? Поедем в Константинополь, Климова?

– Ты портишь мне настроение.

– Я привожу тебя в ярость. Это разные вещи.

– И куда мы так движемся?

– В никуда. Я готов рискнуть. Промурлыкай что-нибудь ободряющее.

– Промурлычь.

– Что-что?

– Нужно говорить «промурлычь». Плещет, блещет, машет, тычет, кудахчет, мурлычет.

– ...Пучет.

– Нет, пукает. Если ты не имел в виду глагол «пучить». Но там другое окончание. Что теперь будет с родственником Зотова?

– Судьба генерала тебя не интересует?

– Мне она ясна. За один месяц потерять всех клиентов! – Климова смеётся. – Этот новый мэр, что о нём скажешь?

– Биркин? Нет. Думаю, что нет. Он всё с собой привёз, и вдобавок слишком трусливый. Наверное, любит ванильный секс.

– Ну, можно и ванильный.

– Он не пойдёт за ванильным сексом к тебе.

– ...

– В Москве выбор богаче.

– Безусловно, в Москве выбор богаче. Так что ждёт этого бедного родственника?

– Он всё правильно разыграл, ничего ему не будет. И на самом деле у него касса пропала, или он говорит, что пропала... Разберутся между собой. Я бы на него поставил. Значит, не поедешь. Почему?

– Богатый московский выбор меня пугает.

– Что тебя держит в этой дыре?

– ...Знаешь, Татев, почему все так ненавидят московских?

– Потому что мы вкалываем и живём хорошо.

– Вкалываете? На каких таких заводах? Вас не любят, потому что вы самозванцы и сами об этом знаете. Позиция абсолютного превосходства предписывает некоторую мягкость манер. Иначе это не выглядит абсолютным превосходством.

– ...Это всё из-за того, что я сказал «дыра»?

– Конечно, это дыра.

– ...

– Погляди, полиция приехала. А ты говоришь, буржуев не охраняют.

– Это их на Соборную послали, а они не хотят туда соваться. Орлы. Ну, чем займёмся? Приклони свою дурную голову на мою широкую грудь, и будем размышлять, как нам скоротать эту ночь.

– Могу научить тебя играть в пикет.

– В пикет? Ну да. Разумеется. Кто бы предположил, что ты играешь в подкидного. Подожди – –

– Будешь плохо себя вести – сделаю больно.

– Одна мысль о тебе делает мне больно.

– ...Я вот думаю, если деньги взял Зотов, а Зотова убили боевики, зачем тогда стрелять в Василия Ивановича?

– ...Для тренировки? Одни заговорщики просто не знали о планах других. Или их намеренно ввели в заблуждение. Тебя так интересуют детали?

– Честное имя – не самая мелкая деталь. Зотов не стал бы участвовать ни в каком заговоре. Я не верю. Не мог его твой Кошкин настолько заморочить.

– Он и не участвовал. Его выманили. Тот, кого ты начал уважать и любить, новоприобретённый прадедушка, звонит в ночи – или когда это было? – и сообщает, что уже едут в твой магазин с автоматами наперевес, а тебе только что, как ты сам проболтался, завезли кассу, и ты, ничего другого не успевая, берёшь её и бежишь, по дороге названивая Василию Ивановичу, который в это время по какой-либо причине недоступен – может быть, как раз здесь, в этом доме, плавает в океане страсти... Это мелкая деталь или нет?

– ...У них были автоматы?

– Нет, откуда. Раздобыть автомат не так легко.

– А после покушения все поверили, что у Василия Ивановича рыльце в пушку.

– Вот и разобрались. И зачем, спрашивается? Вместо пикета?

– Теперь у тебя есть стройная и внутренне непротиворечивая версия.

– Да. В этом её главный изъян. Дай мне скидку на ноябрь. Я все четверги не смогу использовать.

– Я не работаю с дисконтом. Это плохая примета. И на «Лафройг» не хватит. ...У кого же эти деньги сейчас?

– Что, стало интересно?

– Это незаинтересованный интерес. Бескорыстный. Как при чтении детективов.

– Таких, где на последней странице всё становится с ног на голову? И преступником оказывается самый привлекательный персонаж?

– Нет, такие я не люблю. Они чрезмерно реалистичны.

– Зотов не мог проболтаться. Такой службист, педант... как вы в один голос меня убеждали. Он просто не в состоянии излить душу таким образом. И ты это знаешь.

– Всегда оставляй место для сбоев и случайностей. Мне бы он, например, проболтался.

– ...

– Твой ход.

– ...Дура ты, Климова.

– Знаю. Что-нибудь ещё?

Когда Игорь Львович Биркин узнал, к вечеру следующего дня, что это не он проморгал попытку вооружённого переворота, а местное УФСБ, он не смог обрадоваться. Где был генерал Климов в этот нелёгкий для родины час? В Москве он был; бегал по кабинетам или с блядьми прохлаждался. Подать сюда генерала! А мэра, значит, не подать? Какие же ужасы припасены для Игоря Биркина в грядущем, если сейчас его вот так походя прощают?

Без зова явился специалист.

Специалиста Биркин боялся, презирал и в точности следовал его советам. Это только кажется, что с лёгкостью можно выгнать одного пиарщика и нанять другого, что пиарщик – не банк и не куратор от ведомств. За ним могут стоять силы, которых боятся сами ведомства.

«Какие новости? – сказал специалист. – Правильно, для нас – никаких новостей. Пятиклассники никому не интересны, когда больших мальчиков ведут к директору. Но это не значит, что пятиклассниками вообще не займутся. Упреждающий удар, вот что мы должны сделать, точнее нанести. Активное подтверждение лояльности, во-первых, и мудрое переключение внимания, во-вторых. Упреждающий Удар! Вот как это называется».

Игорь Биркин не верил в мощь упреждающих ударов. Предоставленный самому себе, он во всех обстоятельствах предпочитал сидеть тихо, и прекрасные это давало результаты. Он посмотрел на специалиста, и его передёрнуло. Он посмотрел на специалиста и почувствовал, что тот ему навязан специально.

– У нас и кандидат подходящий есть.

– Но это невозможно, – сказал Биркин, когда специалист изложил свой план. – За этим человеком стоят спецслужбы.

– Да не стоят они за ним. А если и стоят, то сдадут. Слишком удобный случай показать народу, что будет при слишком тесном контакте с бывшими.

– Как будто мало у меня забот! – возмущённо сказал Биркин. Жене необходим Гарц. Дочери необходима лошадка. («Нет! Не в клубе! Своя собственная!») Ольга вынимает из него душу. (Ну почему, почему он не оставил Ольгу в Москве.) Он тоже человек. Он, в конце концов, человек, а не насос, не печатный станок и не бумажник. Ему хочется плакать, когда он думает о своём одиночестве. – А вы такое предлагаете.

– Беспроигрышный вариант предлагаю. Надо ещё разузнать, зачем он здесь торчит и нет ли у него гранта от госдепартамента.

– Неловко получится, – сказал Биркин. – Получится, что наши спецслужбы прикрывали пятую колонну.

– Ну и подумаешь, прикрывали. Это была дымовая завеса. Да как будто будем мы разбираться, какие там у спецслужб мотивы.

– ...Как-то всё это неправдоподобно.

– Нам не нужно, чтобы было правдоподобно. Нам нужно, чтобы был результат. Ни вы, ни я не собираемся задерживаться в этой дыре.

Даже не знаю, каким словом тебя назвать, подумал Игорь Львович. Игорь Биркин и в мыслях не позволяет себе площадных слов, и когда – очень часто – это ставит его в сложное положение, утешает себя сияющими образами эпохи Александра Третьего, которой он, вопреки всем косым взглядам, верен.

Придаёт ему сил, прямо сейчас, и чистая совесть. Порядочного человека Игорь Биркин не отдал бы на съедение, а вот такого... вот такой сам во всём виноват. Есть высшая справедливость в том, что коварный и замышляющий попадает под жернова, и никто не спешит за него заступиться. Это старая популярная ария из оперы «вор у вора», самые совестливые люди её знают и насвистывают, а Биркину даже доказательства не нужны, он собственными ушами слышал, как доцент Энгельгардт запальчиво сказал: «Прошу любить и жаловать.

Полковник Татев. Кровавая гебня. Оборотень в погонах. Мой друг». Ну да. Ну вот так. Стоит ли теперь удивляться.

– Меня удивляет, насколько это всё непохоже на политические беспорядки.

В политических вроде бы беспорядках на первый план вышел сильный уголовный элемент. Пока гражданское общество топталось вокруг своих костерков перед мэрией, его чёрные двойники пронеслись по городу. Биркин заглянул в полицейские сводки и увидел в них драки, поджоги, грабежи, выбитые окна. Избиение табуретками. Пятеро напали на наряд полиции и попытались отнять оружие. С двоих сотрудников сорвали форму.

– Чего они требовали?

– Снижения цен и советской власти.

– Зачем таким советская власть? Это настоящие уголовники.

– Конечно, уголовники. В силу чего считают советскую власть социально близкой. Да так оно и есть на самом деле.

Игорь Биркин – сын человека, которому советская власть дала всё; Игорь Биркин и Виталик Биркин – внуки человека, который советскую власть олицетворял; может ли Игорь Львович подтвердить, хотя бы молчанием, что его отец и дед – воровские авторитеты? Даже если он сам всей душой с Александром Третьим, требует ли от него Александр Третий предавать родных?

В странные, далёкие от земного минуты задумывается Игорь Львович о путях истории, и тогда тлеет где-то на сумеречном краю его сознания мысль, что Александру Третьему пришлись бы по душе советские семидесятые, он одобрил бы мощь страны, её богатство, размеры и достижения, мир, который наконец установился в умах и на просторах... Ещё большой вопрос, на чьей стороне, в отличие от своих самозваных наследников, он был бы в 1991-м. Биркин молчит. И видит, как по лицу специалиста расплывается улыбка.

Пока Саша Энгельгардт ждёт, считая часы... два-три дня, сказал Казаров, потерпи, никто на тебя не подумает... пока Саша ждёт, пока фон Плау обвиняет Вацлава, а Вацлав – Лихача, и специалист приводит в действие свой нехитрый подлый план, в тридцать четвёртой комнате проводят совещание за совещанием. Это одна нескончаемая, утонувшая в табачном дыму оргия, сладострастие прений. Пока кто-то спит или ест в уголку (хотя большинство привыкло есть, не прекращая состоящего из истеричных криков разговора), новые бойцы занимают место.

Выясняется, помимо прочего, что клоунской эскапады в ночь с четвёртого на пятое никто не хотел. Преждевременное, обречённое выступление; мало того, в общественном сознании Филькина революция сливается с бандитизмом, и уже побили на рынке двух анархистов в отместку за не ими сожжённый ларёк. «Было бы крайне нецелесообразно и печально, если бы наше стремление к объединению породило новый раскол», – сказал профессор Посошков в самом начале – и зря трудился.

Есть вещи, которые не меняются.

До семнадцатого года революционные партии ненавидели друг друга сильнее, чем самодержавие; в Советской России их взаимоотношения стали предметом насмешек ГПУ. «Взаимоотношения политических группировок между собой – крайне ненормальные, – докладывали уполномоченные своему начальству, – и если среди политических и говорят об едином фронте, так это только и остаётся в разговорах, никакого единения между группами нет и не будет. Сильно развивается фракционность, а недоверие не только к инакомыслящим, но и своим однопартийцам».

Бессмысленно было со стороны Ивана Кирилловича воздевать, фигурально выражаясь, руки, но он это делал, и в довершение всего сам не знал, зачем делает, потому что, как и все остальные, не доверял никому. Он имел достаточный опыт ссылок и в достаточной мере был им развращён, чтобы понимать, что за каждым в этой комнате, включая его самого, стоит густое облако подозрений и пересудов, каждый отбрасывает густую чёрную тень. Теперь уже очевидно, что пережитый шок их не сплотил. Большевики в глазах социалистов остались узурпаторами, а социалисты в глазах большевиков – господами, и так далее, у самой незначительной фракции свои гордость и программа, и хотя они все вместе сидят у разбитого корыта, корыто тоже не сплачивает никого.

Накануне этого балаганного, идиотского выступления в ПСР обсуждали вопрос о полной легализации либо уходе в подполье; может быть, кто-то таким образом заставляет на этот вопрос ответить. Но кто эти хитрецы? Люди из межпартийной БО чрезмерно просты, людям из ЦК нужно другое. Взаимотягостные контакты с новыми оппозиционными партиями уже всех, кажется, убедили, что, на свету или во мраке, рассчитывать придётся только на себя. Особенно это касается коммунистов, злорадно думает профессор Посошков, коммунистов из Думы XXI века, наконец-то всё всплыло.

– Всё заседают? – спрашивает дядя Миша у Кошкина, жестом предлагая тому убрать со стола шахматную доску.

– Заседают, – соглашается Кошкин.

Дядя Миша расставляет чашки, сахарницу, чайник; довольно щурит глаза.

– Поглядеть – шапка свалится.

– Похоже, я просчитался.

– Ты не просчитался, голубчик. Ты перемудрил.

– А что нужно было делать, Михаил Алексеевич? Сидеть в углу, ждать, пока эта нечисть страну подожжёт?

– Больше не хочешь коммунизма?

– Я не хочу коммунизма на развалинах. По тем же причинам, по которым вам перестал быть нужен парламентаризм. Или я ошибаюсь? – Он обеими руками трёт лоб и виски. – Почему их до сих пор не забрали?

– И не заберут. Разве что тебя да меня, радетелей сильной государственной власти. Пей чай, комбинатор.

– Все на свободе, – почти с отчаянием говорит Кошкин. – Что же они должны сделать, чтобы их арестовали, Кремль взорвать?

– От элемента город очистили – и то неплохо. Как ты теперь будешь оправдываться?

– Перед кем?

– ...Ну а деньги?

Вопрос о пропавших деньгах всплывает и в тридцать четвёртой комнате и оказывается важнее идеологических разногласий. Не будет без денег ни честных выборов, ни бомб в министерских портфелях: политики в любых её проявлениях. Половина присутствующих охала и кряхтела, соглашаясь на экспроприации, и теперь чувствует себя хуже некуда: мало того, что пошли на сделку с совестью, так ещё и зря. «Как проститутки», – бормочет кто-то. Обманутые проститутки, которым не заплатили.

– Я говорил, что большевикам нельзя доверять! – срывается наконец Посошков. – Откуда нам знать, что касса у фон Плау действительно пропала? Как вам вообще пришло в голову, что большевики способны отказаться от своих интриг ради общего дела?

– Вацлав дал честное слово.

– Только подлецы и негодяи дают безответственно честное слово!

– Поосторожнее, Иван Кириллович, – говорит, бледнея, Вацлав. – Я был не один.

И все смотрят на Лихача, главного апологета союза с коммунистами.

Лихач потребовал разбирательства, но в суете и запале этих дней мало кто понял, чего он хочет и что с ним случилось. Он был член ЦК, это правда, но только как руководитель межпартийной БО, и чем большую неприязнь вызывала БО, с тем меньшим доверием относились к нему, как-то чувствуя или понимая, что в первую очередь он боевик и лишь во вторую – цекист. Вся затея с БО уже кажется цекистам ужасной, компрометирующей глупостью. Можно прожить и без экспроприаций, и без терактов; с программой, отредактированной сообразно новому времени.

Что в таком случае останется от партии и её идеалов?

Что останется от партии в любом случае? Уже нашлись и угнездились на мещанских диванах отступники, нашлись и такие ренегаты, которые пытают счастья в партиях XXI века... не нужны они там, даже на ролях свадебных генералов... Боевой организации не скажешь, как говорили отцы: «Постой за дверью, позовём».

– Вацлав обвиняет меня в сотрудничестве с жандармами. Я хочу, чтобы он предъявил доказательства весомее двусмысленных фотографий.

Непостижимые и грозные технологии XXI века могут всё, и новые спецметоды кажутся воскрешённым ещё чудовищнее старых. Теперь не только можно сделать с человеком что угодно, но сделать это можно так, что он ничего не узнает.

– Они поддельные? – с надеждой спрашивает кто-то.

– Настоящие, – признаётся Лихач. – Но на самом деле всё не так, как на них! А что касается кассы, Вацлав и я, с общего согласия, передали её на временное хранение Ромуальду. Вы все знали, что они из ГПУ. Почему же тогда предатель я?

– Хорошо, – говорит Посошков. – Мы с Вацлавом идём к фон Плау и ещё раз выслушиваем его объяснения.

– Не тошнит вас ещё, Иван Кириллович, от его объяснений?

– И к тому же это никак не объяснит факт знакомства Лихача с жандармским полковником.

– Откуда такая уверенность? С чьих слов вы знаете, что это жандармский полковник?

– А что, непохож?

– Давайте будем решать наши проблемы в какой-то очерёдности! – взывает Посошков. – Сперва касса и фон Плау, затем – жандармы и Лихач!

– А если это взаимосвязано? Если это заговор? Почему ГПУ не может сговориться с ГБ, они же признали себя правопреемниками?

Это высказанное наконец вслух подозрение давно тревожит умы. Коалиция ГПУ с ФСБ выглядит не удивительнее коалиции ГПУ с ПСР и межпартийной БО. Вацлав говорил, что это сотрудничество конкретных людей, а не союз ведомств, а они кивали и соглашались, – но, может быть, и у ФСБ есть конкретные люди? Стороны признали, что отброшены во времена до октября семнадцатого года, в ту альтернативную историю, где эсеры уже не составляют большинство в Учредительном собрании, и поэтому для них мрачную тоже.

– За фон Плау поручился Вацлав.

– А кто поручится за Вацлава?

– Довольно, – говорит Посошков. – Мы опять начинаем подозревать и обвинять друг друга. Это то, на что ставят наши враги.

– Ах вот на что ты поставил, – говорит дядя Миша Кошкину. – На диктатуру.

– Сейчас и необходима диктатура.

– Вот и Корнилов так решил. Но у Корнилова была армия.

– Потом это будет преобразовано в диктатуру пролетариата. Мирным путём.

– Ну спасибо, что не в диктатуру сердца.

– ...

– Я отказываюсь понимать, как ты мирным путём проведёшь национализацию. И где возьмёшь для своей диктатуры пролетариат.

– Если пролетариат изменился, это не значит, что он исчез. Вокруг посмотрите. Что вы увидите?

– Марксизм – дело творческое, – говорит дядя Миша. – Но не знал, что настолько.

– Вы увидите пять сотен или пять тысяч мерзавцев, каждый с пятью иностранными паспортами в кармане, и, через пропасть от них, всех остальных, которых эти мерзавцы сперва ограбили, а теперь обкрадывают. Когда народ и государство придут, чтобы вернуть своё, кто встанет на защиту пяти тысяч против десятков миллионов? Наша задача не в том, чтобы выпотрошить подушки у мелкой буржуазии или сейфы – у средней. И широкие слои будут ликовать. И вы будете ликовать. Потому что в итоге получите сильную, сложную и процветающую Россию.

– Я только боюсь, что на каком-то этапе ты решишь пожертвовать сложностью.

– Вы считаете, что люди ничему не учатся?

– На тридцать четвёртую комнату смотрю и думаю, что нет. Или взять нынешних – тоже словно прямиком из «великого марта». Пусть Россия будет величиной с пятак, лишь бы демократическая.

– Но сами вы научились. Я научился. Этот нынешний полковник учится, хотя и делает вид, что валяет дурака.

– И вот так, втроём, мы совершим Восемнадцатое брюмера. Тре бьен. Бонопарт-то у тебя на примете есть?

– Пусть этот сидит, который сейчас. Людям нравится.

– ...Говорят, Сталин воскрес.

– Михаил Алексеевич... С каких пор вы прислушиваетесь к тому, что говорят на базарах?

– Но ты, голубчик, сам получал сводки со всех базаров.

– Это совсем другое. Я и сейчас их получаю. Я знаю, о чём говорят. Но не всему верю.

– И почему ты не веришь именно этому?

– ...

– ...

– Давно хотел спросить, почему вы тогда не эмигрировали.

– Сперва чувствовал себя слишком виноватым. Потом не стало возможности. Конечно, если бы я на тот момент оказался, как Маклаков, за границей, то вряд ли бы вернулся.

– За кордоном многие прозрели.

– Не так, как ты думаешь, голубчик. Есть негодность идей, а есть негодность лиц. Ставишь либо на тех, с кем идти вместе нельзя, либо на тех, кто не выиграет. Тут либо против совести, либо против здравого смысла. ...Что уж теперь-то вспоминать.

– Да, – говорит Кошкин и улыбается. – Теперь речь о будущем, а не о прошлом.

От денег под кроватью шёл ровный, зловещий жар: Саша чувствовал его сквозь кровать и клеёнку баула. Шестого ноября он решил, что пара дней истекли (он просто не выдержит ещё одной такой ночи), встретился с полковником Татевым и, как он думал, аккуратно, навёл разговор на Казарова. (Как там Василий Иванович, интересно? А доктор Старцев? А что с Казаровым?)

– Казарова задержали.

– За что?

– Паспорт себе фальшивый покупал. Что примечательно, обычный.

– Не всем нужны фальшивые загранпаспорта.

– Я имел в виду паспорт с нормальной датой рождения – как у тебя, у меня. Многие воскрешённые стали скрывать, что они воскрешённые, понимаешь?

– ...

– Зачем тебе Казаров?

«Хочу, чтобы забрал свои деньги и исчез».

– Олег, а ты не мог бы... Пусть его под подписку выпустят.

– Ну вот ещё.

– ...И что он говорит? Зачем ему такой паспорт?

– Чтобы не косились. Чтобы на въезд в Москву ограничения сняли.

– Зачем ему в Москву?

– В Москву нужно всем, – сердито говорит полковник. – Кроме питерского снобья и отдельных провинциальных дур.

– ...Ты в порядке?

– Нет. Спасибо, что спросил.

– ...

– Время он неудачно выбрал. Пару недель назад никто бы ухом не повёл, а теперь попадёт наш Казаров под реализацию. За участие в террористической деятельности.

– Подожди-ка. – И Саша стал разуваться.

– «Разыгралась музычка на поле чудес. Я танцую в блузочке, а могу и без»... – Полковник перестаёт напевать. – И ты считаешь, что это стриптиз? Это не стриптиз. Это всё кривлячество. Или кривляйство?

– Кривляние.

– Почему нельзя сказать, как я хочу? Что это?

– Список членов межпартийной Боевой организации. Мне это дал человек из ЦК партии эсеров. Видишь? Казарова здесь нет. Господи, ну какое он может иметь отношение к БО? Ты же видел, он почти всё время с Василием Ивановичем. Его Василий Иванович устраивает больше, чем какое-либо народовластие. Олег, сделай что-нибудь.

– Что-нибудь?.. Сейчас сделаем. Присядь-ка. Погляди на меня.

– ...

– И теперь расскажи, что случилось.

Каждый надеется встретить такого замечательного собеседника, который приласкает и спросит: что с тобой, любимиче? – и ты скажешь: долго рассказывать, а он скажет: я никуда не тороплюсь, и тогда ты расскажешь, а он выслушает и потом скажет, что делать.

– Я не могу рассказать, – прошептал доцент Энгельгардт. – Это слишком глупо. Я лучше покажу. Ты можешь прямо сейчас со мной поехать?

Полковник Татев улыбнулся, увидев, куда они приехали, и Саша истолковал эту улыбку превратно. Ему стало неловко – но не за бедный деревянный дом и не за себя. «Как Москва-то людей ссучивает в духовном плане», – привычно подумал он.

– Соседей знаешь?

– Только одного. – *«Будь он неладен»*.

– Ну веди, показывай.

– ...

– ...

– Ты не мог бы это забрать?

– Я?

– Мне даже всё равно, что ты с ними сделаешь. Я буду молчать.

– Молчи, но не сейчас.

Выслушивая Сашин отчёт, полковник не может не вспомнить ночь, которую провёл у Климовой, и как они перебирали различные версии грабежа и пропажи, до смерти напуганные перспективой говорить о самих себе. Деревянные жалюзи на окне кухни были опущены, но не закрыты, и между светлых планок сквозила чёрная ночь с невидимыми фонарями и затаившейся в проулке машиной ППС, – всё это время, и ещё два дня, деньги мафии лежали под съёмной кроватью несчастного питерского доцента. Который сейчас, не в состоянии ни сидеть, ни стоять, подошёл к окну и сразу же отшатнулся.

– Что там?

– Вацлав сюда идёт! И профессор Посошков!

– Думаю, они не к тебе. Ты продолжай, продолжай. Рассказывай.

– Но это всё.

– А список?

– Список от Вацлава. Олег, это такой человек – –

– Страшный. Да, знаю. Вы его демонизируете. *«Значит, не только я. Кто-то ещё»*.

– А ты его видел? Разговаривал? Извини, Олег, я когда чёрта с рогами встречу, мне так страшно не будет. ...Что это? Ты слышишь?

За стеной начался разговор на повышенных тонах.

– Это твоему чёрту пришпилили хвостик на гвоздик.

– Я только сейчас понял, что это такое, грязные деньги, – сказал Саша. – Точнее говоря, ощутил. Это не метафора. Ты меня понимаешь?

– Тебе так кажется, потому что ты знаешь, откуда они.

– Ничего подобного.

– Все деньги грязные, Саша. Даже те, которые прямо от печатного станка.

– ...Как ты думаешь, зачем Казаров это сделал?

– Зачем? Низачем. Он просто вор. Только ты мог спросить, зачем человек берёт два миллиона долларов, если у него появляется такая возможность.

– Нет, он не вор. У него наверняка был какой-то план.

– Сумма способствует разгулу фантазии.

– И, по-моему, он не очень хочет революции. Ты о нём узнавал?

– Нет, зачем. Мне он не мешает.

«Ты всегда говоришь нет, зачем, а потом оказывается, что да, первым делом».

– Он брал не для себя, а для какого-то дела.

– Конечно. Василию Ивановичу на колхозное строительство. Прекрати об этом думать.

За стеной стали кричать и ронять мебель. Саша опять оказался у окна.

– Как быстро вызвали полицию.

Полковник тоже подошёл и глянул: полиция в форме, полиция в штатском, белый фургон областного телевидения.

– Этих, похоже, прислали, а не вызвали. – Он посмотрел на Сашу. Саша побледнел.

– Я тебя не подставлял.

– И ещё ты должен добавить: «поверь мне».

– Мне было важно сказать. Как и что ты услышал – уже твоя проблема.

– Справедливо.

– ...Я не могу прекратить об этом думать.

– О чём?

– Я так старался. Хотел помочь. Чтобы они ассимилировались. Поверили нам. Нашли своё место. Я на них смотрел... ну, как на полубогов, наверное. В древнегреческом смысле. И что под конец? Вацлав меня использует как стукача, а Казаров – как камеру хранения. Каждый второй или обманывает, или не считает за человека. Они мне чужие. Я им чужой. Я не понимаю этих людей. Хорошо хоть собственных родственников не стал искать.

– Не нужно очаровываться с непринуждённостью восьмиклассницы. Тогда и разочарований будет меньше.

Шаги по коридору определённо топотали в их сторону, но тут за стеной раздался уже нечеловеческий вопль ярости и страдания, соседская дверь распахнулась, прошелестело сдавленное «помогите» и полиция в форме и штатском была вынуждена... распахнутая дверь, свидетель, возможно, бросился прямо под ноги... была вынуждена хотя бы заглянуть.

– Что я скажу Ивану Кирилловичу?

– Что случайное стечение обстоятельств сделало тебя игрушкой в чужих руках.

– Не думаю, что он поверит.

– Правда, Саша, как Господь Бог – не нуждается в том, чтобы в неё верили или не верили. Она просто есть, и всё.

– ...

– Что ты так на меня вытаращился? В конце концов всё приходит к вопросу о добре и зле.

– Ну, знаешь, Олег... Ну, знаешь...

– Да? И почему бы мне не интересоваться такими вещами?

– ...И к каким выводам ты пришёл?

– Человек – это не сражающаяся сторона. Это поле битвы. Его вытопчут вне зависимости от того, кто победит.

Они продолжили смотреть в окно. Когда появились носилки с раненым и фон Плау в наручниках, среди встречающих произошла заминка. «Не снимать!» – кричали одни. «Снимай, снимай скорее!» – другие. Уже понимая, что встретили не того, журналисты отважно делали, что умели – хотя и не то, ради чего их сюда привезли.

– Вот она, теория хаоса в действии. И всё, как всегда, закончится плохо для всех.

– И тебе всё равно?

– Я бы переживал, если бы закончилось плохо только для меня. А ты понял, к кому они шли? Ни черта ты не понял.

Саша смотрит в окно на золотой крест и зелёный купол церковки.

– ...Может, в церковь сходить?

– Я у Бога ничего не просил, – говорит полковник Татев. – Даже прощения.

Сюжет о том, как один воскрешённый покушался убить другого, не пошёл в эфир, но стал широко известен. Задержанный в областном СИЗО, раненый в городской больнице и свидетель с гипертоническим кризом упорно молчали. Это дело явно старались замять, и в конце концов, обрастая леденящими и полностью выдуманными подробностями, оно всех заинтересовало. Никому не ведомые фигуранты превратились в фигуры, а ничем не примечательный городишко – в место приложения сил.

Придя навестить Посошкова, Саша Энгельгардт первым делом увидел свёрнутую местную газетку на столике у кровати. В кармане у Саши лежала точно такая же, и очередной фельетон Р. Сыщика источал сквозь карман свой медленный яд.

Речь опять шла о провокаторе, но на этот раз акценты были расставлены по-другому. Провокатор оказывался агентом госдепартамента, и это не был тот унылый, беспомощный, вечно садящийся в лужу из-за своей некомпетентности госдеп, который возникает обычно на федеральном экране, но клыкастое и очень рукастое зло, прекрасно осведомлённое о своих возможностях и дьявольски умело ими пользующееся, дворец и угодья сатаны. Далее, у агента зла появились подручные, в одном из которых угадывалась Марья Петровна – но инфернальная, раздираемая похотью и ненавистью к порядку Марья Петровна – и кто-то из воскрешённых. (Здесь Саша понял не все намёки и выпады. Это мог быть Кошкин. И это мог быть Вацлав.) Адская эта троица с рёвом и топотом неслась по тихим филькинским улицам, уже не скрывая ни лиц, ни планов.

Лицо Ивана Кирилловича Посошкова стало замкнутым, враждебным.

– Вы не могли в это поверить, – пробормотал Саша.

– Видите ли, дорогой, вопрос о том, чему вы склонны верить, – это главным образом вопрос о качестве вашей собственной души. Хорошо верить хорошему, даже если оно неправда, и дурно верить дурному. А хуже всего – верить плохо солганному.

– ...Вы предлагаете солгать как-нибудь получше?

– Я никому никогда не предлагал лгать.

Саша вздохнул и извинился.

– Утомительно не то, что люди лгут, а то, что они не запоминают собственную ложь.

Это уже было обвинением; было произнесено как обвинение, и другой потребовал бы прямых объяснений. Однако не странно ли требовать объяснений с той точки, до которой доцент Энгельгардт уже дошёл?

– Я слышал, Вацлаву сделали операцию. Он поправится.

– Очень на это надеюсь.

– ...Что там произошло?

– У вас есть какие-то полномочия меня допрашивать, Александр Михайлович?

– Нет. Зачем вы так. Это не допрос.

– ...

– Я хотел вам кое-что объяснить. Про Вацлава.

– Почему именно мне?

«Потому что никому из тех, кто был в том списке, я не смогу смотреть в глаза».

– Потому что вы оказались в этом замешаны.

Профессор Посошков, который полулежал, опираясь на подушки, и смотрел на Сашу с подчёркнутой вежливостью – и тот, кто смотрит, понимает, что это само по себе оскорбление, и тот, на кого так смотрят, – приподнялся.

– Замешан в чём? Вы пришли ко мне, чтобы повторить клевету и слухи, распускаемые органами?

Саше стало неприятно. На каком основании этот лукавый человек читает ему мораль? («Я люблю читать морали, – говорил полковник Татев, но он улыбался. – А сознание того, что у меня нет на это никакого права, только придаёт сил»).

Он подумал, что впервые оказался в тридцать четвёртой комнате, если не считать того первого взгляда с порога. (Ещё тогда нужно было повернуться и уйти твёрдым шагом в сторону вокзала.) В комнате, кроме них, никого не было, было не очень чисто и не очень прибрано. Это была мрачная нелюбимая комната, и люди, которые в ней случайным образом и ненадолго собрались, никогда не любили ни дома, ни красивые вещи, не понимая такой любви и презирая в ней стяжательство, легкомыслие или мещанство.

– Вы на меня, пожалуйста, не сердитесь, но я вас видел. Я там был. Я в том доме живу. Временно.

– Это вас специально, надо думать, подселили?

Доцент Энгельгардт встал и откланялся.

После этого разговора... Почти в слезах. Глотая слёзы. С глазами на мокром месте. С сухими глазами, но с сочащейся царапиной где-то внутри. Нужно было остаться и ещё раз попробовать объяснить. Пробовать до тех пор, пока... После этого разговора он по инерции зашёл к дяде Мише и не был бы удивлён, обнаружив на месте ироничного благожелательного старика гоблина с ртом, кривящимся от подозрений. Но дядя Миша остался прежним.

– Что с тобой, голубчик?

– Это сакральная злоба.

Дядя Миша кивнул и не спрашивая занялся чайником и пирожками под чистой тряпочкой.

– А где Кошкин?

– Где-то рыщет, тоску выгоняет. Демонстрацию-то отменили.

(Вот прямо сейчас одноглазый бывший комиссар госбезопасности второго ранга проходит, подняв воротник пальто, через пустой парк, сквозь мглу и золотистые отблески, и, недалеко от ротонды, полковник Татев пожимает ему руку.)

– Да, сегодня же седьмое... Вы считаете, не надо было? Отменять?

– Не знаю. Но комиссар из кожи бы вылез, чтобы показать, что такое хорошая организация. Что у тебя всё-таки случилось?

Саша не выдержал и излил всю жёлчь и досаду.

– А главное, он на меня ещё до всяких объяснений смотрит как на виноватого. Для него мои слова... как будто уже сто лет как доказано, что я лжец.

– Чего ж ты от него хотел? Иван Кириллович старый партиец.

– Я никогда не видел в нём партийца.

Путаясь, Саша рассказал, что именно привлекло его в ученике Шульце-Геверница.

– Ты всерьёз думаешь, что он экономист хороший? И при этом партийный деятель? А сейчас так бывает?

– Сейчас – нет. А тогда было всё.

– Встречал я в молодости людей, которые с таким же чувством говорили об эпохе Николая Павловича. И ведь они её застали, в отличие от тебя... Что ты можешь о нас знать? Что ты можешь знать о той России?

«Я о той России знаю всё, чтобы ненавидеть эту». Конечно же, нет. Ненависти в нём не было.

Нужно было остаться и попробовать объяснить, думает Саша. Сухо, жёстко, немногословно. Сказать: «Вам придётся меня выслушать», пригвоздить взглядом... Саша дополнительно представил, как он это делает, пригвождает... пригвоздить и дать чёткую, ясную картину событий. Логика. Причинно-следственные связи. Представить причинно-следственные связи в образе первобытной дубины и бить ими Ивана Кирилловича по голове.

– Не будь ты, голубчик, таким самоедом. И не позорься. Это партийные люди, они отродясь правдой не интересовались. Либо ты ихний со всеми потрохами, либо тебя никто не станет слушать. Им проще, чтобы тебя вовсе не было, чем вдруг окажется, что ты в чём-то прав. Ты не можешь быть прав, если не с ними.

– Существуют связи между людьми, – пробормотал доцент Энгельгардт. – Человеческие связи... – У него зазвонил телефон. – Извините. Да?

«Домой не ходи, – не поздоровавшись, выпаливает Марья Петровна. – Менты только что были в библиотеке. Вера Фёдоровна их задержала. Она им скажет, что ты уехал. Всё, пока».

– Спасибо, всего хорошего, – говорит Саша трубке, из которой уже идут короткие гудки.

– Плохие новости?

– Плохие. И я сейчас, наверное, плохой гость.

– Это ничего. Мне уже доводилось принимать государственных преступников.

– ...Что лично вы собираетесь делать?

– Бежать как зачумлённых людей, которые отмежёвываются друг от друга на политических принципах. Работать вместе со всеми, кто хочет работы, а не болтовни.

– А что делать мне?

«Милый друг», «друг мой», – писала Савинкову Гиппиус. «Помните, не разлюбим Вас до конца», – писал Мережковский. (Конечно, разлюбят. Предадут и ославят.) Партия отвернулась от него даже раньше, когда он ещё не стал ренегатом в полном объёме слова: нравственные искания сами по себе не делают людей ренегатами. Они делают их подозреваемыми – и как могло не вызывать подозрений смятение, которое заставило Савинкова в 1907 году писать Вере Фигнер: «Этой старой моралью, этим духом позитивизма и рационализма я питаться не могу и не хочу» – и что-то ещё про «такие мистические, почти католически-церковные мысли», – а в 1916-м Фондаминскому: «Вы все окутаны ватой, в вас нет ни душевного волнения, ни душевного мятежа и душевные трагедии вам неизвестны – вы принимаете за них уколы повседневных несчастий или вашу нерешительность перед жизнью».

Может быть, следовало ограничить себя в переписке. Следовало перейти из Генштаба в действующую армию. (*«Самый отчаянный из всех террористов, Савинков, лично никого не убил».*) Может быть, можно было придумать что-нибудь получше, чем дружить с Мережковскими и исповедоваться Вере Фигнер. (С каким блаженным недоумением пишет Вера Фигнер о Льве Тихомирове: как же так, в деле разуверился, но продолжал вместе с другими идти по пути, который считал ложным, – целых два года шёл. «Это такая бесхарактерность, безволие...» Ну а как? Как становятся ренегатами: с утра плотно позавтракал, а в два пополудни в ближайшем полицейском отделении строчишь донос на ближайших друзей.)

(Но где ренегатство, а где – доносы. И Вера Фигнер, честь и совесть партии, не обвиняет Тихомирова в предательстве, по-доброму списывая всё на психическое расстройство.)

В Лихаче заподозрили нового Савинкова, но объявили его новым Азефом: так было значительно удобнее. Вацлава, поскольку вакансия была закрыта, оставили в покое. Он оправлялся в городской больнице от травм и стресса, принимал посетителей, вернулся к партийной работе. Где-то в тайной ведомости, в укромном ящике души, он так и не выставил себе жирный плюс... ни жирный, ни тоненький... Он знал, что не знает, что произошло.

– Ну что? – говорит полковник Татев Кошкину. – Отдыхаем в холодном лифте? А зачем надо было у меня за спиной мутить?

Единственный глаз Кошкина отвечает ему спокойным испытующим взглядом. Они бредут сквозь перламутровую, с отблесками, мглу парка – хромой и одноглазый.

– Для барона можно что-нибудь сделать?

– Если считаешь, что он тебе нужен, то да.

– Он мне нужен. Я должен кому-то доверять.

– А ты не боишься, что он узнает, что ты его предал?

– Он не узнает. А если узнает, не поверит. В этом смысл верности.

– ...А что Казаров?

– Казаров? Я даже не знаю, о ком ты.

– Значит, не обо всём тебе Ромуальд Александрович рассказывал.

– А ты к начальству своих агентов представляться водишь?

– Ой, да какие у меня агенты... пара штук на паях с госдепом. Так вынимать Казарова, нет?

Кошкин говорит: «Я подумаю», говорит: «Я рад, что мы договорились». («Инициатива может принадлежать только личности, организации – никогда, – скажет полковник Татев Саше Энгельгардту. – А ты замечал, как бесконечно легко становится, когда имеешь дело только с техническими трудностями?») Потом Кошкин спрашивает, насколько их планы совпадают с планами руководства ФСБ, и полковник Татев рассеянно отвечает, что в рядах предстоит большая чистка.

– И постарайся, чтобы тебя больше не грабили, – добавляет он. – Я бы на твоём месте всё-таки узнал, кто это сделал.

– Я мог бы узнать это от тебя.

– Мог бы. Но я не скажу.

– Почему? Проверяешь?

– Провожу переаттестацию.
– Это отличается от чистки?
– Конечно. Это строго добровольно.

Сначала Саша решил ехать на вокзал и убираться куда глаза глядят. Потом он решил, что на вокзале-то его как раз и сцапают. Потом ему показалось, можно пойти в полицию и попытаться дать какие-то объяснения. Потом он эту мысль отверг, но на её место явилось то соображение, что объяснения можно дать в частном порядке, переложив на полковника Татева всю дальнейшую ответственность. Но что он мог сказать полковнику Татеву такого, чего тот не знал сам?

И куда ему, собственно говоря, вот прямо сейчас идти?

Он пошёл в «Престиж».

– По-твоему, значит, он за нас не впишется?

– Впишется. Если перед ним не будет стоять серьёзный выбор.

– Расправа! что ты такое говоришь... После того, что в Трофимках было...

– И что там такого было?.. Жизнью ему рисковать проще, чем погонами. Запомни: если что, Татев выберет не тебя, а свои погоны. Даже думать не станет.

– ...Он хитрый. Как-нибудь извернётся. Кого-нибудь подставит.

– И ты готов, интеллигенция, чтобы ради тебя кого-нибудь подставили?

– Да.

Справедливости ради: Саша так сказал больше в сердцах, чем от сердца. Не ради меня как такового, хотел сказать он. Ради друзей. Ради торжества иллюзии. А если что, он, Саша Энгельгардт, всегда успеет наложить на себя руки. (Эта мысль ещё Ницше приносила большое облегчение.)

Наконец человек, о котором они говорили, заглянул в лобби и, увидев Сашу, со вздохом сказал: «Пошли».

Они поднялись в номер – точь-в-точь, заметил Саша, какой был у него, пока он здесь жил, но неуловимо перенявший что-то от индивидуальности этого постояльца, беспечно разбросавшего по углам свои немногочисленные, отличного качества вещи.

– Видишь ли, – сказал полковник, ставя на стол рыжий саквояж и задумчиво в него заглядывая, – всех устроит, если у этих беспорядков будет выявленный организатор.

– Но почему я?

– А кто подойдёт лучше? Прогрессивный, честный, столичный... интеллектуал... ты интеллектуал? Троцкисты твои дадут показания. Посошков уже дал.

– Не верю.

– Ты к нему ходил сегодня? Прощение, наверное, вымаливал? А он, наверное, нос воротил и не желал прощать? А ведь уже оболгал тебя, и знал, что оболгал. Ну что такое какой-то дурак-доцент, если речь об интересах партии.

– Нет.

– Ну как это «нет»? Откуда же я тогда об этом знаю?

– ...Может быть, там, в тридцать четвёртой, прослушка. Или на мне. – И Саша судорожно провёл по себе руками.

– Да конечно. Больше «жучок» потратить не на что. – Полковник стал складывать рубашки. – Ладно, выше нос. Я уже всё уладил. Заметь, не дожидаясь твоей просьбы. Конечно, нужно было подождать, пока ты попросишь, и выторговать у тебя взамен твою бессмертную душу, ну да что уж... Не к шубе рукав. Что-нибудь ценное у тебя на адресе есть? Посидишь тогда до вечера здесь. Вечером поедем.

– А как же Маша?

– За Машку не переживай. У неё не только прогрессивные убеждения, но и влиятельные родственники. И вообще, здесь Филькин.

– Хотя бы попрощаться.

– Из Питера позвонишь и попрощаешься. Если к тому времени не забудешь. Я покажу тебе Москву. Столичную ночную жизнь. – Он внимательно рассмотрел голубой свитер и отложил его в сторону.

– Вот так всё просто? Почему же Расправа мне только что сказал – –

– С Расправы по итогам этой поездки полетят погоны или какой там вместо них аналог... разве что не голова. Поэтому он заранее всё видит в мрачном свете. Он из тех пацанов, которые считают, что выжить и победить – разные вещи.

– А такие ещё остались?

– А ты сам не такой?

– Нет.

– И за пределами сил есть силы, – загадочно сказал полковник. – Ты язык-то за зубами держишь?

– Держу.

– Хорошо держи. Я буду проверять. – Он сходил в ванную за зубной щёткой и бритвой. – Стратеги, ахтыгосподи.

– Ты сам чем той ночью занимался? – спросил Саша, разозлённый его насмешками.

– В покер играл.

– ...

– Никогда не выкидывай старую зубную щётку, пока не купил новой, – сказал полковник. Щётка закачалась в его размышляющих пальцах. – С другой стороны, мозг не станет актуализировать покупку, пока он знает, что какая-то зубная щётка есть. Ты просто не вспомнишь. А ты играешь? Нет? Мог бы не спрашивать. Глупо думать, что азартные игры тебя прельстят. Ты предпочитаешь спокойные, коммерческие. Твой отец – преферанс, а ты, по веянию времени, бридж. С компьютером.

– Что-то не пойму, ты выиграл или проиграл?

– Я почти всегда выигрываю.

«Это как Свидригайлов говорит: я редко лгу».

– Ты так об этом говоришь, как будто сожалеешь.

– Да ни о чём я не сожалею. Я смиренный человек. Сожалеют те, кто считает, что достоин лучшего. Всё, я пошёл. – Полковник Татев захлопнул саквояж, огляделся и, как завершающий штрих, достал из стенного шкафа ополовиненную бутылку виски и стакан. Поставил их на стол рядом с саквояжем. – Наслаждай себя.

– Я так и знал! – трагически восклицает Игорь Биркин. – Я говорил вам, что не надо вмешиваться!

– Перестаньте причитать, Игорь Львович. Ничего страшного не случилось. Он уедет, а местные останутся.

К специалисту уже вернулась его обычная наглость, но пережитые страх и унижение, хотя он и стряхнул их с проворством собаки, сделали его голос визгливее, а жесты – резче. Конечно, он поклялся отплатить хромому полковнику в тройном размере и прокачивает имена и варианты, представляя, куда и как с расчётливой оттяжечкой ударит. И всё же каждый раз, взглянув на Биркина, он вспоминает, что это уже не прежний Биркин, что Биркин был свидетелем... Биркин был свидетелем – Биркину конец... и что-то стронулось в механизмах жизни, в железе причинно-следственных связей.

– Почему, когда я говорю, никто меня не слушает!

– Потому что говорить в вашем положении нужно как можно меньше. Успокойтесь, я что-нибудь придумаю.

Раз уж берёшься презирать людей, начинай с себя, думает про специалиста Биркин. Ему страшно, ему противно, у него сухо во рту, а в голове неотрывно вертится мысль о лошадке, которую продолжает требовать дочь, – если Господь изъемлет его из когтей чудовища в пёстром свитерке, он купит ей столько лошадок, чтобы смогла ездить цугом. Он готов стать лошадкой сам.

– Я его сгною, – говорит специалист убеждённо и тихо. – Участковым на Камчатку поедет, под суд пойдёт. Не на того напал. Он думает, что за ним система. Это за мной система. У этой страны есть хозяева. – Он говорит всё быстрее, и чем быстрее, тем тише и нечленораздельнее, так что ухо выхватывает только отдельные слова, то «недоумки с Лубянки», а то «транснациональный интерес».

«А ты будешь меня слушаться, – добавляют его глаза. – Я могу превратить твою жизнь в ад».

– Да, – говорит Игорь Львович, переводя взгляд на аккуратные пухлые ручки специалиста. До этого момента он не подозревал, до какой степени – и как нецивилизованно – можно ненавидеть. – Да.

Покидая Филькин, Саша не был уверен, что он его действительно покинет. В определённом смысле он уже прибыл на конечную, оставалось лишь умереть и быть похороненным на местном кладбище – быть может, старом, тенистом. Или отряд спецназа (*тяжёлые*, как называет их полковник) тормознёт их машину на выезде из города, и следующая жизнь, которая после этого начнётся, сделает бессмысленными волнения настоящей. Когда его, Сашу, террориста и агента сил зла, будут уводить в наручниках, он наберётся сил и скажет Расправе... бедный, бедный... сидит хмуро за рулём, и даже спина хмурая... скажет Расправе, что ему очень жаль.

Саша чувствовал личную ответственность за то, что у Расправы не сложилось. Отдать деньги в руки наркомафии – это было выше его сил, но отдать их государству за спиной у человека, который был к нему так добр, а теперь едет несолоно хлебавши за выволочкой от своих ужасных хозяев – едва ли лучше. Да и не было у доцента Энгельгардта уверенности, что грязные миллионы попадут в итоге к государству. У полковника Татева при себе были только саквояж и сумка с ноутбуком, и Саша скорее откусил бы язык, чем стал вслух интересоваться судьбой клетчатого баула. Он пообещал, что обо всём забудет. Он намеревался забыть – хотя бы не раскрывать рта и по возможности не думать. Нужно будет уйти из соцсетей: в «Фейсбуке» не думаешь, что пишешь, это как понос.

Они проехали мимо центрального парка (*сад*, вспоминает Саша, чтобы не как в NY) и повернули по холму вверх. Непоздний вечер уже почернел, и стены особняков размыто просияли сквозь тьму.

– Тормози, – неожиданно сказал полковник. – Подождите десять минут.

Саша всполошился.

– Ты к Марье Петровне? Я тоже пойду.

– Ну какого чёрта мне идти к Марье Петровне? Я и не знал, что она здесь живёт.

Почти со злобой Татев выбрался из машины и захромал назад. Доцент Энгельгардт похлопал глазами.

– Что это с ним?

– Не знаю и знать не хочу. Может, от начальства прилетело.

– ...А тебе сильно прилетит?

Расправа хмыкнул.

– Да ладно, справимся. Будем работать побольше, кушать поменьше...

Он полез в карман за салфетками и стал медленно протирать руки и руль.

– Вот так всегда, где большие деньги. Кому-то их не хватает.

– Ну что ты реально знаешь о больших деньгах?

«Попал кадилом в рыло».

– Всё, что нужно, чтобы из-за них не подохнуть.

Возвращаясь, Олег Татев говорит по телефону, и Саша слышит обрывок разговора: «...Это ты у меня спрашиваешь? ты разве не знаешь? Я думал, все знают. Я не делаю женщинам подарков. Я им плачу».

– Сослуживец, – объясняет он, убирая трубку в карман. – Спрашивает, что девушке подарить: машину или брюлики. Ты бы что подарил, Расправа? Камень на шею?

Саша сидит в мягком тёплом сумраке, а сумрак движется сквозь холодную тьму. Всё, что осталось за пределами машины, кажется враждебным и мёртвым, а всё, что есть живого, собрано здесь, внутри. Эти двое ему не друзья, между прочим, одному он не может смотреть в глаза, другому – боится, но любит их как дорогих, давних друзей, которые были с ним до и будут после, в первом классе и на похоронах. Огни, отражённый свет водой бегут по стёклам.

– Я влюблён в фотографию, – говорит Саша. – Опрятно, дёшево и романтично.

Полковник Татев оборачивается.

– Покажи.

– У меня нет.

– То есть как?

Да, вот так: ни в телефоне, ни в ноутбуке, ни в серебряной рамке. Что-то, судорожно хватаясь, держишь при себе, но не на кармане: образ женщины, например, которая прошла по улице за стеклом кафе, её фотографию, которую невозможно показать, переслать, размножить.

– У меня будет очень красивая безответная любовь, – говорит Саша и начинает смеяться, чувствуя, что наконец-то избавился от Филькина – даже столичная ночная жизнь не понадобилась. Столичная ночная жизнь. Она ещё встанет ему боком.

– Тебе пойдёт, – говорит полковник, тоже смеясь. – Это женщине безответная любовь не к лицу.

– Женщине любовь вообще не к лицу.

– Женщине к лицу, когда её любят.

– Совсем как родине, – говорит Саша, отсмеявшись. – Я, кажется, тоже принял судьбу. Но учти, Олег: сегодня-то я точно демобилизуюсь. Или дезертирую. Называй как хочешь.

– До чего же ты глуп, – сквозь зубы говорит Расправа.

– Он не глупый, – поправляет полковник. – Просто ему нужен кто-то, за кем он мог бы пойти с чистой совестью.

– Я и говорю. Почему он выбрал для этой цели тебя?

– Саш, ты почему меня выбрал?

– Ничего подобного. Я выбрал не тебя, а дядю Мишу.

– Кого?.. Ах, этот-то... Не слишком для меня лестно, но я никому не скажу. Это всё равно, за кем ты пойдёшь. Лишь бы в правильном направлении.

Доцент Энгельгардт собрался ответить, но понял, что сказать ему нечего.

Действительно, чему он за этот месяц научился? Ничему такому, чего бы не знал с детства. Люби не требуя. Работай честно. Не лги хотя бы себе. Не предавай хотя бы друзей. Мой руки. Не позорь страну.

И если у тебя есть ордена-медали – надевай их к празднику.

Конец первого тома

Директор издательства *Ольга Тублина*
Главный редактор *Павел Крусанов*
Главный художник *Александр Веселов*

Фигль-Мигль
ЭТА СТРАНА

Редактор *Вадим Левенталь*
Художественный редактор *Александр Веселов*
Корректор *Татьяна Добриян*
Компьютерная верстка *Ольги Леоновой*

Подписано в печать 31.01.2017. Формат 84×108/32
Бумага офсетная. Печать офсетная
Усл. печ. л. 20,16. Тираж 2000 экз. Заказ 3349

ООО «Издательство К. Тублина»
190005, Санкт-Петербург, Измайловский пр., 14
Тел./факс (812) 712 67 06, (812) 712 65 47
Отдел маркетинга: тел. (812) 575-09-63, факс: (812) 712-67-06

Отпечатано в Акционерном обществе
«Рыбинский Дом печати»
152901, г. Рыбинск, ул. Чкалова, д. 8.
e-mail: printing@r-d-p.ru www.r-d-p.ru

Информацию о книгах
нашего издательства
вы можете найти на сайтах
www.limbuspress.ru
www.limbus-press.ru

ЖД-вокзал

Пожарная каланча

Дом, где поселился фон Плау, а позднее Саша Энгельгардт

Монастырь

ГОРОД ФИЛЬКИН

Население 83 т. человек. Филиал обл. пединститута; сельхозакадемия; хлебозавод; заводы: кирпичный, стекольный; пуговичная фабрика.

Река Филя

Пуговичная фабрика

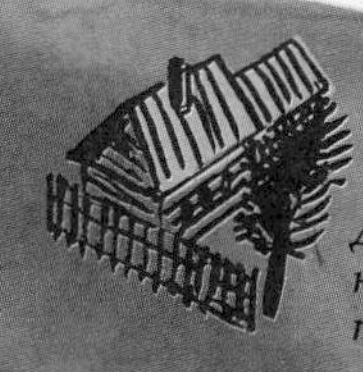

Двор и рябина, которые фотографировал полковник

Шанхай

Тракторная улица

Место, где произошла авария

Кирпичный завод